El silencio
de los Rosales

Planeta Fábula

Gerardo Rosales

El silencio
de los Rosales

 Planeta

© Gerardo Rosales, 2002
© Editorial Planeta, S. A., 2002
   Còrsega, 273-279, 08008 Barcelona (España)
Ilustración del interior: A. Penón, archivo del autor, Fundación Federico García Lorca y Ian Gibson
Primera edición: marzo de 2002
Segunda edición: mayo de 2002
Depósito Legal: B. 22.438-2002
ISBN 84-08-04252-1
Composición: Fort, S. A.
Impresión: A&M Gràfic, S. L.
Encuadernación: Encuadernaciones Roma, S. L.
Printed in Spain - Impreso en España

Agradezco sincera y cariñosamente a todos aquellos de mirada limpia que me han animado, escuchado, e inducido, a poder escribir este libro, un lejano sueño que me parecía inalcanzable.

A Carmen. A mis hijos Mónica, Miguel Ángel, especialmente a Rocío, por haberme empujado a escribir este libro, a Mar y Gerardillo, del que me acuerdo todos los días. A mi padre y a mis tíos Luis y Pepe. Al Grupo, a Luis Torroba y María Izquierdo, Pepe Heredia, Jesús Arias, Pepe Hinojosa, Paco Soto, Valentín Quintas y a Ana López Dorado. Así como a los historiadores Ian Gibson y Eduardo Molina Fajardo, cuyos trabajos sobre Federico García Lorca me han sido de gran utilidad.

A todos vosotros, gracias.

Luis en Granada

«Cuando seas mayor de edad, te contaré los secretos de la familia.» Ésta era la respuesta de mi padre cada vez que yo lo interrogaba sobre los detalles más íntimos que rodeaban la muerte de García Lorca. Cómo me atraía desvelar aquel enigma, despejarlo, con la curiosidad con que se descubren los fragmentos de tu propio árbol genealógico. Esperaba que llegara el momento con la impaciencia y la lejanía de la adolescencia. Sin embargo, una noche en la que aún me encontraba en la etapa que, en el sentido freudiano, quieres matar a tu padre, sucedió algo distinto que cambió nuestra relación.

Era una agradable noche del año 67 que anunciaba la proximidad del verano cuando, por motivos que más adelante contaré, terminé detenido en comisaría con algún que otro moretón sobre mi cuerpo. Después de que mi padre me hubo librado de los calabozos franquistas y a medida que hablábamos camino de casa, fue surgiendo entre nosotros un vínculo de complicidad. Me pidió que guardáramos el secreto, lo cual significaba que, a mi madre, ni media palabra. Los secretos a veces unen a las personas y los conflictos, si se exponen abiertamente, crean una atmósfera de relación sincera. Mi padre, cuando se ponía a hablar, perdía completamente la noción del tiempo. Y aquella noche, de vuelta a casa, se detenía a cada paso, como si quisiera que las palabras nos rodearan para ser debidamente escuchadas. Tardamos dos horas en recorrer una distancia que se cubría tranquilamente en quince minutos, mientras intentaba como progenitor hacerme comprender el riesgo de mi fechoría. Ya en casa, cómodamente sentados (los demás dormían), sus llamadas de atención por mi detención pasaron a segundo plano y surgió sin esperarlo —que es como suelen suceder las cosas— en la conversación la guerra civil y Federico. ¡Qué momento tan deseado! El desván donde reposaba el drama de Lorca abría su vieja puerta y comenzaba para mí la reconstrucción de lo que había ido oyendo durante la infancia, al volver él, quizá por cierto paralelismo, a la madrugada del 11 al 12 de julio de 1936. Sus palabras, emocionadas e intensas, sonaban con tal fuerza que de nuevo parecía vivir aquel lejano julio, donde los constantes alborotos preparaban el lecho de la guerra.

Ante mi asombro, ya que no le gustaba hablar de ello, mi padre comenzó a decir: «Recuerdo aquella madrugada en la que no podía dormir, a pesar de mis intentos y del cansancio instalado en mi cuerpo. Imagínate, trata de imaginarte, Gerardillo, que el calor flota por la habitación y el sudor por la almohada, que el pensamiento, tan libre, disfrazado de surrealismo, invade mi espacio sin el menor control, con escenas fugaces que corretean por mi mente, llenas de energía, como niños recién salidos de una jornada escolar; unas sustituyen a otras, incapaces de terminar aquello que han empezado, mostrándome esa parte oscura de la crueldad infantil. Pero no, no es el preámbulo de la inconsciencia que precede al sueño, ése que me llevaría sin tiempo al nuevo amanecer; a desayunar esperando a Luis, mi hermano, al que tantas cosas deseo preguntar. Su vuelta de Madrid es peligrosa: en cualquier calle, estación o apeadero, puede producirse una revuelta, un tiroteo, o la mismísima caída de la República. Aunque, tal vez, deba decir su derribo. Quiero saber por él qué pasa en la capital, en sus barrios y plazas, en la piel de sus gentes. ¿Qué sucede realmente en el resto de España? Las noticias que llegan a Granada son tan contradictorias... Mis otros hermanos, Miguel, Antonio y Pepe, falangistas los tres, ostentan cargos importantes dentro de la organización.

»Miguel, el mayor, aunque aún no se ha afiliado por pura desidia, es un activo camarada entre ellos, participa de lleno, y cuanto más enrevesado es el asunto, más le gusta enredarse. Antonio, segundo en edad, protege sus sensibles ojos detrás de unas gafas de sol, como todos los albinos, es el tesorero provincial de Falange Española en Granada y guarda documentos comprometidos en su habitación, a espaldas de mi padre, listados, ficheros, etc., por si los de Asalto o la Guardia Civil hacen un registro en el local de Falange. Los dos, Miguel y Antonio, más apasionados que reflexivos, actúan como caminantes entre la niebla de los endurecidos "camisas viejas"; fuertes de carácter y parcos en palabras cuando la razón se les pierde por radicales veredas políticas o religiosas. Pepe, el cuarto de los varones, entre Luis y yo, es un ideólogo tradicionalista, ilusionado en su discurso y jefe de sector: ejerce más poder del que representa. Es ágil, dicharachero, persona de confianza de José Antonio y también del enlace nacional, José Luis de Arrese, al que asesora en asuntos locales y cobija en casa cuando el dirigente viene a Granada. Vehemente en sus planteamientos, los defiende coloquialmente, con simpatía. A los tres trato de evitar en conversaciones políticas para que no me chinchen pidiéndome que me una a ellos, a sus ideales de una nueva patria. Es con Luis con quien quiero hablar, llegará en el tren de la mañana, quizá con él pueda resolver dudas, saber qué piensa y ordenar las confusas ideas que día tras día de este caliente y cruel julio del 36 me atormentan.»

«Papá, ¿por qué lo cuentas como si sucediera en este instante?», le pregunté.

«Quiero que comprendas lo que sentía, lo que sigo sintiendo, para ello he de vivirlo de nuevo mientras recuerdo. Ahora sigue imaginando», dijo, y prosiguió su narración.

Un olor a tierra mojada entra por el balcón y me traslada a cualquier setiembre, a las deliciosas tormentas del interior andaluz que anuncian el final del seco verano, fragancia que aprovecho para dejar la cama y asomarme a curiosear por el balcón. Lo abro de par en par e invito a la brisa perfumada de campo, romero y azahar a pasear por la habitación, a dejar que acaricie las sábanas, que impregne sus rincones favoritos y baje a juguetear con el agua de la fuente, hasta instalarse a capricho por el patio y el resto de la casa, refrescando los sueños de los que duermen.

Las escasas bombillas que bajo mis pies cuelgan en hilera dejan caer su tenue luz sobre los adoquines de la pequeña calle Angulo, que se pierde en la penumbra. En las aceras, que por estrechas casi no se usan, no queda rastro de caminar alguno, ni se oye el eco de la placeta de los Lobos. La de la Trinidad, plaza de los juegos de mi infancia, inquieta, bulliciosa y apeadero de tranvías, duerme profundamente.

Desde el balcón todo es quietud, excepto la sombra de un automóvil detenido en la calle de las Tablas: el motor apagado deja percibir el cuchicheo de su interior, que no puedo interpretar, y el aroma a tabaco que se escapa por sus ventanillas me invita también a fumar. Mis hermanos, como falangistas, están estrechamente vigilados, en especial Pepe, que a menudo tiene que esconderse en el piso de San Isidro y hace poco que pasó unos días en la cárcel. Me sobrecoge pensar que ese auto pueda estar al acecho de alguno de ellos.

Con la mirada perdida, entre el humo del cigarrillo que acabo de encender y la calle, nuevos pensamientos me trasladan a los últimos años. A la Facultad de Derecho, a sus clases, a los corrillos de mis compañeros, improvisando discursos políticos, ciegos de descontento con Azaña y su gobierno. A las protestas por la implantación del estado laico, la reforma agraria, la revolución de Asturias y su brutal represión, a las constantes huelgas cuyo fondo no es ideológico, sino una lucha de clases sociales entre pobres y ricos. «Pan, tierra y libertad», hermosos conceptos que podría compartir si las tierras no fueran arrebatadas ni las iglesias quemadas. El crac del 29 y tantos errores cometidos por la República han sembrado de hambre los últimos años, de violencia desbocada en escenas de muerte que no pertenecen a la memoria efímera, sino que se incrustan en el recuerdo, acompañándome tal vez para siempre.

Añadía mi padre, para ilustrarme, que la coalición de Gil-Robles, la CEDA, no aceptaba la derrota electoral de los últimos comicios, y en Granada menos aún, después del batacazo sufrido en mayo del 36, tras ser obligados a repetir las elecciones que habían ganado, meses antes, con pucherazo y presiones de caciques y clero, sobre todo en zona rural. La clara victoria de la izquierda, agrupada en el Frente Popular, se marcó como objetivo principal frenar el avance del fascismo. La obsesión casi paranoica para que no se extendiera el ejemplo alemán e italiano, junto con el berrinche de la derecha, que no quería aceptar las reglas del juego por el estrepitoso fracaso en las urnas, hizo que el miedo aumentara, día tras día, desplazando a los veraniegos noctámbulos de la pequeña y vanidosa ciudad de Granada.

Los envolvía un río de histeria colectiva, me dijo, cuyas orillas, fronteras irreconciliables del pensamiento, se alzaban amenazantes, avivadas por la Iglesia como colosal rastrojo de verano. Desde una orilla, el derrotado Gil-Robles y sus acérrimos antirrepublicanos querían derribar al gobierno del Frente Popular, aniquilarlo, tomar el Estado y acabar con el sistema democrático, y utilizaban para ello toda clase de engaños, calumnias y patrañas. En la otra orilla, socialistas, leninistas, trotskistas y carlistas navegaban sobre el río con las redes extendidas para captar a la mayoría indecisa. Mi padre se encontraba entre su pensamiento —que no coincidía con aquellos postulados— y el de sus hermanos, prestado o tomado de José Antonio Primo de Rivera, de su discurso de la dialéctica de los puños y las pistolas, del que recordaba:

La Patria no puede estar en manos de la clase más fuerte ni del partido mejor organizado. La Patria es una síntesis trascendente, una síntesis indivisible, con fines propios que cumplir; y nosotros lo que queremos es que el movimiento de ese día y el Estado que se cree sea el instrumento eficaz, autoritario, al servicio de esa unidad indiscutible, y si esto ha de lograrse en algún caso por la violencia, no nos detengamos ante la violencia, no hay más dialéctica admisible que la dialéctica de los puños y las pistolas cuando se ofende a la justicia o a la Patria (1).

(1)   Fragmento del discurso de José Antonio.

Tras la pequeña pausa que hizo para liar y encender un cigarrillo, mi padre recordaba aquella noche de julio de 1936 con verdadero afán, transmitiéndome la inquietud que sentía por el coche detenido al final de la calle, y continuó narrando:

Ya pasó la medianoche y esa sombra con su cuchicheo interior sigue ahí, inerte, junto al charco de agua que después del baldeo aún no secó. ¿Qué hacen, vendrán a por alguno de la familia; vigilan de nuevo esta casa? Esta quietud me inquieta.

De pronto, el automóvil de la esquina hace rugir el motor y rompe el ensordecedor silencio: al fin algo se mueve fuera de mi habitación. He tenido la tentación de bajar varias veces para descubrir a sus ocupantes, tantas como me lo ha impedido el miedo. Atento al rumrum y al movimiento de esa sombra aún estática, de un golpe quedo liberado de mis contradicciones internas, que huyen a toda velocidad, llevándose las elucubraciones y poniéndome en estado de alerta. Con cautela cierro la puerta de la habitación, evitando la corriente y el posible ¡plaf! que me delate y, sigiloso, vuelvo a mi observatorio, asomado lo imprescindible para ver sin ser visto. El rumrum sigue ahí, haciéndome perder el cuchicheo de sus ocupantes y, cuando la calle relampaguea ante los faros recién encendidos, oigo un solo golpe de portezuela.

Alguien se apea sin decir nada, sin despedirse, o mis atentos oídos no lo perciben. Los pasos se acercan resonando en la noche, mientras el automóvil se aleja sin prisas, lentamente, como si de nuevo, tras dar una vuelta de vigilancia, fuese a entrar por el otro extremo de la calle. La anterior penumbra vuelve y aunque el silencio se rompe por el caminar del intruso que viene directo hacia mí, me oculto instintivamente entre la oscuridad de la habitación y los anchos muros de la casa y aguardo, quieto, casi sin respirar, sólo el instante que la prudencia es vencida por la curiosidad. Poco a poco voy recuperando mi posición de espectador de palco, hasta dar con la silueta buscada. De repente se detiene, cambiando de mano los bultos que lleva, cuando un reflejo de luz sobre los cristales de sus gafas une sin parpadeos nuestras pupilas. El corazón se acelera y siento las palpitaciones en todas las venas de mi cuerpo; me ha visto, debo despertar inmediatamente a mis hermanos. Pero si parece Lu..., no, no puede ser... ¡Es Luis!, cargado con una pesada maleta y libros. Reconozco el único gesto que puede permitirse con las manos ocupadas, su amplia sonrisa.

En mi desconcierto y alegría, no correspondo al saludo, ni me calzo, ni me visto, salto corriendo a recibirlo. ¿Dónde están las malditas llaves, siempre perdidas? Ah, sí, aquí. De dos en dos y de tres en tres, vuelo sobre los peldaños de la escalera para abrir antes que él.

—¡Gerardo, qué alegría. Al fin en casa!

Al fundirnos en un abrazo noto el grado de preocupación y tristeza de Luis. Tras él, cierro el portón de entrada con dos vueltas de llave y corro todos los cerrojos, asegurándome que quedan bloqueados por el redoblón.

—Tengo tantas cosas que preguntarte, Luis, ¿cómo es que has llegado esta noche? Te esperábamos mañana, 12.

—Me llamó Pepe. «Vente en seguida, la situación es muy delicada, no pierdas tiempo.» De todas formas, Madrid está para salir cuanto antes, ya te contaré. Subamos.

Cojo su pesada maleta sin mediar palabra, convirtiéndome en porteador de libros más que de ropa. Los peldaños que nos separan del primer piso se transforman en pesados escalones para la carga, que roza y tropieza continuamente, hasta que por fin en el dormitorio de Luis, liberados del equipaje, continuamos hablando.

—Gerardico, los padres, ¿cómo están?

—A papá, la tienda le ocupa todo el día. Ya sabes, pasa mucho tiempo en ella, creo que trabaja más para pensar menos mientras su buen humor se esfuma entre calcetines, yoyós, camisas, cajas de ovillos o telas, casi no dice nada en estos meses. Cuando está en casa, escucha la radio, lee y cada vez que encuentra ocasión hace saber su descontento con la radicalidad de Miguel y Antonio, ante los que empieza a sentirse impotente; echa chispas con el tema de Falange. Con Pepe conserva el diálogo y mantiene buena relación, y a mí, ya sabes, me sigue viendo como al niño, le gusta lo de mis estudios, que los haya acabado, incluso presume ante sus amigos: «Mi hijo menor ya es abogado», pero en realidad sigo siendo el pequeño sin opinión, qué le vamos a hacer. Mamá está bien con todos y encantada de la Falange.

—¿Por qué dices eso?

—Pues porque borda escudos con esa especie de cangrejo y me pregunta de vez en cuando: «¿Te hago ya la camisa azul, Gerardo?», animándome a afiliarme. En fin, eso es lo de menos, está bien, sale a misa, a la compra con Esperancica, y se queja de las pocas cosas que encuentra en el mercado. Todas las mañanas pasa un buen rato sentada junto a su ventana, leyendo el nuevo diario *Ideal*.

—¿Cómo que nuevo?

—Sí, ya sabes que después de que lo quemaron los del Frente Popular el 10 de marzo, ha estado cerrado y volvió a salir el día 1 de este mes con ánimos renovados. Te decía que mamá recorta algunos artículos y los guarda cuidadosamente, aumentando los secretos de su armario.

—¡El armario!, gran cofre de los tesoros, siempre protegido por las llaves que viven en su bolsillo. ¿Recuerdas cuando guardaba el chocolate en el segundo cajón para que no termináramos con él de un atracón?

—Claro que me acuerdo, también escondía algunos regalos por Navidad, todos lo sabíamos. Te decía que me dio tiempo a ver uno de esos recortes del primer número, donde el periódico ofrece a sus lectores una sorprendente declaración pública de buenos principios. Verás, conseguí otro que tengo guardado para ti entre estos libros, ¿a ver dónde estás? Tengo algunos más que te gustarán, aquí está, no te lo pierdas, escucha:

No llegamos tarde para incorporarnos a las huestes de los que han emprendido la meritoria tarea de sacar al país de las actuales horas dramáticas. Todavía

14

es tiempo de unirnos a quienes luchan por salvar los principios tradicionales de España y volver a una organización donde el espíritu ocupe el cenit de la Jerarquía (2).

—¿Qué me dices de la parrafadita de estos periodistas? «Donde el espíritu ocupe el cenit de la Jerarquía.» El espíritu de quién, ¿del Espíritu Santo?

—Joder... ésos tienen mucha información para publicar una cosa así, deben de estar bien seguros para arriesgarse de esa manera. ¿Por qué ironizas con el espíritu? Pero sigue con lo que estabas, anda.

—No son ironías, Luis, ni mucho menos. En Derecho he aprendido la necesidad del control del Estado por los tres poderes, es necesario para garantizar un mínimo de libertades, me gustaría que habláramos despacio de todo eso, ¿sabes? Lo único que tengo son dudas y la joven República está en serio peligro, ya le están tomando medidas para el ataúd. De mamá, ¿qué más quieres que te diga?: la veo contenta, metida en sus cosas, sus costuras, y cariñosa con todos, como siempre; si acaso algo tristona desde que María está en el convento de Italia.

—Lo sé; por otro lado está muy contenta de que María se haya metido a monja. El otro día, en Madrid, cuando papá y ella volvían de acompañarla a Barcelona, ya se quejaba, aunque sólo habían pasado veinticuatro horas desde que la dejaron embarcada camino de Turín. Las madres siempre son madres, Gerardo.

—Pues yo creí que ibas a volver con ellos.

—No pude, mamá me insistía, pero tenía que terminar unas cosas.

Son casi las dos de la madrugada; fuera de estas cuatro paredes, los demás duermen. La casa tan callada permite oír el desplegar del papel que Luis va sacando de los bolsillos. Su contenido cae sobre la mesa que hay junto a la librería, sobre la misma mesa en la que tantas horas pasó escribiendo los poemas de *Abril* y que, durante meses, sólo habría acu-

(2)   *Ideal* (1 de julio de 1936).

15

mulado polvo de no ser por las repetidas instrucciones de mi madre. Luis no ha querido encender el flexo para evitar la visita de los siempre incómodos mosquitos; es suficiente con la luz del patio que proyecta las sombras de las columnas de piedra sobre el suelo, estirándolas delicadamente. La misma luz refleja nuestras siluetas, que se mueven intermitentes en un teatro inesperadamente mudo de imágenes sin color, donde el cansancio de Luis, que termina de vaciar sus bolsillos, vuelve a apreciarse. Hojas escritas, dobladas, anotaciones que por su aspecto han ido pasando de una chaqueta a otra, Dios sabe desde cuándo, direcciones con teléfonos, tabaco, llaves y un sinfín de objetos siguen cayendo en despreocupada apariencia aquí y allá. Con un suspiro salido de adentro, mientras se descalza, ya liberado de sus pequeñas cargas, desenmudece.

—Qué bien, después del interminable viaje, de nuevo en casa, entre objetos preferidos y en esta habitación tan llena de serenos recuerdos.

—¿Pero cómo llegas a estas horas?

—Ya ves, salí de Madrid a las ocho de la mañana. Quién lo iba a sospechar, nos aguardaban desvíos, paradas y más paradas. La estación de Aranjuez estaba literalmente acordonada por la Guardia de Asalto, no sé qué pasaría, la tensión ha sido constante todo el trayecto, debí coger el tren de la noche, el previsto, pero deseaba salir cuanto antes y subí al equivocado, al que nunca llegaba. Ya en Granada no encontré un solo taxi, volví al andén y allí estaba providencialmente Manolo Contreras, mi ángel salvador. Contemplaba, envuelto en el sudoroso vapor de la agotada máquina, a la gente, sin fijarse, sin esperar a nadie; tenía que recoger unos paquetes del vagón correo. Después fuimos en su coche directamente al Imperial, al encuentro de unos amigos para tomar algo mientras hablábamos; deseaba con impaciencia que me contara cómo están las cosas por aquí.

—Esto es un enorme forúnculo a punto de reventar, Luis, el pus vendrá disfrazado de general manchado de sangre, sea Mola, Franco o Sanjurjo, se huele en el aire.

—Eso mismo dice Manolo y en Madrid, como en el resto de España, pasa igual.

Luis lía un cigarrillo mientras piensa y habla, ahondando en los mismos pensamientos que me ocupaban justo antes de que llegara. Me llama la atención que mencione la brutal represión dirigida por Franco en Asturias, con dieciséis mil hombres a su mando, más los decisivos mercenarios africanos, y del cercano intento de Falange en Valencia para hacerse con la radio y la prensa. Alude también a la falta de carácter del presidente de gobierno Casares Quiroga, y del batiburrillo ideológico del actual gobierno piensa que lo lleva a una debilidad de difícil solución.

En una pequeña pausa, mientras chupa insistentemente para mantener encendido el pitillo, sube y frunce el entrecejo, carraspea y pone la mano junto a su boca. Conozco esa expresión, que esconde la reflexión de un pensamiento o la llegada de una de esas ideas que se ven claras. Expulsando el humo, dice:

—Madrid está cada día más comprometida. A los círculos literarios o intelectuales llegan constantes presiones desde todos los sectores políticos: comunistas, conservadores, liberales o socialistas. Quieren que cualquiera que tenga que ver con el arte, el pensamiento o la cultura vaya con ellos. Nos persiguen, literalmente, para que apoyemos sus causas, sus manifiestos, como banderas culturales, para presumir de que, detrás de ellos, están las mejores voces del pensamiento, los más cultos, la vanguardia de la modernidad y del avance social; resulta asfixiante.

—¿Cómo que os persiguen?

—Sí. Para que participemos en actos públicos o firmemos sus manifiestos. Quieren utilizarnos; con la excusa de un recital de poesía, por ejemplo, aprovechan para captar adhesiones.

»A Federico, sin ir más lejos, que es uno de los mejores poetas del momento, lo tienen acosado desde el PCE. Su amigo Rafael Alberti y otros lo presionan, falsean datos intencionadamente, lo comprometen sin él siquiera saberlo. Todos lanzan dardos, y tal como están las cosas, llevan veneno en la punta, como los de las tribus del Paraná. Les importa un pimiento a quiénes perjudiquen. Incluso publicaron que el 30 de junio Federico asistió al homenaje de Máximo Gorki, y que presidió la mesa junto a Dolores Ibárruri.

—¿Y no fue así?

—Ni hablar, esa noche estuvimos juntos. Mienten. Mienten para implicarlo como bandera proletaria de una modernidad. Son unos ignorantes. Si supieran las mordaces críticas de Federico al modernismo, al ávido poder de triunfo, a los proyectos que generan profundas desigualdades entre los hombres y que visten a la mayoría de miseria irreversible, regalándoles la tiranía a los más débiles con palabras podridas. Eso es lo que Federico critica en un libro de poemas que me ha comentado y que lleva preparando desde que se fue a América: *Poeta en Nueva York*, si es que no decide ponerle otro nombre como *Omega* o *Introducción a la muerte*, que fueron los que primero barajó.

»Es una pena que aún no esté publicado, para que entendieran esos comunistas, aunque quizá sólo verían en él una crítica política al capitalismo. Escucha con atención y verás el espanto que siente Federico ante el disfraz de la modernidad visto desde una conciencia religiosa, en la que no hace un solo guiño al comunismo.

De los papeles que momentos antes depositó sin aparente orden, saca uno y lee lentamente, casi de memoria:

> *La aurora de Nueva York tiene*
> *cuatro columnas de cieno*
> *y un huracán de negras palomas*
> *que chapotean las aguas podridas.*
>
> *La aurora de Nueva York gime*
> *por las inmensas escaleras*

buscando entre las aristas
nardos de angustia dibujada.

La aurora llega y nadie la recibe en su boca
porque allí no hay mañana ni esperanza posible.
A veces las monedas en enjambres furiosos
taladran y devoran abandonados niños.

Los primeros que salen comprenden con sus huesos
que no habrá paraíso ni amores deshojados;
saben que van al cieno de números y leyes,
a los juegos sin arte, a sudores sin fruto.

La luz es sepultada por cadenas y ruidos
en impúdico reto de ciencia sin raíces.
Por los barrios hay gentes que vacilan insomnes
como recién salidas de un naufragio de sangre (3).

Yo conocía al Federico de la «Luna, luna», «La casada infiel», al de *Yerma*. Pero éste, éste me deja totalmente aplastado. Olvido al instante el poema, pero no su mensaje ni la avalancha de impugnantes escenas e imágenes. Qué hermosa precisión para reflejar la cara oculta de la abundancia putrefacta; es fantástico.

Luis, al que siempre da gusto oír recitar, explica que el poema se vuelve contra la modernidad y demuestra su fracaso, el futuro inexistente de los niños por la enseñanza ausente de arte y ética, el ejercicio de la ciencia sin escrúpulos.

—Federico —continúa Luis— insiste en asomarse una y otra vez al sueño del porvenir, a la esperanza deseada, para después golpearla deján-

(3)   Federico García Lorca, *Poeta en Nueva York*.

dola en quimera. Como verás, el dolor, el sonido de los metales, la luz de la naturaleza, el color, el hablar de la ciudad despojada, envuelve su poesía en un lenguaje lleno de sugerencias y fragancias.

—Luis, mucha gente dice que Federico es comunista.

—No lo es, si acaso es simpatizante socialista, aunque no militante. De izquierdas, republicano. Si quieres, comprometido como escritor en denuncias sociales, pero comunista, no. Habladurías de la gente y nada más. No subiría a ese barco con ellos; «dictadura para el proletariado», llama al comunismo. Aunque haya participado en actos y firmado manifiestos por solidaridad, está harto de las presiones que le hacen y de Alberti, que se ha convertido en un poeta panfletario. Federico cree en la democracia, de eso no cabe duda.

—Aquí se dice que toda su familia es del Frente Popular.

—Deben de serlo, aunque no me ha hablado de ello. Federico es consciente de la realidad y está preocupado por sus propias declaraciones. Puede que la fama le haya hecho pensar que es invulnerable, pero ahora, me lo dijo aquella noche, está asustado, le sorprende que lo que él dice como una opinión personal y humana aparezca en los periódicos de la izquierda o de la derecha con un gran titular. «Luis —decía—, ahora resulta que abro el periódico, leo un gran titular sobre cualquier cosa, y miro debajo y quien dice esa cosa ¡soy yo! Me sorprendo: descubro que no soy Federico, sino un tal García Lorca que hace declaraciones imprudentísimas para estos tiempos. Me veo como un traje, Luis, como un traje: me levanto por la mañana, me afeito, me miro en el espejo, y salgo a la calle y me he puesto el traje de "García Lorca". Me da cierto miedo. Como cuando veo mis apellidos en un estreno teatral, *Yerma*, de García Lorca. Hace poco más de un año, al doblar una esquina encontré un letrero luminoso. Decía eso: *Yerma*, de García Lorca. Me costó comprender que ese García Lorca luminoso era yo. Me asustó. Ahora me asusta abrir un periódico y leer que "García Lorca dice...". ¡Yo no soy García Lorca! El tiempo para mí no ha pasado, Luis, no ha pasado, sólo tengo más recuerdos. ¡Yo soy Federico, el mismo de hace quince años!» Ahora él quisiera corregir u omitir las declaraciones más comprometidas, y lo serán aún más si la situación no cambia. Es consciente de ello y por eso está asustado.

—Me imagino que tiene motivos para estarlo. He leído la entrevista que Luis Bagaría le hace en *El Sol*, sobre la toma de Granada de 1492, a lo que Federico le responde:

Fue uno de los peores acontecimientos, de los más nefastos de la historia, aunque se empeñen en contarnos lo contrario, acabaron con una civilización admirable, una poesía, una astronomía, una arquitectura y una delicadeza única en el mundo, para dar paso a una ciudad pobre, sometida, acobardada, a una tierra del chavico donde se agita actualmente la peor burguesía de España (4).

»Las declaraciones de esa entrevista han sentado aquí a cuerno quemado. La envidia en esta ciudad fomenta el odio, tú lo sabes. Dicen de él que es de la cáscara amarga y no le perdonan el éxito del *Romancero*, o «Romance de la Guardia Civil», los viajes por Argentina, Cuba, Nueva York, la Barraca. Están convencidos de su militancia comunista. La burguesía va poniéndolo verde porque no soporta que alguien de un pueblo de la vega, un paleto, llene los teatros, lo llaman invertido, maricón, por las camisas llamativas que lleva y su corte de niño. Lo conocen más por su forma de vestir que por su poesía. Le tienen verdaderas ganas, Luis.

— ¿Pero tú cómo lo sabes, Gerardo?

—Hay unos cuantos que se dedican a la caza de los de la cáscara amarga. Suben a la Alhambra y van por el río hasta donde las parejas se besan y se tocan. Se esconden entre los arbustos a esperar que lleguen las parejas de maricas, mientras espían a los novios, para verles las piernas y los pechos a ellas, poniéndose calentones allí agazapados. Cuando llegan sus víctimas, los maricas, se abalanzan sobre ellos con palos y varas,

---

(4) Fragmento de la entrevista publicada en *El Sol*. Ha sido publicada con anterioridad por Ian Gibson en su obra *El asesinato de García Lorca*, Plaza & Janés.

y les pegan hasta dejarlos retorciéndose en el suelo, mientras les gritan: «Esto, por maricones, por escandalosos, cobardes de mierda.» Ya te lo puedes imaginar.

—¡Qué barbaridad! ¿Quiénes son?

—No lo sé. Pero hace pocos días, aquí mismo, en casa, oí a López Font y Enrique Quesada, que esperaban a Antonio, comentar la entrevista con Federico en *El Sol*. Yo mismo les abrí la puerta y les dije que pasaran. Estaba con ellos uno de esos a los que les gusta hacer sonar los tacones de los zapatos al andar, uno alto, con pinta de chuleta, no sé quién es. Decía: «Cuando venga el poeta, le vamos a dar bien por el culo allí arriba, no por poner verde a la burguesía granadina, que se lo merece, sino por ser tan maricón.»

—Qué barbaridad. ¡Pobre Federico, si vienen contra él de esa manera! Qué mal lo pasaría si le sucediese algo así. Es tan ingenuo, tan imprudente, tan bueno con el teatro y tan malo con la vida, que no sabe fingir, ni ocultarse, ni actuar. Como no despabile, pueden pasarle cosas muy desagradables. Si esto va a más, van a violentarlo, y Federico es como un pajarillo: si le pegan, se desmoronará.

—Oye, Luis, otro asunto, no sé qué hacer. Los hermanos siempre me están chinchando. «¡Eh, benjamín! ¿Cuándo te vienes a Falange con nosotros?» Insisten a menudo y casi nunca contesto, pensaba en ello justo antes de que llegaras. El otro día, Pepe, cuando le hablé del capitán Rojas, el que cometió la barbarie en Casas Viejas al ordenar la matanza de los obreros del pueblo...

—Sí, ya sé, hace tres años de aquello, fue condenado y, cuando llegó la CEDA, lo pusieron en libertad y lo mandaron a Granada.

—Eso es. Bueno, pues el Rojas está metido en Falange hasta las cejas y Pepe no supo qué decirme: miraba para otro lado y callaba. No lo justificaba, pero tampoco lo denunció. Su habitual elocuencia andaba muy lejos, supongo que en una duda interior, al menos eso quiero pensar, y algunos amigos de Miguel y de Antonio son tan fanáticos que no los soporto, como el que te he contado con pinta de chuleta, o López Font, que por muchos aires que se dé, no es más que otro apasionado del fascismo a la italiana. No parece mala gente a solas, pero cuando se juntan son otra cosa. Te voy a contar algo. El otro día, mucho me temo, trajeron y escondieron armas aquí, en el trastero de la entrada.

—¿Qué dices?

—Shhh, escucha. Eran las dos o las tres de la madrugada, yo repasaba en mi dormitorio unos apuntes que tengo que devolver. Me llamó la atención el sigilo con el que entraron, y la tos de Miguel delataba que se quedaban por el patio. De manera que bajé para saludarlos, pero algo me detuvo. Me quedé inmóvil en el rellano, invisible entre la escalera, al ver que, cautelosos, cargaban tres alargados bultos envueltos en mantas. Oí cómo movían muebles y corrían el viejo aparador de tía Luisa para guardar algo detrás, y de nuevo vuelta a mover todo aquello para que nada se notase. Creo que eran mosquetones y pistolas, sonaban con el ruido característico del armamento y hasta me pareció oler a pólvora. No llegué a verlas, pero estoy seguro de que eran armas. ¡Ufff... necesitaba contarlo!

—¿Cómo, dónde?

—¡No bajes! ¡Déjalo, Luis! No vayas. La llave está echada, creo que la tiene Antonio. Lo he intentado varias veces, pero la puerta siempre está bien cerrada. Estoy preocupado, ¿comprendes? Si los de Asalto hicieran un registro, iríamos todos a la cárcel.

—¡Maldita sea! ¿Aquí, en casa, comprometiendo a la familia? ¡A las hermanas, a los padres! ¿Han perdido el juicio o es que son imbéciles?... ¡La madre que los parió! ¿Quiénes eran?

—Shhh, no levantes la voz. Antonio y Miguel con López Font y Enrique Ruiz. Había otro que esperaba en la calle; lo vi desde el balcón, pero no sé quién es.

—¿Y Pepe, estaba Pepe?

—Pepiniqui llevaba un buen rato en la cama. Creo que lo hacen a sus espaldas: él no tira de la puerta del trastero para comprobar que sigue cerrada. Ellos, sí, ¿entiendes?

—Vaya bestialidad, qué burros. Ojalá te equivoques, joder. ¿Si no tira de la puerta, por qué no has hablado con Pepe? Él es de otra manera.

—No sé, no he encontrado el momento. Ya sabes la que se puede liar, y tampoco estoy seguro para ir de chivato.

Luis, afectado, comienza a pasear de un lado a otro de la habitación como animal recién enjaulado, lía un cigarrillo, y después de darle las primeras caladas, dice:

—No quiero darle vueltas al tema de las armas. Me preguntabas qué hacer, ¿verdad? Resulta complicado dar consejos en un asunto que para mí tampoco está nada claro. Creo que hay que esperar, si la guarnición de Granada se alza contra el gobierno, cosa que no sabemos, en ese caso Falange nos servirá de escudo protector. Si no te gustan algunas de sus actuaciones, que a mí tampoco, manténte al margen, mira para otro lado. Ya sabes que no tengo demasiado interés por la política; si acaso, soy monárquico... Carlista, si me aprietas. Esta República es desastrosa, restaurar la monarquía sería lo más sensato. Pero, por encima de todo, no quiero correr riesgos, ¿comprendes?

—Luis, la doctrina de José Antonio Primo de Rivera defiende una tradición nacional en una unidad de España. Pretende un sistema mixto entre capitalismo y socialismo, un corporativismo que controle el desarrollo privado, lo que en teoría podría ser aceptable. Pero me repatea tanto militar y tanta JONS dentro de Falange; la están convirtiendo en un brazo fascista a la italiana. Lo que quieren es implantar una dictadura, y después querrán mantenerla con más violencia, apuntándote para mantener su régimen, y si te mueves, te borrarán de un tiro el pensamiento para siempre. Es más, Luis: tampoco estoy seguro de la verdadera intención de José Antonio. Es posible que lo único que persiga sea defender el honor de su padre, sólo eso, defender a un dictador de francachelas.

—Todo eso es posible. Pero ¿qué prefieres, Gerardo, un ejército rojo, una revolución bolchevique, que nuestra cultura sea pisoteada por la tiranía marxista, que la tienda de papá y sus bienes pasen a ser estatales?

24

¿Que se sigan quemando iglesias? ¿Que siga la Mano Negra? Eso sería una tiranía en manos de palurdos.

—No, Luis, pero tampoco quiero una Noche de los Cuchillos Largos, ni me gusta la Alemania de Hitler. Quizá sea demasiado joven, pero ninguna de las dos cosas me gusta nada.

—No son tus veintiún años. Yo también tengo dudas a mis veintiséis. Hablemos con Pepe, que él sí estará informado. Esperemos, sepamos a quién tenemos delante. Hasta entonces, esperar es lo más prudente.

—¿Qué quieres decir?

—Quiero decir que lo más importante es buscar seguridad, Gerardo. Los militares tienen la clave, tú y yo lo sabemos, y detrás de ellos estarán la Falange y la CEDA, por tanto habrá poca opción, eso es lo que pienso. Aunque, tal vez, a estas horas esté diciendo tonterías. Es mejor que nos acostemos, Gerardo, mañana podemos hablar con la cabeza despejada, con calma; de noche las cosas se ven de otra manera.

—En eso tienes razón, bien venido a casa, que descanses.

Antes de volver a mi habitación, bajo a cortar el goteo de la fuente para poder dormir. De nuevo en la cama, con otro pitillo en los labios, trato de comprender la posición de Luis, algo que yo nunca me había planteado. El pragmatismo de estar del lado más seguro, del más fuerte, me duele. Qué extraña filosofía, tan lejana a su sensibilidad. Busco en él un aliado con mis dudas, o que me convenza de lo que yo mismo pienso, pero su actitud me desconcierta. ¿Será lo más inteligente?, ¿tendrá razón? Me quema la posibilidad de estar frente a mis hermanos, mi madre y, aunque ahora de un modo distinto, también de Luis.

Regresar a la infancia, entresacar los lejanos recuerdos atrapados tras la memoria, es el ejercicio que he tenido que hacer para captar las conversaciones de mi padre con sus hermanos, y con sus amigos los del «Grupo» durante las vivas veladas que en mi casa mantenían. Tertulias aquellas en las que el sueño me vencía en un rincón del sofá hasta que mi madre pacientemente repetía: «Gerardillo, en la cama estarás mejor, anda, acuéstate que es muy tarde.»

El Grupo, heterogéneo, mezclaba las inquietudes individuales en un magma burbujeante de posibilidades al pensamiento que contrastaba con el rígido y unitario aprendizaje de los hermanos maristas, colegio, como todos los de la época, del que emanaba con fuerza el interés en borrar el resto de libertad y análisis que, a principios y mitad de los sesenta, nos quedaba a los chavales. Aquellos curas —que yo no sé si alguna vez creyeron en Dios, pues practicaban con ahínco lo contrario de la fe que impartían, así salieron tantos de mi generación— enseñaban lo que no les estaba prohibido por sus jerarquías y el franquismo a mamporrazos; se esforzaban a diario para que nuestras mentes, aún en formación, fueran afines a sus intereses y a los de la dictadura que apoyaban. Los del Grupo, sin embargo, hablaban de filosofía en apasionantes debates, se interesaban por la psiquiatría, la mente, investigaban en ellos mismos y grababan las conversaciones en aparatosas cintas magnetofónicas para luego analizarlas. Sus mentes inquietas no se conformaban con teorizar sobre el cubismo, la abstracción o el surrealismo como expresión plástica o literaria. Pintaban, escribían y recitaban, entre otros propios, poemas de Federico, y con frecuencia surgía la misteriosa muerte que lo rodeaba. Yo escuchaba desde el rincón del sofá, sentado en el olvido, quieto, en silencio, para no hacer notar mi presencia de niño atraído por el trágico suceso.

Aquella noche de mayo en la que mi padre me sacó de comisaría, bueno, a Luis Marín y a mí, además de no decir nada a mi madre y en contra de lo que yo hubiera pensado, también nos acercó el motivo de la detención. Luis y yo nos acompañábamos de una casa a otra, como compadres, siempre lo hacíamos después de jugar varias partidas de ajedrez. A Luis Marín, entrañable amigo desde la infancia, su dificultad física le impedía moverse con la naturalidad y la agilidad deseables. Piernas y brazos, a causa de una enfermedad, tenían que utilizar otros recursos para poder moverse, siempre dentro de la inestabilidad del bebé que afianza los segundos pasos. Pero esa misma dificultad que lo alejaba de los juegos habituales en la calle —no enfermábamos de telemanía— le valió para desarrollar el pensamiento y la madurez temprana. Él, como los del Grupo, me abrían las puertas ocultas al mundo político y ético de la España ultracatólica y gris de la dictadura.

Aquella cálida noche de primavera caminábamos entre profundas disertaciones filosóficas, o al menos así lo creíamos, preguntándonos qué sentido tenía la existencia de Dios. Pasábamos por delante de las grandes puertas de cristal del edificio de los sindicatos verticales, por entonces en la avenida de Calvo Sotelo, a medio camino de su casa y la mía, y Luis, que andaba cagándose en las cloacas divinas y en las cristaleras santas, quiso arrojar una piedra contra las vidrieras. Ante su impotencia, cogí la más gorda que tenía a mi alcance y con todas mis fuerzas la lancé contra aquellos reflejos de la noche. Nos quedamos quietos, contemplando cómo se desplomaba la mole de cristal en medio de un maravilloso estruendo, para fragmentarse en distintos reflejos y sonidos, que nada tenían que ver con los fuegos artificiales de las fiestas. Aquello era mucho más real, nuestra liberación a la opresión constante que sentíamos. Quietos, sí, vibrantes ante el resquebrajar que volvía a dividirse al caer al suelo, tampoco podíamos correr, como es lo habitual después de una gamberrada; bueno, yo sí, y tuve ganas, pero no podía abandonar a mi amigo del alma.

No tardó en salir un energúmeno de entre las cloacas fascistas, pegando tiros pistola en mano; ahora sí que queríamos correr, y lo hicimos. Luis, con mi ayuda, corría más de lo que yo nunca hubiera imaginado, más de lo que jamás lo he visto correr, pero no era suficiente. Aquel basilisco nos alcanzó de inmediato y, apuntándonos a la cabeza, mientras vociferaba y le temblaba la mano, nos retuvo hasta que llegó la policía. Sin previo aviso nos arrearon varios tremendos bofetones. Yo apenas aguanté al abrir las piernas buscando el equilibrio. Luis cayó al primero y afortunadamente no lo patearon, como sucedió en otra ocasión. Nos llevaron esposados a comisaría, en una lechera, allí sacaron los vergajos y nos libró de una paliza segura el comisario, que, al preguntar mi nombre, supo que era hijo del juez Rosales. «Verás tu padre», comentó insinuando la que nos esperaba, y mandó a buscarlo. Entretanto nos encerraron en una sucia celda, con tres camastros de albañilería.

Mi inseguridad aquella noche era mucho mayor que la que mi padre sentía en aquel explosivo julio, porque realmente lo suyo no era inseguridad, sino una lucha por mantener sus principios. Qué seguro me sentí al verlo. Nos sacó de allí, no sin antes comprometerse a pagar los destrozos de las «cristaleras santas», y al conocer cómo había sucedido todo, se echó a reír diciendo que se lo tenían merecido. Luego nos advirtió seriamente, no podía ser de otra manera, que podíamos haber perdido la vida. «Habéis cometido una bizarría. Estos indeseables primero disparan y se ahorran el trámite de preguntar. No los provoquéis nunca; están deseando que lo hagáis para demostrar que son la única fuerza, no los provoquéis jamás.»

Covadonga

—¿Quieres más magdalenas, Luis? —es la voz de mi madre la que me despierta—. Están recién hechas. Tenías que haberte venido anteayer con nosotros, en lugar de quedarte en Madrid y hacer ese viaje tan penoso solo. Tu padre y yo no tuvimos ningún problema, pero como eres tan cabezón... Anda, come algunas magdalenas, que sólo café no es desayuno.

—Mamá, ya te dije que tenía que pasar por la facultad y asistir a esa cena. Todos ellos están bien relacionados en el mundo literario, comprende que, como escritor, he de conseguir colaborar en revistas, abrirme paso, que ya soy mayorcito, mamá.

—Pues claro, haces bien, sólo que tal como está Madrid, con tanta huelga y tanto tiro, nos tenías preocupados, Luis. De todas formas, además de escribir, debes pensar en sacar provecho de tu carrera, dar clases, de los libros es muy difícil vivir y aún más de la poesía. Doña Vicenta siempre me dice lo mismo: «A mi Federico hay que estar continuamente mandándole dinero, hija, menos mal que podemos, que tiene ya casi cuarenta años, Esperanza.» Tú podrías ser un buen profesor de universidad, hacer unas oposiciones como tu hermano Gerardo, que, siendo el más pequeño, ya se está preparando para juez.

—Pero mamá, doña Vicenta te dice eso para presumir de dinero contigo. Federico es famoso. En Buenos Aires llena a rebosar los mejores teatros y en España igual, gana mucho dinero con *Bodas de sangre* y lleva publicadas ocho ediciones del *Romancero gitano*; ocho ediciones en poesía son muchísimas. Ha recorrido todo el país con la Barraca, lo conoce medio mundo, no necesita dinero. Si se lo siguen mandando, es porque quieren, y desde luego que lo tienen, eso ya lo sabemos.

—Yo no digo que no, pero don Federico lo sigue llamando «el titiritero», por algo será.

—Mamá...

—Bueno, dejemos eso, sólo he querido decir que, además de escribir, podrías tener un trabajo más seguro, sólo digo eso.

«Las madres siempre son madres», decía Luis anoche, y sonrío por lo que ahora le toca. Deben de estar en habitaciones distintas, a juzgar por el tono de voz que me llega con claridad. El sol del mediodía llena de luz la calle Angulo, tan oscura y silenciosa horas antes. La casa se encuentra en pleno bullicio de domingo a la hora del baño. El ajetreo que se forma para el aseo semanal es de campeonato, a pesar de dividirnos entre la noche del sábado, que les toca a las mujeres, y la mañana del domingo, que lo hacemos nosotros. Todo se pone chorreando del trasiego de ollas con agua hirviendo que van desde la cocina a los cuartos de baño, que se encuentran en la primera planta; es mal momento hasta que cesa el ajetreo. Mi primer impulso es saltar de la cama para compartir con Luis las esponjosas magdalenas, tan recién hechas que el olor de azúcar tostada aún se mantiene en el aire, pero la conversación de anoche me invita a remolonear entre las sábanas; no quiero que Luis descubra mi desacuerdo hasta poder analizarlo. Como suele suceder en esas ocasiones, los brazos de Morfeo hicieron el resto hasta que mi hermana Esperancica, sabiendo que me esperaban, entró decidida a despertarme.

Con el café en la garganta y por supuesto sin baño, salgo a toda prisa para no llegar tarde a la cita con Manuel López Banús, compañero de facultad que prepara oposiciones a notaría (yo, las de judicatura); he de entregarle algunos libros y apuntes comunes que compartimos. Aún por despertar, llego a la plaza de la Trinidad de un salto. Ahí está el paciente Manuel con su generosa sonrisa y el tiempo agotado para ir a la misa de una. Damos un paseo, hasta donde los tranvías dan la vuelta, por el paseo del Salón, haciendo tiempo para el siguiente culto.

Al salir del oficio de la Virgen de las Angustias, entre apretones de la gente, Manuel me comenta: «Ayer tomó posesión el nuevo gobernador militar Miguel Campins Aura, conocido de mi familia y republicano convencido. El comandante Valdés, que asistió al acto, lo provocó en público durante la misma jura de Campins. Ese Valdés y sus compinches de la guarnición son unos traidores, están a punto de liarla», me susurra muy cerca del oído para evitar ser escuchado por otros.

Hoy, como todos los domingos, la cita familiar es a las dos y media. La gran mesa estará dispuesta para recibir a sus comensales. Es ahora, de mayores, cuando mi madre disfruta realmente al juntarnos todos. Manuel se acaba de marchar. Por Puerta Real, de vuelta a casa, observo a la gente, su vestir para la misa y el tradicional paseo de después, donde se saludan y exhiben. Todos van vestidos de domingo, limpios, relucientes, e imagino sus casas a la hora del baño. Los mayores, en especial, llevan los trajes recién planchados, las camisas blancas con cuellos y puños almidonados, de los que tiran para sacarlos por las mangas. Las pajaritas o los nudos de las corbatas, anchos o alargados, de una o dos vueltas, revelan la personalidad y posición social de quien los exhibe. Tan apretados al cuello los nudos, que no sabes si la rojez de las caras se debe a su ajuste o al aguardiente que muchos toman nada más poner el pie en la calle.

El sermón de hoy ha sido exaltadamente político, tanto que me he distraído fijándome en lo absurdo, en lo inadvertido otras veces. Brillantes zapatos negros, al arrodillarse, muestran impecables suelas contrastando a su vez con descuidados tomates en los calcetines. No puedo evitar la risa al ver esos rotos, que dejan al descubierto el interior que ridiculiza la cuidada fachada. Cosa distinta es encontrar carreras en las medias, que en cualquier momento pueden surgir como ha sucedido hoy, e imaginar hasta dónde ha podido llegar al perderse bajo el largo vestido que preservaba las sugerentes piernas de la joven. Las muchachas parecen uniformadas; ocultas tras velos negros, tienes que terminar los perfiles de sus caras con la intuición. Se cubren con holgadas rebecas lle-

31

nas de pliegues, generalmente negras, y huelen a alcanfor desafiando cualquier fragancia recién traída de París.

Es una escenificación teatral de culpabilidad constante, de hipocresía, de cumplir con Dios un día a la semana, ¿y mañana? Mañana no es necesario, el domingo que viene volverán a salir de los armarios los zapatos nuevos, las corbatas, los velos y las rebecas. Volverán a confesar, a comulgar, a limpiarse de pecado como el mar limpia la arena y la vuelve a limpiar. Los varones, menos adictos a la confesión y al rezo, esperan que el cura suba al púlpito como si se tratase de un estrado político para apoyar, claramente y sin medida, a la derecha más reaccionaria y fervorosa. Desean que en el sermón se culpe al gobierno sin la piedad que la misma Iglesia proclama. La misa no debe ser un instrumento para alentar odios, ni las iglesias el sitio para discursos llenos de saña.

Llegando a casa, recuerdo las últimas palabras de Manuel. «Los curas, Gerardo, comparan a los de izquierdas con el mismísimo Satanás y los acusan de la quema de las iglesias, aun sabiendo perfectamente que no todas son quemadas por "rojos", como los llaman. También desde la CEDA se han cometido esos actos vandálicos, pura estrategia para involucrar a la izquierda, al gobierno, fomentando la venganza contra la República. A los curas les viene muy bien seguir ese juego, siempre han estado del lado de la nobleza, del poder que les garantice sus amplios privilegios.» Manuel es así, antes de despedirse siempre le gusta dejar un pensamiento en el aire que invite a la reflexión. A unos pasos de la puerta de casa, puedo apreciar el agradable olor que sale de la cocina. He olvidado las llaves, tras hacer sonar la campanilla de la cancela, es Pepe quien abre.

—Llegas tarde, Gerardico. Sólo quedan los postres.

—¿Habéis empezado a comer? ¿Estáis todos?

—Todos sí, a comer no.

—Entonces no es tan tarde, exagerado.

Somos once sentados alrededor de la mesa: mis padres, mis cinco hermanos, tía Luisa, hermana de mi madre que vive con nosotros, Gracita, la mujer de Miguel, y Margarita Rico Camacho, prima hermana de Málaga que anda tras Antonio con el beneplácito de las dos familias. Sólo falta mi hermana María. Todos la echamos de menos desde que está en Turín en la orden del Corazón de Jesús; es inquieta, alegre, una magnífica animadora. Bromas y anécdotas transcurren mientras comemos y reímos saboreando los esfuerzos de mi madre. Después del café, nuestro padre se retira a su pequeña siesta de los domingos, que no siempre puede cumplir por atender a representantes o viajantes, que aprovechan los días de fiesta para enseñar los muestrarios con más calma. Mi madre se levanta y manda a las jóvenes para que ayuden a Basilia, la criada, a recoger los platos; todas se quedan en la cocina, hasta que la vajilla de las ocasiones queda a buen recaudo. El tiempo se detiene para ellas entre alegres risas y cuchicheos. Nosotros fumamos y tomamos una copa mientras seguimos hablando sentados en nuestros sitios habituales. Las bromas desaparecen cuando Miguel, entusiasmado y en tono despectivo, suelta a boca abierta:

—Oye, Pepe, bueno, a todos. ¿Sabéis que el camarada Valdés ayer ya le dio un repaso a ese general Campins que nos han mandado?

—¿Cómo es eso?

—Pues Campins, en la toma de posesión, aludió a la Falange llamándonos al orden, acusándonos de crear disturbios callejeros, provocaciones... Parece ser que en un momento, y sin autoridad, dijo: «Sé el juego que traen algunos que presumen de sus camisas. Esto no va a seguir así, no habrá más avisos.» El comandante Valdés se le echó encima preguntándole, como el que no quiere la cosa: «¿Cree, señor, que puede dar órdenes a la Falange? No son militares. Es más, ¿qué haríamos sin sus informes, sin el servicio a la patria que están prestando? Usted acaba de llegar y no sabe cómo funciona esto. Pero lo aprenderá pronto. Se lo aseguro.» El flamante gobernador quedó desconcertado, mudo. ¡Ni siquiera supo qué responder!

—¡Bien por Valdés! —remata Antonio con aspavientos y se echa a reír.

Mientras lo miro, recuerdo lo que me ha contado Manuel López Banús al salir de misa, y a pesar de que no me gusta hablar con Miguel y Antonio de estas cosas, digo:

—Campins es republicano, lo mismo que Torres Martínez, los de Asalto, el Consejo Municipal y los de Diputación.

—¿Y tú qué sabes, mocoso? —insiste Miguel—. ¿Los militares también son republicanos? Ésos son los que cuentan y odian a la República, y Pelayo, y el capitán Álvarez y Nestares, ¿qué me dices, eh? Ésos son los que tienen detrás al ejército. ¿O acaso Nestares lanzó el 10 de marzo la Guardia de Asalto contra nosotros, contra algún camarada de los que allí estábamos? No movió un solo dedo. Es un auténtico falangista, a ver si te vas quedando con lo que pasa.

—Sí, y lo han destituido precisamente por eso, por dejar que se cometieran barrabasadas.

—Mira cómo me río; aunque ahora no sea el jefe de los de Asalto, sigue siendo capitán. Una semana le queda a la República; ¡si lo prefieres, siete días, benjamín, que no te enteras!

—Los coroneles de Artillería e Infantería, Antonio Muñoz y Basilio León, ¿también son republicanos? —arremete Antonio—, ¿y los inútiles del ayuntamiento, crees que ésos van a plantar cara? Han tardado más de un mes para elegir al socialista Manolo Fernández-Montesinos como alcalde. Ya ves, un socialista burgués que va llamando por ahí a los obreros «los de las alpargatas». ¿Qué problema van a plantear si no se entienden entre ellos? Se esconderán como ratas ante la sagrada hermandad de la Falange, que no balbucea en la calle como ellos. España necesita una revolución total, imperial, con ejércitos bien armados y entrenados al mando de una sola idea, de un solo hombre, como en la nueva Italia.

Pepe hace gestos de pensar «éste está *chiflao*», e interrumpe:

—Veo que en seguida empezáis a resbalar, ¿a qué viene eso de mocoso, Miguel, y tú, Antonio, con Manolo Montesinos y la España imperial?

34

¿Es que no se puede hablar sin exaltarse? Si empezamos así, seguro que iremos mal. Mira, Miguel, si lo que cuentas de Valdés es cierto, me parece una majadería, una tremenda imprudencia. Está claro que no somos militares, ni Campins pretende dar órdenes a Falange. Es una putada para nuestros planes que hayan cambiado al gobernador militar, con Llanos teníamos plena confianza, pero los del Frente Popular, contrariamente a lo que pensáis, no son tontos. El gobierno se enteró de la reunión de Queipo y Llanos, por eso lo fulminó, y Campins sabe perfectamente que hay falangistas dentro del ejército, y temen que se subleven, para eso precisamente lo mandan: para controlar a la guarnición.

—¿Tan tensa está la cosa por aquí, Pepe?

—Bastante, Luis, pero déjame que siga con lo que estaba, después te cuento. Os decía que Valdés ha metido la pata con esa payasada. Lo único que hace así es delatarse y encabronar más las cosas poniéndonos a todos en peligro, ¿o ya no recordáis que me tuve que ir a Málaga para evitar que me detuvieran?, pues fue por una imprudencia parecida. ¡Joder!, que estamos demasiado controlados. ¿Qué estrategia es esa de enfrentarse al mando militar? Hay que utilizarlo, recoger información de los enlaces de confianza, ¿comprendéis? Sería un suicidio intentarlo de otra manera. La gente está harta de dictaduras militares, de la derecha decimonónica y de la izquierda anarquista, eso lo saben muy bien los militares y saben que nos necesitan detrás para que formemos un futuro gobierno. Ésa es nuestra fuerza. Pepe Valdés no debería ser el jefe de nuestras milicias, es un bocazas, le importa tres carajos la Falange.

—¿Es que quieres sustituirlo?

—Creo que no me entiendes, Miguel, no seamos imbéciles o ciegos. Los militares nos la pueden jugar, lo mismo que Largo Caballero hizo con los socialistas en la huelga del 34. Caer en el fanatismo, repudiar a familiares, a amigos de izquierdas o liberales, como está sucediendo, es meterse en las entrañas de la bestia.

Miguel, enrojecido, se lo toma desde la conciencia primogénita de la veteranía. Una sonrisa irónica acompaña a sus gestos, que ocultan profundos complejos de inferioridad y que le impiden aceptar la elocuencia de un hermano menor. Perdido entre vagos argumentos, su mirada busca la complicidad de Antonio, que amasa bolitas con los restos de pan sin atreverse a dar el apoyo que Miguel solicita. El silencio que se crea, interrumpido por la cantinela de la radio y el ajetreo de la cocina, lo hace desistir entre refunfuños de contestar con agresividad. Es la primera vez que observo mayor divergencia entre ellos. Creía que Pepiniqui (así llamamos también a Pepe) estaba en una posición más radical, me alegra que no sea así.

—Pues yo creo que tú quieres ser el jefe de Milicias en Granada, y eso tendrá que decidirlo Antonio Robles, que para eso es el jefe provincial, digo yo, ¿o te lo pasas por las barbas...?

—Desde luego, tienes ganas de incordiar, Miguel. Yo no he dicho tal cosa; no quiero ser jefe de Milicias. Mi misión, si algo le pasara a Antonio Robles, es sustituirlo, aunque para mí es más interesante ejercer el poder que tenerlo. Parece que aún no tenéis claro cómo funcionan los militares y la Falange.

Pepe explicaba que en Falange tenían designados a dos sustitutos para reemplazar automáticamente al jefe provincial si era necesario; Cecilio Cirre y él eran los elegidos. También aclaraba que la Agrupación Militar Republicana fue creada por el primer gobierno republicano en 1931, y que la mayoría de ellos seguían siendo fieles a la República. La otra, la Unión Militar Española, sin embargo, dirigida por el capitán de estado mayor Bartolomé Barba, a partir del triunfo de la CEDA en el 33, era contraria a la República. Por todo ello, resultaba difícil saber con quién se hablaba al estar delante de un uniforme.

—Lo que digo —añade Pepe— es que, desde que se suspendió la operación Covadonga por lo ocurrido en Alcañiz, hay que ir con pies de plomo.

—¡Espera, espera, cuéntame! ¿Qué es eso de la operación Covadonga y lo de Alcañiz?

36

—Ssshh. Luis, verás: estaba previsto declarar el estado de guerra como muy tarde el pasado día 10, pero días antes, en Alcañiz, que José Antonio dio categoría de provincia, los de Asalto detuvieron a varios camaradas. Entre ellos, a José Sainz, jefe provincial y vocal de la Junta Política de Falange. En el registro lo pusieron todo patas arriba. Encontraron armas, documentos, consignas para el Alzamiento y la contraseña «Covadonga». El general Mola sabía que esa detallada información llegó a manos del gobierno, y ordenó suspender la operación. Aún siguen deteniendo a camaradas por toda España, de ahí que se extremen las precauciones.

—Entonces, cuéntame, ¿el alzamiento ha sido cancelado o aplazado?

—Sólo aplazado, es muy posible que sea antes del 20, esperamos nuevas instrucciones. Pero, ¡ojo!, este dato no debe salir de aquí; lo comento porque tanto Gerardo como tú debéis estar con nosotros antes de que empiece el jaleo.

—Dios Santo, es lo que decía Antonio, quedan siete días. Debemos hablar y que me cuentes cómo están las cosas en Granada.

—Cuando quieras, Luis, y tú, Gerardo, ¿qué dices?

—Pepe, en confianza, no me gusta Falange. Eso de imponer criterios por la fuerza, convertirse en salvadores de la patria y la posibilidad de ir por ahí pegando tiros al que no esté de acuerdo se me atraganta. Pero podemos hablar cuando digáis.

Esperancica, que vuelve de la cocina, interrumpe la conversación. «Seguid, seguid —indica, guasona—, no os quedéis callados por nosotras, que en seguida iremos a coser como Mariana Pineda la bandera, pero la otra.» «Habéis visto qué colaboradoras tan guapas y diligentes», añade mi cuñada Gracita, al tiempo que insinúa una reverencia medieval. Con la interrupción de las mujeres y la vuelta de mi padre, se cierra de un plumazo la conversación. No tolera que delante de él se hable de Falange, con la que está en claro desacuerdo, y mucho menos aprobaría la conversación que tenemos. Miguel y Antonio se levantan de la mesa, mientras Luis habla con papá interesándose por el comercio. Dice que escasean algunos artículos y a menudo tiene que cambiar de proveedores, cosa que le molesta. Dice también que Antonio le lleva muy bien la contabilidad y que le quita mucho trabajo. «Ya era hora, a mis años.» Añade que le resulta muy difícil trabajar con los bancos en estos tiempos, que apenas aceptan pagos aplazados, por lo que ha decidido, para tener liquidez, no comprar el edificio de la Gran Vía.

Por la tarde, después de la conversación con nuestro padre, Pepe, Luis y yo salimos juntos. La ciudad, ajena a lo que se avecina, acoge a la gente que pasea tranquilamente sin rumbo fijo de aquí para allá, disfrutan de la brisa que empieza a levantarse, ahora parados o en corro, viendo cómo juegan los niños. «¡Mamá, papá, mira, mira lo que hago!» Personalmente, me encuentro casi horrorizado. He estado tanto tiempo inmerso en mis estudios, que he vivido ajeno o sin plena conciencia de lo que sucedía y del riesgo real que corren mis hermanos. Pepe, al que no se le escapa mi estado cabizbajo, aparece rebosante de simpatía con cinco helados en la mano, como recién sacados de la chistera del mago; con gestos para que le sigamos y con decisión, aborda galantemente a dos bellezas que nos preceden.

—Mi hermano Gerardo desea que os refresquéis con el contenido de estos deliciosos cucuruchos. No debéis renunciar, el calor es sofocante.

Las sonrisas pasean por sus labios entre cuchicheos que no alcanzamos a oír. Su caminar firme, decidido, sin mirar atrás, hace gala de la frontera protectora en señoritas bien educadas, los rizos del pelo se mecen entre las florecillas de sus sombreros a cada paso. Igual que un torero antes de entrar en faena, Pepe se abrocha la chaqueta, preparando el engaño para un nuevo capotazo bien *templao*.

—Sería una pena que las bolitas de nata y fresa se derritiesen entre mis dedos en lugar de calmar vuestra sed; si no aceptarais, bellas damas, ¡qué podría hacer yo! Cómo consolar a mis hermanos, que os seguirán toda la tarde. Aceptadme el refrescante obsequio... ¡no hay que morder!

Sonrientes, sin decir palabra y algo ruborizadas, al fin se deciden a extender la mano. Luis y yo vamos tras el cortejo, a tres pasos de ellos, y tímidas miradas empiezan a cruzarse cuando vuelven la cabeza para ver si las seguimos. El juego de los juegos comienza, la seducción sale de los bolsillos impregnando el aire, sus ágiles lenguas moldean los helados que humedecen los labios dándoles un tono brillante; ellas empujan cuidadosamente las bolas hacia el interior del barquillo para evitar que se caigan. Me pregunto si, helado en boca, nosotros resultaremos tan sensuales como parecen ellas. Ese Pepe, inteligente, el de corazón abierto, el que se olvida de los tentáculos políticos, de su otro yo de firme carácter, prosigue en el intento.

—Os voy a proponer un juego. Me decís dos palabras, mejor tres cada una, las que queráis, me da igual, y con ellas compondré un poema para vosotras.

—¿Eres poeta?

—Bueno, eso depende de cómo me salga, me someto a vuestro juicio y, si en cinco minutos no lo consigo, podréis ponerme un castigo, prometo cumplirlo. Pero si os gusta, os invitamos a otros helados.

—¿Sólo cinco minutos? —ríen, coquetas—. Eres muy atrevido, ¿cuánto has tardado en pensar lo que nos dijiste antes?

—No tenía tiempo de pensar, se derretían los helados.

—¿Las palabras que queramos, dices? ¿Incluso antagónicas?

—Naturalmente, he de aceptar el riesgo, soy un caballero.

Es uno de los juegos favoritos de Pepe, le divierte, lo utiliza como forma de romper el hielo sabiendo que las muchachas quedan boquiabiertas, siempre les gusta que les regales una flor, una poesía. Ellas consultan entre sí, en voz bajita, sin abandonar risas ni compostura. Están a punto de entrar en el engaño servido por el minotauro.

—Pues ya.

—¿Ya?

—Sí, ya tenemos las palabras para tu poema o el terrible castigo —vuelven a reír—. Toma nota: camión, misa, bufanda, amor, andar y miedo.

—¿Queréis añadir otra palabra?

—Otra... no.

—¿No? ¿Añadís no?

—¡No!... Bueno, sí, añadimos sí y no, pero sigues teniendo cinco minutos y no se admiten consultas a tus hermanos, si es que son tus hermanos, que el de las gafas parece poeta. Has de torearlo tú solito, ¿de acuerdo?

—De acuerdo, sin consultas al poeta, y que sepáis que habéis acertado, el de las gafas, que se llama Luis, efectivamente es poeta. ¡Allá voy!

Papel y lápiz en mano, Pepe va confeccionando el poema mientras nosotros aprovechamos para sonsacarles los nombres: María Angustias y Mercedes. El nombre de María Angustias, muy granadino, no hace gala a su fina belleza ni refleja angustia alguna. Los hermosos ojos de Mercedes recorren dos caminos, uno a su muñeca izquierda, atenta a los cinco minutos de reloj, y el otro al espontáneo poeta, absorto en cumplir su reto.

—¿De verdad sois hermanos?

—Pues claro que sí, fíjate bien en nuestros ojos, cejas, nariz, en el fino labio de arriba, heredado de nuestro padre. Es donde más nos parecemos.

—Es verdad, los tres tenéis los mismos ojos azules.

—Vuestro hermano no conseguirá la poesía a tiempo, le queda menos de un minuto, ¿a que lo hace siempre que encuentra a una muchacha?

—¡Qué va! Es la primera vez que lo vemos tan ilusionado. Alguna de vosotras debe de haberle tocado el corazón, se siente inspirado por la bella musa. Tendréis que darle más tiempo, se lo habéis puesto muy difícil.

—Él solito se ha comprometido, y que no nos vaya a contar «Oh, rosa del rosal de los rosales...».

Luis y yo rompemos a reír.

—¿Qué os hace tanta gracia?

—Nuestro apellido es Rosales —decimos al tiempo.

—Pues entonces, con mayor motivo, que no se le ocurra hablar de rosas.

—¡Atención, señoritas! Atentos todos: poema listo para revisión, os imploro benevolencia ante mi esfuerzo, bellas damas del universo planetario, ha sido agotador. Bueno, si no me equivoco, las palabras eran: camión, misa, andar, bufanda, amor, miedo y, por último, sí y no. ¡Escuchad!:

Cansado de andar por el frío invierno, busqué refugio en la ciudad vacía, sin portales.

Interminables calles no dan bufanda, ni abrigo, ni el párroco la misa, ni las fuentes el cantar del agua.

Tan sólo una margarita florece mi esperanza de amor por deshojar.

Sí, no, sí, no, un pétalo entre mis manos queda, sólo un pétalo de azar.

El dibujo de tu cara los pétalos han formado al caer al suelo y un poquito de airecillo sonrisa le da.

Ay, camión maldito de paso acelerado que los pétalos haces volar; con ellos, su sonrisa, mi único aliento, y el sí por llegar. ¡Llévame contigo!

Llévame sin miedo a la orilla del mar, que el rostro por la flor formado, en los espejos de las olas sonreirá.

—¡Qué linda poesía! ¡Es verdad que eras capaz de hacerla! ¿Por qué tan triste?

—Porque realmente he de encontrar a una mujer de gran corazón donde calmar mi sed, mi ansiedad. La mujer que hace tiempo que busco desde el fondo de mi alma para darle mi cariño.

No era la primera vez que Luis y yo debíamos contener las carcajadas, evitando las suspicacias de unas recién conocidas, perplejas ante la capacidad de improvisación de la que «Don Pepe Tenorio» alardeaba, de su atractiva mirada y su magnífico sentido del humor. No en vano, todas las amigas de mis hermanas han dicho siempre que es guapísimo, cosa que sabe y utiliza. Definitivamente, las dos nuevas amigas habían caído con nobleza descuidada en el engaño. Pepe, con nosotros por subalternos, remató la faena en una maravillosa tarde donde no faltaron los espumosos de Jaldo, en la Carrera de la Virgen, los mejores, los más variados, servidos en altas copas de verde y grueso cristal, de esos que dejan la boca llena de exóticas burbujitas.

Fuimos caballeros en el cortejo; ellas, recatadas. Entradas las nueve, en el barrio del Realejo, cerca de sus casas, por despedida nos tiraron cuatro besos antes de desaparecer, solas, que no es visto con agrado llegar en compañía, exponerse a las vecinas, al qué dirán y la falta grave, para señoritas educadas, de sobrepasar las nueve treinta.

De nuevo solos, tras unas copas celebrando la llegada de Luis, terminamos al pie de la Alhambra, en el Rey Chico, local emblemático de dudosa reputación, medio tablao flamenco, medio casa de alterne y algo de taberna, donde Pepe siempre es bien recibido e instalado en la mejor mesa.

—Buenas noches, don José. En seguida les preparo aquel rincón, ¿serán tres?

—Seremos tres, Manuel, y las que vengan. Tráenos dos botellas de las que tú sabes y no le cobres a ninguno de mis hermanos, pase lo que pase. Díselo a los demás.

—No se preocupe, don José, que así lo haré, ¿algo más?

—Tráenos jamón, queso y lo que te pidan, que a estas horas siempre hay hambre, ¡ya sabes! ¡Ni una perra chica!

—Descuide, don José. A sus hermanos, ni una gorda. En seguida le traigo el vino.

—Tampoco tires la casa por la ventana, hombre. Déjanos a nosotros pagar algo, que te conozco —dice Luis.

—De eso, ni hablar. Acabas de llegar, pagaste la última noche en Madrid y Gerardo ya nos invitará con su primer pleito. Aquí no paga nadie.

—Quisiera comentarte, bueno, que me contaras con detalle cómo está Falange después de la detención de José Antonio y de tantos dirigentes, de las posibilidades del alzamiento en Granada, en fin... todo eso.

—¿De qué quieres que hablemos, del Estado que se ve a sí mismo como un guardián del orden, lo gobierne quien lo gobierne? ¿Del espectador pasivo que es el gobierno ante la vida de sus ciudadanos y que actúa casi exclusivamente cuando el orden se altera sin ocuparse de ninguna idea para hacer a España estable, grande, unida? A Falange Española no le interesa ese Estado indiferente y policial. Pero esta noche no hablemos de eso, Luis, esta noche vamos a divertirnos y que le den a lo demás, sólo divertirnos, ¿eh?, mañana o cuando quieras sin vino en las venas.

—Yo me apunto a esa conversación si estamos los tres solos, sin Miguel ni Antonio, que podamos hablar tranquilos, ¿de acuerdo?

—Desde luego, sólo los tres. Pero ahora, hablando de tres, mirad, observad qué tres hermosuras vienen para acá.

En efecto, lentamente se acercan tres mujeres entre veinte y veintidós años. Jamás hubiera sospechado que el repudiado Rey Chico pudiera albergar en sus noches tales criaturas. Las tres, de ojos negros rasgados, morenas, guapas, de atractivas formas y sonrisas abiertas, bien vestidas con festivos colores, contoneándose al andar, discretamente pintadas realzando los rasgos.

—Hola, Pepiniqui. ¿Nos presentas a tus amigos?

—Son mis hermanos favoritos, Luis y Gerardo. Muchachos, estas tres maravillas de la naturaleza son unas amigas muy cariñosas, siempre dispuestas, divinas. Véase su gran belleza y generosidad por delante, por detrás, por arriba, por abajo, dignas de los más poderosos dioses griegos. Son mi harén preferido, donde me tenéis que buscar cuando no me encontréis. Podéis probar sin necesidad de bicarbonato, tocad sin miedo, son extraordinarias para todo. ¡Venid a mi lado, que os contemple, preciosas criaturas! ¡Manuel, trae otra botella y vasos para estas niñas!

Envueltos en alcohol y flamenco, cantamos incluso algunas «pepiniqueras», coplillas compuestas por Pepe para ocasiones como ésta. Prendidos en el fuego de tersos pechos, caricias, suaves piernas y conversación picante, la noche fue generosa regalándonos fiesta, placer envuelto en sudor de excitantes fragancias y la primera luz del día, de vuelta a casa. En el más relajado sueño, provocado por los vapores etílicos, una voz me despierta desde la habitación de al lado.

—¡Lávate la cara y despierta, por Dios, Pepe, que nos esperan!

Es Antonio, soltando sapos y culebras, el que uno a uno nos va despertando en plena resaca. Ajenos a lo que había sucedido durante nuestra parranda, y cuando casi seguíamos con las manos entre muslos, su voz sonaba como badajo de bronce en campana de barro, resquebrajándonos las doloridas cabezas por el alcohol y la juerga.

—¡Estos hijos de puta lo pagarán caro! ¡Vamos, rápido! Pepe, ¡están todos muy nerviosos!

Luis y yo le gritamos:

—¿A qué viene este escándalo, qué tenemos que ver nosotros?

En su agitación vocifera contra todos, aunque su interés es el de llevarse a Pepe, le crispa ver cómo fuma tranquilamente sin levantarse de la cama y se enfurece.

—¿Qué nerviosos son esos que esperan, eh, y para qué, qué tienen que pagar caro, dime? —reacciona Pepe ante la malhumorada insistencia de Antonio.

—Son..., mejor te lo cuento por el camino, ¡vamos!

—¡Joder! ¡Quieres contar de una vez lo que pasa y no hacer más el tonto!

—Anoche mataron en Madrid a un tal teniente Castillo, de la Guardia de Asalto, y sus amigotes, en represalia, han acribillado esta misma madrugada a Calvo Sotelo, eso pasa. Te esperan Antonio Robles, Valdés,

44

Afán de Ribera, Pepe Díaz Pla, en fin, todos... ya sabes quiénes son, la cosa está al rojo, dicen de actuar inmediatamente. ¡De manera que vístete de una vez y vamos, coño!

—¡A mí no me des voces, que todavía te ganas un par de bofetones; si tienes tanta prisa, vete! ¡Corre, vete y no des más el coñazo! Anoche me emborraché y necesito mi tiempo para no andar como un gilipollas entre exaltados. Cuando tome café, iré.

—Están en El Jandilla. Allí puedes tomar todo el café que quieras.

Pepe se levanta clavándole una mirada nada amigable, a la que Antonio responde de inmediato.

—Yo te prepararé el dichoso café, pero date prisa, por favor.

—De dichoso, nada, café con leche, y no lo cargues, que te conozco.

Cuando por fin Antonio y Pepe se fueron, pudimos desayunar con tranquilidad, aunque tal vez lo mejor hubiera sido seguir durmiendo hasta alejar el dolor de cabeza. Tras la novedad del regreso de Luis, la monotonía de estudiar de nuevo se hacía la reina del tiempo. Manuel López y yo confeccionábamos temas y nos preguntábamos el uno al otro como si estuviésemos ante un tribunal de examen oral. Entre papeles y leyes, los días se sucedían con velocidad, sin tiempo ni atención para otra cosa. No queríamos implicarnos en el creciente ánimo de violencia que la muerte de Calvo Sotelo supuso y que dio el definitivo pistoletazo de salida para organizar el eminente ataque a las instituciones públicas. Las visitas a mis hermanos por otros falangistas, desde entonces, son continuas, vienen a hacer consultas, pedir consignas, instrucciones, como si la casa fuera una sede más de Falange. Militares y falangistas colaboran en toda España en una agitación frenética, según dicen, ultimando los planes para derrocar al gobierno. Miguel, Antonio y Pepe comen a deshoras, duermen a ratos, convertidos en hombres invisibles fuera de sus reuniones.

Luis, refugiado entre sus libros, intenta escribir, aunque cuando viene Cecilio Cirre, amigo también suyo, se queda en la conversación con el resto de mis hermanos. Cuando vuelvo al mediodía le traigo *El Defensor* de ayer, miércoles 15, periódico que Manuel compra con regularidad. Diario dirigido por Constantino Ruiz Carnero, destacado miembro de Izquierda Republicana, de irónica pluma y amigo de Federico García Lorca. Publica, en una reseña que hace en primera página, que el internacional poeta se encuentra en su ciudad, entre nosotros, pasando unos días con su familia. Luis se fija en la noticia y comenta que es una decisión equivocada, que Federico no debería haber abandonado Madrid y menos para venir a Granada.

—Aquí puede correr un serio peligro si se enteran de sus participaciones a favor de la izquierda. Gracias, Gerardo, por traerme *El Defensor,* aunque ya sabía que Federico estaba en Granada, lo cuenta hoy el *Ideal,* y Clotilde García Potosí me ha invitado a la fiesta que da esta tarde, para celebrar la vuelta de su primo el poeta. Puedes venirte conmigo, si te apetece.

Fuimos a la huerta del Tamarit, cercana a la de San Vicente donde la familia de Lorca pasa los veranos. En realidad era la despedida de soltero de Paco García Potosí, hermano de Clotilde, celebración que habían retrasado hasta la llegada de Federico. Paco estuvo encantador, ocurrente, pendiente, lo mismo que Clotilde, para que nada faltara y la limonada se mantuviera fresca. Hablando y riendo pasaron las horas; con las ocurrencias de Bernardo Olmedo se me saltaban las lágrimas de los ojos. Pero Federico, al que le encantaban las fiestas, inesperadamente no asistió. Todos nos quedamos extrañados y con la miel en los labios, esperando que el gran animador apareciera.

La tarde siguiente a la fiesta, la del viernes 17, a la hora de más calor, cuando no moverse es una exigencia, noto una especial inquietud en Luis, que anda de un lado para otro, tan pronto en el patio, queriendo oír el murmullo de la fuente, como en el salón de abajo, o en la cocina, y al patio de nuevo, donde echa el toldo y riega para mantenerlo fresco. Veo cómo una y otra vez tira de la puerta del trastero, siempre cerrada, y vuelve a tirar en un gesto inconsciente.

—Shhh, Luis, sube —refuerzo con el dedo índice mis deseos, él con mirada de ausencia observa sin llegar a comprender mi reclamación, y le insisto—: Sube.

Con lentitud, escalera arriba, llega a mi habitación.

—¿Qué quieres?

—Nada importante, sólo que te veo nervioso, preocupado.

—Cabreado, diría yo; es más exacto.

—¿Qué te preocupa?

—¿Que qué es? ¡Pues que soy tonto de remate! Me juego el pellejo y me toman por sopas.

—¿Quién?

—Pepe, cojones, que también parece lila. Esta mañana me ha pedido que le lleve unos sobres camuflados en un paquete a Valdés, secretos con información clave, parece ser que para «el golpe».

—¿Tú con Valdés?

—Sí, con el mismo. Tuve que llevárselos a su casa para no levantar sospechas, ¡como si fuera un agente de un servicio secreto clandestino!

—¿Por qué tú?

—Deja que te cuente, ya verás. Me dice esta mañana Pepe: «Luis, tienes que hacernos un favor enorme, llevar esta documentación confidencial y muy importante a casa del comandante Valdés. Es esencial que la reciba cuanto antes de manos de alguien de absoluta confianza. Antonio, Miguel y yo estamos demasiado vigilados, el Galadí y los suyos nos siguen a donde vamos y los de Asalto, desde que no los manda Nestares, nos pisan los talones.»

—¿Quién es el Galadí?

—Pues no lo sé muy bien, si uno de la FAI, de la CNT, o comunista, debe de pasar información al Gobierno Civil o algo así. El caso es que a mí no me gustaba el asunto, y Pepe insistía: «Como tú estás siempre en Madrid, no te conocen, es cuestión de vida o muerte.» «¿Qué es tan urgente y tan importante?», le pregunté. «No te lo puedo decir, Luis, no me preguntes y haznos el favor; si estos documentos cayeran en manos de los rojos, todos nosotros estaríamos en un buen aprieto. Por lo que más quieras, no hay tiempo que perder. Luego te lo explico todo, una vez que lo entregues.» «¿Y la casa de Valdés, no estará vigilada?» «Es posible, por eso debes llevarlo tú, si ven que cualquiera de nosotros se acerca al portal, la habremos liado, de ti no sospecharán. Si ves a alguien merodeando cerca del portal, pasa de largo, no entres, y cuando lo hagas, comprueba que no hay nadie en la escalera. Subiendo al último piso, hasta el cuarto, si te encontraras con algún intruso, da en la puerta y toca el timbre; no abrirán porque no vive nadie. Así no levantarás sospechas. Si por el contrario el campo está libre, baja al primero derecha, es el piso de Valdés. Tienes que ir, Luis, esta casa está en peligro, a ti ésos no te conocen.» Lo vi tan preocupado, que me puse en marcha sospechando lo que contenía el dichoso sobre. Mamá decía que me acompañara un poco, pero pensé que era más seguro que no lo hiciera. Cuando llegué al piso del comandante y estaba ante aquel hombre seco en gestos y carnes, le dije:

»—Me pide José Rosales que le entregue en mano esta documentación urgente. Soy su hermano Luis.

»—No sé de qué, ni de quién me habla, muchacho, ni espero ningún documento, se ha equivocado de persona, de manera que váyase.

»—Entonces, ¿por qué me han hecho pasar cuando he dicho que venía de parte de José Rosales? Mire, a mí me ha dicho mi hermano que le deje el sobre, que es importantísimo, de manera que cójalo y terminemos la función.

»—Ya le he dicho que se equivoca.

»—No me equivoco, me ha costado sudor venir a entregarle esta documentación, de manera que aquí la tiene.

»—¡Salga de mi casa inmediatamente, yo no tengo nada que ver con lo que usted pueda traer, señor Rosales, o quienquiera que sea!

»—No sé a qué viene esta desconfianza, usted puede comprobar mi identidad llamando al teléfono de mi casa, que ya conoce, el 18 90, mi hermano se lo confirmará. Yo, sin embargo, no puedo comprobar la suya.

»—No me haga perder la paciencia. Es mejor que se vaya.

»—Sí, me voy ahora mismo, no me gusta hablar con necios, pero estos papeles se quedan aquí. Después haga usted lo que quiera. Por mí, incluso puede limpiarse con ellos.

—¿Eso le dijiste?

—No sabes cómo se estaba poniendo. Se los tiré contra la mesa, de la que ni se levantó un instante. Salí rápido, tan rápido como pude, dando un buen portazo, mientras él ponía la mano sobre la pistola, que la tenía a modo de pisapapeles. No le di opción a contestar por lo que pudiera pasar. Bajé la escalera conteniéndome de no salir flechado, por si se asomaba pensando que huía, y también por si abajo estaba el Galadí de los cojones, que me advirtió Pepe. Ese cabrón de Valdés, desconfiado, enérgico, impasible, con la leche de su madre vomitada en el rostro, me ha puesto a parir por los rincones, ¡joder!

—¡Me cago en la leche, qué historia! Aunque entiendo la reacción del Valdés y lo que decía Pepe el otro día de los militares. Están metidos hasta el cuello en una conspiración; es normal que no se fíe ni de su padre, al que no debió de conocer, según cuentan. Lo que no entiendo es cómo Pepe te ha metido en este follón sin darle siquiera un telefonazo. O cómo no se te ocurrió a ti que lo hiciera. Es que tú también estás de remate.

—Lo vi tan angustiado que no me paré a pensar. Después le dije: «¿No has podido llamarlo primero?», y me contó que el teléfono de Valdés está interceptado. Pero a la mierda con todo esto, lo que quiero es quitarme el cabreo de encima. ¿Habría sido capaz ese cabrón de pegarme un tiro?

—No lo creo. Sería para impresionarte y para echarte cuanto antes. En fin, olvídalo. Aunque, ahora que caigo, estamos sin teléfono desde esta mañana, de manera que, intervenido o no, no le podría haber llamado. Voy a ver si ya funciona.

»Oiga, aquí el 18 90, oiga, oiga, al habla. Nada, que no responde nadie, ni marcando directo ni con centralita, lleva todo el día así.

—Estarán arreglando las líneas...

—De eso nada, Luis, el gobierno los tiene cortados para evitar que se coordinen las comandancias entre provincias. Lo que le has llevado a ese Valdés es el nuevo «Covadonga», seguro. La sublevación está a punto de estallar.

La caída

El aparato sigue sin funcionar. El incidente de Luis y esta sorda modernidad de comunicación me van poniendo de mal humor.

—¡Oiga, señorita! ¡Aquí el 18 90, al habla! ¿Hay alguien ahí, me oye? ¡Oiga, oiga!, señorita.

Mi empeño por hacer llamada alguna es completamente inútil y lo sustituyo por una idea mejor, la de ir al cine.

—Luis, ¿y si nos vamos al cine Terraza?, ponen *Cleopatra*, de la Paramount.

—¿Dónde está ese cine?

—Donde estaba el Casino, también ponen *Palermo* en sesión doble, ¿vamos y echamos el rato?

—Eres un cinéfilo empedernido, pero no estoy para películas.

—Sí, hombre, vamos, que necesito sacarme el Código Penal de la cabeza, y tú las penas.

—No son penas, sino rabia.

—Pues vámonos sin pena ni rabia, a reír con candelabros encendidos en los pies y cacerolas por zapatos en la cabeza. Vámonos a ver los arrebatos de la hija de Tolomeo XII, sus coqueteos en el exótico Egipto con César y la envenenada seducción a Marco Antonio para arrebatarle a la gran Roma los territorios de Chipre, Fenicia, Arabia y Sicilia. ¿Qué me dices?

—Después de semejante recorrido histórico, ¡me has animado! No puedo resistirme a los devaneos de Cleopatra. Estoy dispuesto.

—¡Mamá, que nos vamos al cine!

—Eh, esperad un momento. Pasad por la tienda y decidle a vuestro padre que a las ocho y media nos esperan en el convento para firmar lo de María, que nos vemos allí. No he podido hablar con él, no sé qué le pasa al teléfono, que lleva todo el día sin funcionar, haced el favor de ir.

—¡Está bien, se lo diremos! Hasta luego, mamá.

Pitos y chiflidos suenan, como de costumbre, las dos o tres veces que la corriente se va durante la película. En la oscuridad, los novios aprovechan para besarse; los más atrevidos, sentados en las últimas filas, hurgan bajo faldas y blusas, ruborizando las mejillas de ellas cuando miramos hacia atrás, al restablecerse entre fogonazos la película. Al salir a la calle, la expresión de Luisico ha cambiado, su humor escondido bajo la carga de sus hombros regresa lento, mientras pregunta:

—¿Has notado, al salir de la tienda, la preocupación de papá? Hacía tantos años que no lo oía decir: «Tened cuidado, mucho cuidado, hijos.» Tanto que lo había olvidado. Éramos sólo niños, nada más que niños y la nieve aún blanca. Sabíamos de memoria la lista de los reyes godos y un montón de otras cosas inútiles.

»La memoria, entonces desdeñable, hoy es halagada. ¿Recuerdas aquel domingo en casa de la abuela? Aquel día oscureció muy pronto. Ya sabes que los domingos no duran demasiado...

Buscando altura y lejanía, tú te habías escondido en el depósito de agua. Junto al trípode, la escalera; el depósito al raso; desde su fondo se divisaba el cielo. Un cielo ya de atardecida redondo, bajo y triste. Sonaban las campanas de San Antón y las abejas volaban sobre el depósito con ese vuelo torpe y musical que avanza a impulsos racheados y sosteniéndose en dos niveles, dando la sensación de que tropiezan con el aire. La presencia de las abejas te produjo inquietud y la inquietud te hizo perder la sensación de realidad. Ya no estabas en casa de la abuela jugando al escondite con nosotros. No te habías escondido: te habías perdido para siempre. Nadie podía encontrarte. El miedo es un silencio que nos ata las manos. Tú te quedabas quieto sobre el miedo y decías nuestros nombres: Miguel, Antonio, Pepe, Luis, Esperanza y María, y los volvías a repetir, una y otra vez, para sentirte acompañado. Tú no sabías quedarte solo. Tú te quedabas quieto, cristalizado por el miedo. Y comenzabas a sentir en el pecho una opresión extraña. Y comenzabas a sen-

tir, acompasadamente, el latido del corazón. Primero regular, pausado. Presuroso después. Cuanta más atención le prestabas, más fuerte y convulsivo se iba haciendo su golpe. Crecía más alto, de segundo en segundo, crecía devastadoramente como llama en el rastrojo. Me dijiste después que habías sentido «demasiado temor para tener tan sólo un corazón». Te quebrabas latiendo. Tal vez no hubiera sido preciso sino hacer un movimiento ligerísimo y cambiar de postura para encontrar sosiego. Lo intentabas en vano. No te podías mover. Estabas quieto, paralizado de terror, igual que un ciego al bañarse en el mar pierde la orientación y ya no puede adivinar hacia qué lado cae la playa. Estabas quieto, pero muriendo, hasta que al fin sentiste la mano de la abuela que se apoyaba sobre tu hombro y se te fue calmando el corazón.

Ya lo sabes, Gerardo, nos ha ocurrido a todos. Nadie puede esconderse. La abuela podía encontrarnos fácilmente, porque cada uno de nosotros tenía en el juego una conducta y se ocultaba, necesariamente, en el lugar que le correspondía. Y de ellas dos, de nuestra abuela y de nuestra conducta, no nos podíamos esconder (5).

»Así me he sentido esta mañana, como tú aquel domingo, aterrado, tantos años después, al entregar esos documentos. No podía esconder mi conducta, ni calmar los desbordados latidos de mi corazón cuando Valdés puso la mano sobre el arma. Y ahora otra mano, la tuya sobre mi hombro, me serena como lo hacía nuestra abuela.

Mientras escuchaba a Luis, con un vago recuerdo de aquel remoto domingo, un numeroso grupo de trabajadores que ocupa toda la acera del Casino nos hace contener la respiración. Las palabras llegan a la boca quedando encerradas, como en los lejanos años a los que Luis acaba de referirse. Banderas de la CNT y UGT son portadas por mujeres que alborotan ante el relativo callar de los hombres. Con prudencia y el pellizco que el estómago recoge en situaciones tensas, damos las buenas noches y seguimos camino a casa por la calle Puentezuelas.

(5)   Luis Rosales, *El contenido del corazón*, en *Obras completas I*, Trota.

Al pasar bajo el balcón de Mariana Pineda, lejos ya de las amenazantes banderas, Luis cuenta cómo Federico se sentía fascinado al escribir la obra de Marianita Pineda, reflejando el drama de morir por defender aquella República.

Tras los muros de la casa que acabamos de pasar, los fantasmas, escondidos bajo los cristales cerrados de ese balcón de habitación oscura, viven y palidecen esta noche en la que, de nuevo, en otra copia de la historia, la República se siente al borde del abismo.

—¿Cuántas copias necesita la historia, Luis, cuántas?

—No sé si estamos ante otra copia de la historia, pero la amenaza del comunismo es la amenaza de la peor dictadura.

Al desembocar en la esquina con la calle de las Tablas, entre la oscuridad de la noche, cuatro o cinco personas que forman corro nos miran insistentemente. Intimidados, aflojamos el paso. Las bombillas apedreadas por las guerrillas de chavales nos impiden reconocer a Pepe, que con paso decidido sale al encuentro.

—¿De dónde venís, que ando buscándoos toda la tarde? Vamos a casa, tenemos que hablar.

—¿Qué sucede?

—Han detenido en Melilla al general Romerales, y en Tetuán, al alto comisario Arturo Álvarez-Buylla. Ceuta también ha caído a manos del teniente coronel Yagüe. Las tres ciudades están tomadas a estas horas. El jefe de Falange en Marruecos, el coronel Juan Seguí, y otros, han declarado el estado de guerra y han formado una junta militar para restablecer el orden. Vamos, que el jaleo ha empezado, os lo contaré en casa.

En tono bajito da detalles, mientras, con sus manos en cada uno de nuestros hombros, nos impulsa a reiniciar el camino. Cuando llegamos, subimos hasta la segunda planta, a la habitación donde nuestra tía Luisa recibe sus inexistentes visitas y las palabras quedan protegidas por la altura, los muebles y los gruesos muros. Nos explica con precisión la eminente salida del ejército en toda España, que la guarnición en Granada está acuartelada esperando la orden de tomar los organismos clave de la ciudad, ayuntamiento, Gobierno Civil, Militar, etc. Pepe da detalles minuciosamente, mientras contesta una a una nuestras dudas con evidente información. Asegura que el ochenta por ciento de los mandos militares, incluidos los dudosos Aviación, Marina, los de Asalto y Guardia Civil, están preparados en todo el país para establecer un nuevo orden. La conversación que dejamos aplazada en el Rey Chico se produce esta noche con precipitación, pues ha de marcharse.

—El plan es sencillo. Las guarniciones militares declararán el estado de guerra al grito de «Viva la República» —dice Pepe—, eso despistará a los republicanos durante las primeras horas, que son fundamentales, para tener menos resistencia. Me pedíais la otra noche que os hablara de la posición de Falange, pues bien, hemos recibido órdenes de colaborar con el ejército para hacer de España una unidad de destino, una realidad que no se puede dejar en manos de separatismos locales, ni debemos permitir las constantes pugnas entre partidos políticos con puntos de vista parciales, de intereses propios, que propician la lucha de clases e ignoran la unidad de la patria. Ningún partido entiende la idea de la producción nacional como un conjunto, eso es lo que nosotros defendemos. La unidad nacional por encima de intereses particulares o económicos.

Sin pedirnos implicación, más preocupado por nuestra seguridad, entre pensamientos políticos, Pepe va introduciéndonos en la necesidad de estar bajo la protección de la carpa falangista. A pesar de las diferencias entre los tres, surge un argumento que nos une poderosamente. Si en Granada no triunfa el Alzamiento, nuestra casa puede ser arrasada, Miguel, Antonio y Pepe, con toda probabilidad, encarcelados o fusilados. Su implicación es demasiado activa y comprometida para quedar impune. Ésa es la razón principal para que Luis y yo accedamos a ir mañana al cuartel de Falange para unirnos a ellos.

La exposición que anoche hizo Pepe ha resultado casi exacta. Hoy, 18 de julio, Queipo de Llano declara el estado de guerra en Sevilla. Franco y Orgaz toman Canarias; desde las emisoras isleñas y norteafricanas hacen un llamamiento a todos los españoles patriotas para que se colabore con el nuevo Movimiento Nacional. La petición, que se oye por toda la Península, sale cansinamente por los altavoces de los aparatos de radio desde esta madrugada, aumentando los ya exaltados ánimos por todo el territorio. Las primeras noticias que llegan son confusas. Por un lado, el gobierno quita importancia y habla de pequeños alborotos en las provincias africanas y dice que están controlados, mientras desde Sevilla, Queipo de Llano afirma que toda España está con el Alzamiento y que en pocas horas caerán Madrid y Barcelona.

Con nuestros desacuerdos, al final de la mañana nos acercamos al cuartel de Falange para incorporarnos a sus filas. A Luis le preocupa restaurar la monarquía; a Pepe, apoyar una junta militar; a mí, la pérdida de libertades ante una posible revolución bolchevique, y a los tres, la comprometida situación en la que quedaría nuestra familia si el Alzamiento fracasara. Demasiado ocupados y excitados están los falangistas cuando llegamos al cuartel de San Jerónimo. El tiempo pasa, pendientes de la radio, y el teléfono, restablecido, no para de sonar. Viendo el ambiente que por aquí circula, y observando, decido no afiliarme.

—¿Cómo?, ¿un Rosales no va a estar con nosotros? Firma, hombre, que mandemos a Jefatura tu afiliación.

—No quiero afiliaciones ni carnet, no entiendo de política.

—Pero hombre, ¿vas a ser el único de tus hermanos que no esté en Falange?

—Ya veremos, pero no tengáis prisa, ¿o es que no puedo ser útil sin afiliación?

—Sí, claro que sí, siendo quien eres te trataremos como a uno más, un flecha. Venid por aquí, que os dé el brazalete y correajes. Incluso tenemos botas para vosotros. También os daré armas, venid por aquí. No, esperad, creo que hay en vuestra casa. ¡Eh, Antonio! ¿Quedan armas en tu casa? —Antonio mira para otro lado—. ¡Oye!, ¿que si quedan armas en vuestra casa?

Es Cecilio Cirre, el amigo de Luis y Pepe quien nos atiende e insiste en el asunto de las armas. Nuestro hermano Antonio clava sus ojos entre papeles como si fuera sordo de solemnidad, hasta que Cecilio se acerca a él.

—¡Joder, Antonio, que te estoy hablando! ¿Quedan armas para tus hermanos?

—¡Y yo qué sé de armas!

—¿Cómo que qué sabes? De las que os llevasteis a tu casa, joder, ¿o de qué leche crees que estamos hablando?

—¡Pero bueno! ¿Qué cojones es eso de que habéis llevado armas a casa? Vamos, quiero explicaciones al instante. ¿Te has vuelto loco?

—Pepe, no te pongas así.

—¿Cómo cojones quieres que me ponga, Antonio? ¡Maldita sea!, ¿eres imbécil? ¿Qué pasa si hacen un registro, eh? Qué pasa, ¿me lo quieres decir? ¿Quieres que nos detengan a todos, que nos metan en la cárcel o que nos fusilen? ¿Cómo coño se te ocurre implicar a nuestros padres metiendo armas en casa? ¡Has perdido el juicio!

—Es que...

—Ni es que ni nada, no admito excusas, ni hay tiempo para monsergas. Esta misma noche las sacas echando hostias. ¿¡Hablo claro!?

Al tiempo que le atiza unos golpecitos sobre el hombro y lo mira fijamente, le dice en tono seco, sin subir la voz:

—Eh, Antonio, ¿me has entendido?

—De acuerdo, Pepe, de acuerdo, esta noche sacaremos todas las que queden, ¿tranquilo?

—¿Tranquilo? A algunos les voy a dar yo tranquilo, ya me contarás luego de quién ha sido la brillante idea, ¡que quiero saberlo, hombre, y quiero que esta noche vaya contigo!

—Pepe tiene razón, yo os ayudaré a sacarlas, no le deis más vueltas.

—¿Es que tú tienes que ver algo en esto, Cecilio?

—En absoluto. Ya le dije a Antonio que era una barbaridad, pero me comentó que tú lo ordenaste, sólo digo que puedo ayudaros.

—¿Que yo lo ordené? ¡Maldita sea! Mira, mejor será dejar el asunto, pero esta noche ellos las traen aquí como yo me llamo José Rosales Camacho.

Entretanto, andaba pensando qué haría yo con una arma en el mono azul que nos acababan de dar o donde fuera. Tan sólo una vez tuve en las manos la de Miguel y no me hizo ninguna gracia la experiencia. Quise dejar las cosas claras desde el principio:

—Yo no quiero armas de ningún tipo, sólo sirven para matar.

—O para que no te maten, Gerardo. Son una defensa.

—No quiero armas, ¿o acaso me explico mal, Cecilio? La mayor protección para mí es no tenerlas y no pienso llevarlas.

—Qué valiente... ¿pues qué haces entonces aquí?

—Mira, Antoñico, no es cuestión de valientes, sino de principios. El término que tú entiendes de valientes con una arma en las manos no es el mío, no voy a salir por ahí pegando tiros.

—Tú siempre crees que con la palabra se arregla todo y aquí sobran las palabras, lo que hay es que actuar.

—No me digas lo que tengo que hacer. Escuchad: soy abogado, si puedo asesorar o colaborar de otra manera, curar heridos, ir con Cruz Roja o lo que sea, camillero, cartero, lo que queráis, me lo decís, pero de tiros nada. Si os parece, bien, y si no, hasta aquí hemos llegado, me marcho ahora mismo y santas pascuas. Me da igual lo que penséis, que si valientes, que si buenos o malos, o las zarandajas que se os pasen por la cabeza.

—Se nota que eres Rosales, con ese carácter. No te preocupes, sí que hay otras actividades muy necesarias, lo tendremos en cuenta al planificar tu misión, ¿verdad, Pepe?

—Gerardo, Cecilio es de toda confianza, buscaremos lo adecuado para ti, no te preocupes. Luego vemos dónde encajáis Luis y tú. A las seis estaré aquí, ahora tenemos que marcharnos. Vamos, Cecilio. ¡Y tú, Antonio, no te olvides!

Por la tarde, de nuevo en el cuartel de Falange a la espera de instrucciones, las intervenciones de radio son continuas, el gobierno comienza a admitir una sublevación en Sevilla sin darle demasiada importancia, dice que la situación está controlada, al igual que los «alborotos» de Ceuta y Melilla, e insiste que el resto del país se mantiene fiel a la República. Sin embargo, los mensajes radiofónicos lanzados desde Madrid no coinciden con otras informaciones que nos llegan, más bien parecen propaganda desesperada con la que el gobierno intenta contener cualquier adhesión al levantamiento.

Al caer la noche seguimos en el cuartel de San Jerónimo, donde apenas treinta hombres aguardamos instrucciones; las horas pasan a la espera sin saber qué hacer, pendientes de que la guarnición, que sigue acuartelada, se decida. Entretanto, parece que en Madrid, Casares Quiroga ha dimitido y que Azaña intenta que Martínez Barrio, con socialistas y republicanos moderados, forme nuevo gobierno para contener la sublevación. A medida que el tiempo transcurre, en Granada la presión sube pudiendo mover una gigantesca máquina de vapor. Los partidos de izquierda y los obreros reclaman armas al gobernador civil para impedir la salida del ejército o enfrentarse a él si lo hace. El gobernador Torres Martínez obedece las tajantes órdenes que recibe del ministro de gobernación. «No se reparten armas entre la población civil», ésa es la consigna. El recién llegado a la Comandancia Militar, el general Campins, por su parte, confía en las vanas promesas que le vierten los oficiales a su mando de mantenerse fieles a la República y a sus órdenes. Pero las promesas de fidelidad, también realizadas a Torres Martínez por los de Asalto y Guardia Civil, según las noticias que llegan al cuartel de San Jerónimo, no son más que estrategia para ganar tiempo y mantener a los dos gobernadores en la más absoluta inopia.

En Falange, bajo las instrucciones del jefe provincial Antonio Robles Jiménez, asesorado entre otros por Cecilio Cirre y Pepiniqui, recibimos las primeras reglas. Los que quieran incorporarse a los acantonados de Artillería deben dirigirse al cuartel con la chaqueta doblada sobre el brazo derecho, como contraseña, para que los dejen entrar. Una vez allí, los equiparán con armas y formarán con el resto de la tropa.

Las campanas de la cercana iglesia de San Jerónimo han dado las diez de la noche cuando me dispongo a regresar a casa. Una vez más, la débil señal de Unión Radio Sevilla llega a la radio: Queipo de Llano sostiene el micrófono afirmando que el Alzamiento Nacional triunfa en toda España; sólo Madrid y Barcelona ofrecen resistencia. Dice también que tropas africanas llegan a la Península y que columnas militares avanzan sobre Málaga, Granada, Jaén y Extremadura.

La exageración del mensaje crea desconcierto porque aquí la guarnición sigue acuartelada, sin salir a la calle, ni avanza ejército alguno. Su agresivo lenguaje, llamando a gente sencilla «la canalla» y las repetidas advertencias de perseguir y cazar como alimañas a todos aquellos que ofrezcan resistencia me repele por nauseabundo fanatismo, aunque a otros les enerva. Las advertencias de mis hermanos en estos días, «todo el que no esté con ellos será su enemigo», toman cuerpo ante los mensajes radiofónicos de Queipo y Franco. De regreso a casa, la ciudad se abre desierta ante el murmullo de incesantes noticiarios que salen por las ventanas; los vecinos permanecen con la luz apagada y el eco de las radios, como el calor, sale sin que nadie lo vea.

Por aquel tiempo, me refiero a finales de los sesenta, comenzaron a aparecer historiadores y biógrafos solicitando declaraciones de mis tíos y de mi padre con las que reconstruir los últimos días de García Lorca; algunos de ellos, fabuladores, en busca de bacía más que de yelmo de Mambrino. Mi familia accedía con la lógica precaución que el dictador seguía imponiendo y con la reserva de la utilización que se pudiera hacer de los datos que confiaban. Sólo algunas ráfagas pude escuchar de aquellas entrevistas y sentía que de un plumazo se me iba la información a la que yo todavía no tenía pleno acceso. Me dolía no encontrarme preparado ni lo suficientemente informado para seguir el hilo de las conversaciones, entre aquel dédalo de nombres y antecedentes de la historia. Pensaba ingenuamente, mientras espiaba, lo supe años después, que era mi idea, que aquella crónica me pertenecía. Sentía que el secreto que me habrían de confiar se iba al aire, y me daba mucha rabia saber que pronto el desván que tanto me atraía quedaría desalojado. Pero nuevos ánimos me empujaron cuando un día mi padre comentó: «Éstos quieren que les cuente lo que no se puede contar.» Sospeché entonces que en el desván de Lorca aún quedaba un baúl protegido por sólidas cerraduras, y esperaba con ansia ser mayor de edad. Aquella noche del 67, en la que mi padre se abrió por primera y casi única vez con relación a Federico, quedaron muchas cosas por contar; lo que yo tenía en las manos era sólo un enigmático jeroglífico donde faltaban las claves, lo delicado, lo preciso.

Llegó el momento de cumplir los dieciocho, y perdido en encontrar la ocasión idónea, mi padre enfermó gravemente y murió. Años después, en un viaje que hice a Nueva York, como meca obligada para un pintor, fui a ver a José Guerrero. El gran pintor me atraía profesionalmente, y por el cariño con el que mi padre hablaba de él, fueron buenos amigos. Me atendió como si lo hubiese visitado mi padre en persona; pasamos juntos toda una tarde en la que no reparó en agasajarme. No pude evitar preguntarle y hablamos más del 36 que de pintura, pues ése era mi principal interés, y me contó algo que yo desconocía y que describo más adelante. Recuerdo ahora que mi padre, en los años de su infancia, quería ser domingo. Los domingos no había escuela ni deberes, salían con sus padres a casa de la abuela, que los recibía con caramelos y se esmeraba en la merienda, siempre deliciosa. Jugaban, jugaban al escondite por la gran casa llena de rincones y la abuela les contaba maravillosos cuentos con aquella voz cálida, serena, que dan los años, manteniéndolos sentados en corro. Sí, mi padre quería ser domingo como cuenta tío Luis en su *Contenido del corazón*. Pero todos los domingos no son iguales.

El domingo 19 de julio de 1936, en Granada amanece lentamente sin el habitual traje de fiesta que le corresponde, las iglesias encogidas no tocan a misa, ni los chavales hacen cola en el quiosco, esperando la rueda de churros para el desayuno. La ciudad entera respira inquietud, pendiente de lo que suceda en el resto de España. El intento del presidente para que Martínez Barrio forme gobierno ha fracasado ante la presión popular en Madrid y la negativa al diálogo del general Mola, con el que se pretendía llegar a un acuerdo como representante y voz de los sublevados. Azaña, con la intención de facilitar la negociación, ha conseguido que Giral forme nuevo gobierno sin socialistas ni comunistas, pero está amenazado por la guarnición de Madrid que, como aquí, espera acuartelada el instante oportuno. Durante estas horas de desconcierto, el capitán José María Nestares, falangista, «camisa vieja» como mis hermanos y amigo de ellos, conoce perfectamente, por haber sido jefe de la policía, quiénes son los que pueden ofrecer resistencia cuando salgan a tomar la ciudad, y prepara un plan para reducirlos. Mantiene, también, estrechos contactos con su anterior destino y con los coroneles Antonio Muñoz y Basilio León, de Artillería e Infantería, a los que anima e implica decididamente.

El vacío, dueño de las calles, prolonga el horizonte hasta donde la mirada se quiebra inevitablemente ante la acobardada ciudad. Como un niño al que se engatusa con un amargo caramelo de bonito envoltorio, me han nombrado «jefe de misiones de reconocimiento», jefe de mi pelotón de dos, de Jesús Pérez, al que nunca vuelvo a ver, y de mi propia per-

sona. Todo el día se me va entre los reconocimientos que nos enco-
miendan para informar si se produce alguna concentración en la calle
que pueda truncar la salida de los acuartelados. La larga espera, sin que
nada suceda, hace que los ánimos de los que ayer demostraban confianza
se desmoronen al caer la noche. De regreso a casa, voy muy tarde, estoy
casi convencido de que el alzamiento en Granada ha fracasado.

El diario *Ideal* de hoy, lunes 20 de julio, publica una entrevista del gobernador Torres Martínez en la que asegura que el orden es absoluto en
toda la provincia, que se han tomado las medidas necesarias para garantizar la normalidad. Sin embargo, la realidad es muy distinta. Muchos co-
mercios permanecen cerrados, otros tienen las persianas medio echadas
y, en los cafés, los pocos clientes han cambiado las charlas por tímidos comentarios. Dos días hace que se combate en casi toda España, mientras
que aquí la euforia, más que dar paso a la prudencia, se ha citado con la
cobardía, como corresponde al carácter general del granadino, de uno u
otro bando, al no tenerlas todas consigo, y digo que no es prudencia porque se sigue esperando escondidos.

Desde el cuartel de San Jerónimo sabemos que el teniente coronel
de la Guardia Civil Fernando Vidal Pagán, fiel republicano, ha recibido
esta madrugada un telegrama desde Madrid. La orden es concreta: «Recoger las armas depositadas en el parque de Artillería y formar una columna de socorro para liberar Córdoba.» El coronel Vidal, que se encuentra
en el Gobierno Civil, ajeno a lo que sucede en su destacamento, desvía la
orden al teniente Mariano Pelayo, de quien no sospecha. Pelayo, aprovechando las instrucciones de su superior, se presenta con cuarenta civiles
en el cuartel de Artillería, dispuesto a hacer caso omiso de las órdenes re-
cibidas para liberar Córdoba.

Desde el Gobierno Civil, Torres Martínez y el coronel Vidal insisten a
Pelayo y a Muñoz para que esa columna salga cuanto antes hacia Córdoba.
Los de Artillería, con ánimos renovados por la incorporación de Pelayo y los
suyos, les responden para ganar tiempo siempre la misma cantinela: «Las

armas aún no están preparadas, señor. Estamos clasificando la munición. Sí, señor, a sus órdenes. Saldremos inmediatamente, cuando estén listas.»

El comandante Valdés también se traslada al cuartel de Artillería para reunirse con Muñoz y Pelayo. Son las nueve y media de la mañana. Una hora más tarde, es el capitán Nestares quien insiste en la urgencia de actuar inmediatamente y, acompañado del coronel Rodríguez Buzo, se va a visitar al jefe de la Guardia de Asalto, capitán Álvarez, temido por la guarnición militar por disponer de más de ciento cincuenta hombres bien entrenados y armados. Álvarez se une sin reparos a las propuestas de Nestares y coincide en la necesidad de proceder inmediatamente. El último escollo está salvado. A las cinco de la tarde de hoy, 20 de julio, saldrán de los cuarteles para tomar Granada.

Entretanto, el calor es el único que se apodera de las calles a medida que la mañana avanza. Los pájaros, enmudecidos en las ramas más altas, se refugian del abrasante sol, y los tranvías circulan vacíos como fantasmas de hierro. Se teme que en cualquier momento las organizaciones sindicales y los partidos de izquierda, con capacidad de congregar a un gran número de ciudadanos, salgan a la calle, con o sin armas, desbaratando las intenciones del Alzamiento.

Frente al Gobierno Civil, más de cincuenta personas vuelven a reclamar del gobernador la entrega de armas. En la plaza del Carmen han acuchillado a Manuel Gómez, de la CEDA, e incendiado la casa de Dávila, jefe de los requetés. Los primeros alborotos comienzan a producirse, y mi hermano Pepe llama a mi padre para que cierre inmediatamente el comercio que lleva el nombre de mi madre: Almacenes la Esperanza (¡qué nombre para estos momentos!).

A medida que las horas pasan, siento más rechazo de participar en la «gran gesta» y tomo la decisión de no hacerlo. A la señal de ir con la chaqueta sobre el brazo, han unido la contraseña de decir «vaya sol el de hoy» para entrar en el cuartel de Artillería. Cuando mis hermanos y los demás salen para unirse a ellos, yo me voy a casa con la convicción de no volver.

Al llegar, mi padre no oculta su alegría por mi decisión de no intervenir en el intento de derrocar al gobierno, mientras mi madre insinúa que debería estar con mis hermanos. Son las cinco de la tarde. Con puntualidad militar, desde el cuartel de Artillería salen en formación más de doscientos cincuenta hombres, entre soldados, falangistas y los llamados españoles patriotas. Sus gargantas gritan: «¡Viva la República!», al tiempo que toman emplazamientos clave, creando un clima de confusión. Muchos ciudadanos piensan que el ejército ha salido de sus cuarteles para defender la República.

Más tarde sabemos por Bene, aprendiz de la tienda, que todas las tardes viene a última hora por si se necesita algo, y por la radio, que el general Campins ha sido detenido por el coronel Basilio León Maestre, ocupando su lugar en la Comandancia Militar. El corazón de la ciudad está tomado por una batería de artillería emplazada en plena plaza del Carmen, frente al ayuntamiento, de donde la mayoría de los funcionarios, republicanos, han conseguido huir. El alcalde, el socialista Manuel Fernández-Montesinos, casado con Concha García Lorca, ha sido detenido y encarcelado por el teniente coronel Del Campo, quien se hace cargo del ayuntamiento.

Tan nerviosos parecen estar los que toman la ciudad, que han reventado un cañón al olvidar quitar el tapón, lo cual ha causado los primeros heridos. Los puntos decisivos han sido tomados sin resistencia, excepto la fábrica de pólvora Santa Bárbara, la mayor fábrica de explosivos y munición del sur, que ha ofrecido una fuerte resistencia; el brutal enfrentamiento se ha saldado con los primeros muertos y numerosos heridos. Ha sido un paseo tomar el aeródromo de Armilla, a seis kilómetros de Granada, único en Andalucía oriental. Sus oficiales, pilotando los aviones, han huido esta mañana a Madrid y Murcia, y han dejado a la tropa sin mando, y al aeródromo sin aparatos para volar, lo cual ha generado rabiosas quejas de los recién llegados.

Apenas pasadas las seis, Nestares, con la plena adhesión de los de Asalto y apoyados a su vez por Valdés y un grupo de falangistas, se dirigen todos juntos, por la calle Duquesa abajo, a tomar el Gobierno Civil. El gobernador, ante el numeroso despliegue de fuerzas, no puede ofrecer resistencia con la guardia que protege el edificio y se entrega. Entre Nestares y Valdés surge una disputa para sustituir al destituido gobernador. A propuesta de mi hermano Pepe, que ha intervenido en la toma del Gobierno Civil, al igual que mis otros hermanos Miguel y Antonio, Valdés queda como nuevo gobernador. Su primer prisionero es el recién derrocado Torres Martínez.

Simultáneamente, Radio Granada cae bajo el mando del comandante Rosaleny. A Luis, que ha ejercido un papel fundamental en la toma de la radio, le encargan, como escritor, que redacte las nuevas proclamas. Al caer la tarde, todos los puntos neurálgicos han sido conquistados. La estación de ferrocarril, las entradas a la ciudad, clausurado *El Defensor de Granada* y detenidos, entre otros, Constantino Ruiz, su director. Numerosos automóviles particulares son confiscados para la causa. Correos, Diputación, toda Granada se encuentra en manos de las nuevas autoridades, excepto el barrio del Albayzín. Las detenciones son numerosas y los encarcelamientos masivos. Por los micrófonos de Radio Granada se emite el siguiente comunicado que, bajo amenaza de muerte, se ha visto obligado a firmar el prisionero general Campins:

BANDO

Don Miguel Campins Aura. General de brigada y comandante militar de esta plaza, hago saber:

Artículo 1.º: En vista del estado de desorden imperante en todo el territorio de la nación desde hace tres días, ante la ausencia de acción del gobierno central y con el fin de salvar a España y a la República del caos existente, se declara desde este momento en todo el territorio de la provincia el estado de guerra.

Artículo 2.º: Todas las autoridades que no aseguren por todos los medios a su alcance el orden público serán en el acto suspendidas de sus cargos y responsables personalmente.

Artículo 3.º: El que con propósito de perturbar el orden público, aterrorizar a los habitantes de una población o realizar alguna venganza de carácter social utilice sustancias explosivas o inflamables o emplee cualquier otro medio o artificio proporcionado y suficiente para producir graves daños, organizar accidentes ferroviarios o en otros medios de locomoción terrestre o aérea, será castigado con las máximas penas que establecen las leyes vigentes.

Artículo 4.º: El que, sin la debida autorización, fabrique, posea o transporte materias explosivas o inflamables, o aunque las posea de un modo legítimo, las expida o facilite sin suficientes garantías previas a los que luego las empleen para cometer delitos que define el artículo anterior, será castigado con las penas de arresto mayor en su grado máximo a presidio mayor.

Artículo 5.º: El que sin inducir directamente a otros a ejecutar el delito castigado en el artículo primero provoque públicamente a cometerlo o haga la apología de esta infracción o de su autor, será castigado con las penas de arresto mayor en su grado máximo a prisión mayor.

Artículo 6.º: El robo con violencia o intimidación en las personas ejecutadas por dos o más malhechores, cuando alguno de ellos lleve armas y de hecho resulte homicidio o lesiones de las que se refiere el artículo primero de esta ley, será castigado con la pena máxima.

Artículo 7.º: Todo individuo que tenga en su poder armas de cualquier clase o explosivos debe entregarlos antes de las 20 horas de hoy en el puesto militar o de la Guardia Civil más próximo.

Artículo 8.º: Los grupos de más de tres personas serán disueltos por la fuerza con la máxima energía.

Granadinos: Por la paz perturbada, por el orden, por amor a España y a la República, por el restablecimiento de las leyes del trabajo, espero vuestra colaboración a la causa del orden.

Viva España. Viva la República (6).

(6)   Bando publicado en *Ideal*, difundido por Radio Granada e incluido en el libro *El asesinato de García Lorca*, de Ian Gibson.

La lectura de este bando se da cada media hora, con especial cuidado de seguir vitoreando con engaño a la República, mientras una compañía precedida por tambores y cornetas en procesión recorre las calles y plazas más céntricas, leyendo el mismo bando y decretando el estado de guerra. Toda la ciudad es registrada, se persiguen y detienen a las autoridades, líderes políticos, sindicales, a cualquiera que se intuya de «ideología sospechosa». Armados, patrullan las calles interrogando y encarcelando a quien circule fuera del toque de queda, y a menudo se oyen disparos que estremecen cada casa, cada rincón.

La escasa resistencia concentrada en el alto Albayzín comienza rápidamente a organizarse. Los republicanos, convertidos ahora en «rebeldes», se agrupan en el viejo barrio. Levantan barricadas y trincheras con la esperanza, a pesar de disponer de pocas armas y escasa munición, de poder resistir hasta que las tropas leales al gobierno se hagan de nuevo con el control de la ciudad. Bene nos cuenta, por último, que han alcanzado de un disparo y han dado muerte a uno de los guardias que iban en el mismo automóvil que Nestares y Pepe. La preocupación en los rostros de mis padres y en los suspiros de Esperancita no escapa a la noticia, tampoco a tía Luisa, que se cubre la cara con las manos a punto de sollozar.

—Estos bestias nos llevarán a otra dictadura peor que la de Primo de Rivera. Ni siquiera tendremos un Alfonso XIII que pueda reconocer sus errores y dar paso a un régimen democrático —comenta mi padre, profundamente preocupado—. Ni se harán leyes que dignifiquen y hagan libres a los hombres.

—Papá, ¿crees que el Alzamiento triunfará?

—¿El Alzamiento? Yo lo único que veo es un golpe de estado, que ojalá fracase. No tengo información suficiente para predecir nada, no sabemos lo que sucede en Madrid o Barcelona ni en el resto de España, ni cuántos traidores hay en la Marina o en Aviación, que son claves, o en los de tierra. Tus hermanos, que tanto creen en Falange y apoyan todo esto, tienen muy mal socio. El ejército los anulará a la primera ocasión, siempre ha sido así, hijo, siempre. A lo largo de la historia, todos los militares levantados en armas han terminado por imponer su vulgar tiranía a la fuerza y la justicia queda en sus manos tapando sus desmanes. Ya os daréis cuenta del error, aunque me temo que tarde.

—Pepe dice que Falange puede formar el nuevo gobierno.

—¿Gobierno? Esos militares golpistas no los dejarán. Están hundiendo el único sistema que puede llevar a este país a realizar las profundas reformas económicas, industriales y sociales que necesita, sacarlo del tremendo atraso en el que está sumido. Eres demasiado joven, Gerardo, todos vosotros lo sois. Os habéis dejado influenciar bajo la promesa de una nueva España gloriosa. Palabras, sólo palabras. Con Miguel y Antonio ya no me entiendo, no sé por qué, ellos nunca han tenido vuestra cabeza, son más viscerales, y la arrogancia no les permite reflexionar, y menos aún rectificar como buenos bizarros. Al fin y al cabo, son responsables de sus actos, todos lo sois, como mi generación también lo fue. No quiero juzgaros, ni debo interponerme, aunque piense que es un terrible error; si lo hago os perderé. Mi misión de padre ha terminado.

—No digas eso, papá.

—Así es, no creas que estoy delirando. He pensado mucho en ello, cansado de enfrentamientos que me separan cada vez más de tus hermanos. Mi influencia ha acabado en vosotros. Era de esperar. Aun así, he de decirte que las opiniones, vengan de quien vengan y más si son importantes, debes tomarlas con prudencia, desmenuzarlas granito a granito y volver a construirlas desde tu propio pensamiento y convicción. Créate una opinión sólida, tuya, que puedas argumentar desde el conocimiento y el convencimiento propio, sin perder de vista que una ideología política no es más que un cartucho inflado, un saco lleno de conceptos que esconde intereses disfrazados. Saca del cartucho cada uno de esos conceptos y analízalos; los que compartas, utópicos o no, defiéndelos como tuyos, mejóralos en lo que puedas, enriquécelos. El resto pertenece a otros. No debes olvidarlo, Gerardo, la memoria es demasiado frágil.

De pronto nos sobresalta la aldaba de la puerta, que suena con fuerza. Todos nos miramos, extrañados: es medianoche. Mi padre se levanta para abrir, cuando de nuevo la aldaba vuelve a sonar, ahora con menos fuerza, y se oye decir: «Don Miguel, abra, por favor. Soy Enrique, abra, por favor.»

—¡Algo pasa! —dice mi padre—, es Enrique Prados, el empleado de la tienda.

—Buenas noches, don Miguel, tengo que pedirle un favor muy grande.

—Pasa, Enrique, ¿qué sucede?

—Usted es un hombre de bien, un...

—Vamos, que no es momento de alabanzas, dime, ¿qué ha pasado?

—Vengo a pedirle que me deje pasar la noche en su casa.

—¿Qué ha ocurrido?

—Cuando he llegado a mi casa, me estaban esperando, mi niño ha podido avisarme, se han llevado a mi cuñado Carlos a la cárcel, el de los botijos. Usted sabe que soy socialista, don Miguel, pero yo no me meto con nadie, usted me conoce, sabe cómo soy.

—Cálmate, puedes quedarte, faltaba más, mañana veremos lo que hay que hacer.

—Yo no querría causarle molestias a usted y a su familia, pero no sé adónde ir, mis amigos y parientes están en las mismas que yo.

—No es ninguna molestia —indica mi madre—, puede usted pasar la noche en una habitación del piso de arriba que no se usa.

—No hace falta, señora, me quedo aquí, en esta silla, y en cuanto amanezca me voy.

—Venga, lo acompañaré, ¿qué va a hacer ahí, con lo largas que son las noches? Además, tendrá que cenar algo.

—Mamá, yo lo acompañaré.

Mientras, en la Granada del 36 la noche avanza, y en la calle Angulo mi abuelo y mi padre, después de atender a Enrique Prados (que, efectivamente, al amanecer se marchó y dos años más tarde fue fusilado en Vélez Málaga), siguen hablando de un ejército sublevado. Pienso yo ahora, al escribir sobresaltado por el quebrantador ruido que sobre mi cabeza dejan los helicópteros que sobrevuelan en este momento mi tejado —vivo muy cerca de la base aérea de Armilla que fue abandonada por sus oficiales el 20 de julio, del 36—, que los militares, entrenados metódicamente durante años para enfrentarse al enemigo, deben aburrirse en tiempos de paz sin mando y sin enemigo. Y discurro que podían combatir el aburrimiento enfrentándose al enemigo que calcina nuestros bosques, el fuego. Qué bien lo pasarían los oficiales dándoles órdenes a la tropa: «¡Por la ladera derecha muchachos! ¡Ahora subid los tanques al otro extremo! ¡Vamos gandules!», como les gusta decir. Tienen medios de sobra y lo suficientemente sofisticados en esos aviones tan bonitos, repletos de tecnología asesina, pagados con el sudor de nuestros impuestos. Aparatos que recorren el Mediterráneo en menos que canta un gallo y que podrían localizar a los pobres náufragos que intentan cruzar el Estrecho en busca del «Paraíso». ¿Y la sociedad? ¡Qué contenta estaría viendo a su ejército luchando contra enemigos naturales o salvando vidas en alta mar con helicópteros Apache, en lugar de estar haciendo el indio dando vueltas sobre los tejados! Los contribuyentes, pensaba, les responderíamos con afecto, sin quejarnos de las colosales inversiones que se hacen en armamento. Imaginemos, por un momento, a los tanques que sueltan tan extraordinarios chorros de agua para disolver las manifestaciones contra el G7, ahora el 8, mañana el 9; apagando incendios, ellos que pueden andar entre las llamas creando contrafuegos. ¡Sería espectacular! Como igualmente extraordinario sería para el gobierno que adoptara esas medidas, hacerle ver a la población que además de ocuparse del poder, se preocupa por la población y sus montes. ¡Qué tranquilo se sentiría también ese gobierno manteniendo al ejército ocupado en tiempos de paz, sin aburrirse, sin pensar en conspiraciones o en parcelas de dominio para mantener un estatus, que al fin y al cabo no le corresponde!

En fin, ideas que pasean por mi cabeza, seguramente influenciado por la tortura a la que en estos momentos estoy siendo sometido, mientras vibran los cristales de mi casa a punto de desmoronarse. Pensamientos que no debo extender, aunque ganas no me faltan, para no alejarme de la mañana siguiente a la noche que nos viene ocupando en la calle Angulo.

El Albayzín

El estruendo producido por los cañonazos de dos baterías de artillería que apuntan al Albayzín hace que todos nos sobresaltemos cuando el aire fresco de la noche aún permanece flotando. El fuego indiscriminado, apoyado por la Infantería y los falangistas que controlan los accesos al barrio, descarga violentamente contra los rebeldes pertrechados en su interior. Escasas son las pistolas y escopetas de las que disponen. Aun así, en desigual enfrentamiento, a pesar de algunos muertos y numerosos heridos, responden furiosamente a los ataques que, desde el cubo de la Alhambra, los acosan esta mañana del 21, que nada más amanecer, Enrique, el empleado de la tienda que pidió amparo anoche, se ha marchado con algún dinero que mi padre le ha dado, además de pagarle el mes completo de julio. Está dispuesto a cruzar el frente; ojalá lo consiga.

La necesidad de presentarme voluntario en el hospital Militar o en el de San Juan de Dios ronda en mi cabeza desde que sé de los primeros heridos. A las doce del mediodía, cuando el sol comienza cansinamente a torturarnos, me presento al teniente médico, Castellanos, del hospital Militar, para que me acepte como voluntario. Por primera vez digo que soy falangista y utilizo la condición de hermano de José Rosales Camacho. Quiero ayudar en lo que pueda a los heridos.

—¿Eres enfermero?

—No, pero sé poner inyecciones, curar heridas, entablillar. Dígame lo que necesita y, si no lo sé, lo aprenderé.

—¿Sabes poner vendajes?

—Sí, señor, y limpiar heridas.

—¿Dices que sabes poner inyecciones?

—Ya le he dicho que sí.

73

—Ven conmigo, si eres útil, nos vendrás muy bien, no damos abasto.

Una mezcla de dolor y terror recorre los rostros de los heridos que van llegando. Ante tanto espanto, mis movimientos se hacen lentos y en ocasiones desvío la mirada para otro lado, para poder soportar lo que veo. Poco a poco voy sabiendo dónde está el yodo, las vendas, las tijeras, el agua oxigenada, las sulfamidas, etc. Y lo más importante: poder mirar de frente un cuerpo destrozado. Hay que lavar y desinfectar las heridas perfectamente. Evitar infecciones es la mayor preocupación en medio de un tiempo que vuela sin poder pensar, comer o fumar. Atender cuanto antes a un herido para ir con el siguiente es la lucha para ganarle horas a los minutos y no paro hasta las diez de la noche, cuando soy relevado.

Medio mareado por las ansiosas caladas que doy al pitillo, al salir, al fin puedo fumar, voy para casa sin ninguna satisfacción, excepto la de aliviar el dolor de unos hombres que no luchan voluntariamente, sino porque les toca hacer las milicias en este preciso momento: no han podido pagar la dispensa que muchos de ellos abonarían gustosos para no verse implicados en la situación o en el bando que forzosamente les ha tocado. De los heridos del Albayzín, donde los «rebeldes» aguantan estoicamente, favorecidos por el laberinto de estrechas callejuelas, convertidas ahora en mortales trampas, muy pocos han sido hospitalizados en San Juan de Dios, a pesar de ser de beneficencia, por miedo a ser apresados.

Cuando llego a casa, un nuevo bando, aún más duro que el anterior, y grabado de viva voz por el flamante gobernador militar, coronel Basilio León, sale por los micrófonos de Radio Granada cada treinta minutos:

Don Basilio León Maestre, coronel comandante militar de esta plaza y, en el presente momento, única autoridad de Granada y su provincia:

Hago un llamamiento a todos los patriotas granadinos que sientan la España única, noble y gloriosa, para que pongan su alma entera y serena disciplina en el cumplimiento de todo lo que ordeno y mando:

1.º: *En esta capital y en su provincia regirá como única ley el Código de Justicia Militar, y todo hecho delictivo será sometido a conocimiento de estos tribunales.*

2.º: *Será juzgado en juicio sumarísimo y pasado por las armas todo aquel que realice agresiones y hostilidades en contra del ejército o de la fuerza pública.*

3.º: *Será juzgado en juicio sumarísimo y pasado por las armas todo aquel que sea sorprendido con las armas en la mano y aquellos que en el plazo de tres horas no hayan entregado las armas de todas clases que tuviesen en las comandancias de la Guardia Civil, Asalto o Policía.*

4.º: *Quedan terminantemente prohibidos los grupos de más de tres personas, que serán disueltos por la fuerza pública sin previo aviso.*

5.º: *A partir de la promulgación de este bando, queda terminantemente prohibida la circulación de vehículos de todo tipo que no vayan conducidos por la fuerza pública.*

6.º: *Queda abolido el derecho de huelga y serán pasados por las armas los comités.*

7.º: *Aquellos que realicen actos de sabotaje de cualquier índole, y en especial contra las comunicaciones, serán juzgados en juicio sumarísimo y serán ejecutados inmediatamente.*

Dado en Granada para su más estricto y riguroso cumplimiento, a 21 de julio de 1936.

¡¡Viva España!! ¡¡Viva la República!! ¡¡Viva Granada (7)!!

Mis hermanos se encuentran bien. Miguel presume de echarle más cojones que muchos «camisas viejas» y describe efusivamente cómo corrían despavoridos los «miserables rojos» del Albayzín ante el avance de los falangistas y de numerosos civiles sin afiliación que se han sumado a la causa. «Los miserables» es una acepción poco conocida de Albayzín en árabe. Quizá por eso (nombre puesto despectivamente en el siglo XII por

(7)   Bando publicado en el periódico *Ideal* y radiado en Radio Granada. Está incluido en el libro de Ian Gibson *El asesinato de García Lorca.*

la corte de la Alhambra situada justo enfrente del plebeyo barrio), hoy, sus habitantes y los que allí se refugian vuelven a ser tratados con el desprecio de antaño.

Antonio se recrea de la captura de tres cazas republicanos que, despistados, han aterrizado en Armilla creyendo que el aeródromo estaba aún bajo el control de las tropas leales al gobierno. Todos están satisfechos, incluso Luis, que nos cuenta cómo ha participado decisivamente en la toma de Radio Granada y la eficacia del medio para difundir con inmediatez las nuevas necesidades que se van creando. Todos celebran tener la ciudad en sus manos, y aseguran eufóricamente que la resistencia del Albayzín será aplastada mañana. «No aguantarán un día más, el bando de León es una clara advertencia para los "miserables rojos"», dice Miguel. Sus impresiones contrastan con los heridos que mañana me esperan. No quiero contagiarme de los relatos heroicos. Comer y descansar es la única necesidad que tengo.

Cuando me levanto, esta nueva mañana del 22 de julio, mi padre, que lleva dos días con el comercio cerrado, ha decidido abrir la tienda como un día más de tantos años. Ha avisado a los empleados para que acudan a su trabajo, como cualquier otro miércoles. Durante el desayuno, que procuro hacer fuerte ante lo que me espera, se lanza de nuevo desde Radio Granada un ultimátum a la guerrilla albayzinera. Se les hace saber que disponen de tres horas para que mujeres y niños abandonen sus casas y se dirijan a las escuelas del Ave María, en la Cuesta del Chapí, donde serán atendidos y protegidos. Los hombres han de dejar las armas y municiones en las calles y permanecer en las puertas de sus viviendas con los brazos en alto; de balcones y terrazas deberán colgar banderas blancas como señal de rendición. «De no ser cumplidas estas órdenes, a partir de las 14.30 horas, el barrio será ferozmente bombardeado y posteriormente tomado, casa a casa, ejecutando a quienes se resistan.»

El aviso provoca que numerosas filas de niños aterrorizados salgan de la mano de sus madres, tías y abuelas, bajando las empinadas calles del barrio, camino de la Cuesta del Chapí, hacia las escuelas del Ave María, donde las mujeres, nada más llegar y sin esperarlo, son registradas por simpatizantes femeninas del Movimiento e interrogadas por oficiales o miembros de Falange para que delaten a sus maridos, padres, parientes o vecinos, bajo la amenaza de ser encarceladas o conducidas a un improvisado campo de prisioneros instalado en la carretera de Armilla, a un kilómetro escaso de la ciudad.

Los hombres no quieren servir de pasto a la nueva soberanía militar, ni ser torturados y fusilados. Prefieren morir o aguantar, con la esperanza de ser rescatados por las tropas leales al gobierno, que tienen acordonada la ciudad. El ultimátum difundido no es farol al aire. En efecto, a las tres de la tarde los dos cañones instalados en la Alhambra y dos de los aviones capturados lanzan bombas, proyectiles y granadas contra el barrio. Disparo tras disparo, cañonazo a cañonazo, destruyen todo lo que alcanzan, cables, casas, calles, árboles. Por las esquinas derrumbadas, los carros con heridos y víveres no pueden pasar. El agua de las tuberías reventadas se mezcla con sangre roja de nuevo derramada, y forma regueros que, al verlos, la gente piensa: «Somos los únicos supervivientes.»

Al caer la noche, el Albayzín aún resiste; el desigual combate con su estruendo cesa sin que la infantería haya podido entrar en el barrio. Los hombres quedan a oscuras, apostados en las trincheras, no funcionan las farolas, ni la luz en las bombillas. Ni en las casas desalojadas de mujeres quedan niños. No se oye cantar, las chicharras callan, ni el alegre griterío de los juegos corre por las plazas. El aire se estremece sin risas, con heridos sin consuelo. No hay sopa que los aguarde para quitarles el vacío, el temblor o el miedo, el miedo que sienten y el que oyen; sí, el que oyen desde el horizonte, el miedo de los perros que, encogidos, ya ni ladran.

Más tarde, al cobijo de la oscuridad, con luna mora alta, entre callejuelas y plazas, un grupo de milicias de Acción Popular comandado por

Ruiz Alonso se adentra en el Albayzín a husmear al enemigo. Reconocidos de inmediato, los dejan ir hasta el corazón del barrio. Con cautela, acorralados, nada ven, nada oyen, mas cuando quieren sacar sus pistolas, fugaces cuchillos les salen al paso y a las doce de la noche, cerca de la calle del Agua, bien muertos yacen los de sangre también roja despojados de sus armas. Ya no espían, ni mueca en labios les queda, no pronuncian palabra. De los siete valentones, sólo dos escapan al enjambre de puñaladas: Ruiz Alonso, que huye del laberinto con un corte en el hombro, seguido del otro gravemente herido y que después tiene que llevarlo al hospital.

El fracasado intento de Ruiz Alonso, que actuaba por su cuenta, provoca un fuerte enfrentamiento entre los mandos falangistas. Entienden que la formación de milicias de Acción Popular, al margen de Falange, es una traición, y que actuar sin la planificación y cobertura necesarias tiene un coste de vidas injustificable, pero otros lo encumbran como al héroe de la noche. Ya es la segunda vez que Ruiz Alonso intenta formar una milicia por su cuenta, en claro desafío a Falange. La noche del 20, cuando se tomó el Gobierno Civil, pretendió reclutar un pelotón desde el balcón principal, cosa que impidió Falange.

Recuerdo cuando Pepe vino en mayo de ver a José Antonio Primo de Rivera de la cárcel Modelo de Madrid, viaje que hizo con José Díaz Pla y Antonio de Iturriaga, para ver cómo se reorganizaban después de que les quemaran el local de Falange y detuvieran a algunos de ellos. Me contó mi hermano Pepe cómo Ramón Ruiz Alonso, que había perdido su escaño de diputado de la CEDA en las elecciones de marzo, le daba la tabarra todos los días para que Falange le pagara las mil pesetas al mes que había dejado de cobrar de las Cortes. Argumentaba que podía arrastrar tras él a un gran número de valerosos patriotas, organizar una escuadra especialmente entrenada y un montón de febriles deseos. Ante su insistencia de mosca verde de cuadra, Pepiniqui, que en aquel viaje tuvo que hacerse pasar por abogado para ver a José Antonio, lo consultó con el líder, quien se negó en redondo a las pretensiones del ex diputado.

De regreso a Granada, Ruiz Alonso, que los llevó en su coche para hacer valer su petición no paró de dar el coñazo con los doscientos duros, culpaba agresivamente a mi hermano de no haberle conseguido el sueldo reclamado. Dudaba que Pepe lo hubiese hablado con Primo de Rivera, e hizo todo el camino de vuelta con un cabreo tan sordo que sólo le faltó echar espumarajos por la boca. José Díaz, que sí es abogado y que sí estuvo en la entrevista con José Antonio y con Pepiniqui (sólo dejaron entrar a dos), intentó inútilmente hacerle ver al taciturno bravucón que eran órdenes tajantes del jefe nacional de Falange, y que cuando Pepe lo planteó, el jerarca dijo: «Falange es un limón al que se le ha exprimido todo el zumo, lo único que queda es la reseca cáscara. Dile que no al "obrero amaestrado"», «así te llama José Antonio, Ruiz Alonso. Yo he visto y oído cómo le ha dicho exactamente eso, ¡dile que no! —volvía a repetirle Díaz Pla—, de manera que no insistas, que nada se puede hacer, ni José Rosales ni nadie, y no nos des más la monserga, ¡coño!, que aún quedan kilómetros hasta Granada».

Más adelante, en una parada que hicieron en Jaén para tomar café, Ruiz Alonso, como avispa recuperada de un palmetazo, seguía en sus trece mostrando de nuevo el aguijón y culpando a Pepe. En el bar se encontraron con unos amigos que, en dos coches, también regresaban a Granada. A Pepiniqui, hasta los cojones de soportarlo y harto de ponerle buena cara, se le ocurrió una de las suyas; sin enojarse, lo mandó a comprar una cántara de veinticinco litros de aceite a una tienda cercana. «Nosotros la pagamos y se la regalas a tu mujer —le dijo a Ruiz Alonso—; ahora nos dices lo que te ha costado, hombre, así te recompensamos por la gasolina del viaje, y no tardes, que se nos hace de noche.» Ruiz Alonso salió a orinar y seguramente a darle vueltas al asunto del aceite, en la intimidad que da el urinario, sin otra cosa que ver que la pared, ocasión que aprovechó Pepiniqui para contar su súbito plan, en un plis plas, a los demás.

—A este imbécil lo dejo yo en tierra como me llamo Pepe, le quito una pieza al coche y nos vamos con estos que hemos encontrado y aquí se queda con un cabreo de mil demonios toda la noche. Mañana, que es domingo, que se las arregle como pueda, que me tiene harto.

—Pero Pepe, si se da cuenta, menudo follón va a montar, mira que yo lo conozco —dice Antonio de Iturriaga.

—¡Antonio, ya no lo aguanto más! Como me vuelva a sacar el tema de las mil pesetas, le arreo cuatro bofetones, que ya le tengo ganas, pero prefiero dejarlo aquí mismo y reírnos hasta Graná, que me lo voy a pasar mucho mejor.

—Mira que ése es un bestiajo, y tarde o temprano se lía a mamporros.

—No tiene cojones de levantarme la mano, sólo le salen cuando va acompañado.

—Hacemos lo que tú digas —añade Díaz Pla—. Ssshh, que ahí viene.

—Bueno, Ramón, si no te parece bien lo del aceite, podemos pensar en otra cosa, pero el aceite de aquí es soberbio, verde espeso, lo mejor que le puedes llevar a una mujer en estos días, seguro que te lo agradece entre sábanas, con cuchi cuchis y besos después de unas buenas papas fritas.

—No, si me parece bien lo del aceite. Venía pensando en comprarlo, pero buscar botellas y eso... en fin, que si vosotros pagarais también la cántara, sí que sería un buen regalo.

—¡Pues claro, hombre! —contestaron los tres al tiempo con seriedad propia de entierro.

—Ve, y ahora nos dices cuánto es todo, ¡ya sabes, no tardes!

Cuando Ruiz Alonso dobló la esquina, Pepe, después de darle instrucciones al camarero para que cuando volviera se tomase una copa y le dijese que habían ido a comprar un regalo y que los esperara, no perdió un instante en quitarle al automóvil un cable del delco, eliminando así cualquier posibilidad de que el motor arrancara. Apretados los tres en los coches de los otros amigos, continuaron el viaje celebrando haberse deshecho del cansino tabarrón.

—Lo de las patatas fritas y el cuchi cuchi ha sido definitivo. Qué bueno, cuando vuelva con el aceite.

—Como el *joío* es tan glotón...

—Sí, un zampabollos, ja, ja. ¿Te imaginas, jo, jo, te imaginas, con lo rácano que es, cuando vea que ha pagado el aceite, la cántara, que no estamos y que el coche no arranca? Desde luego, Pepiniqui, tenías razón, esto es mucho más divertido que arrearle dos bofetones.

—No te quepa duda...

Desde entonces, aunque nunca Ruiz Alonso supo quién hizo desaparecer el cable del delco, que buscó desesperadamente dentro del automóvil, en los alrededores, en los urinarios, en el bar, e interrogó al camarero, culpa a Pepe, cuya fama le precede, no en balde algunos lo llaman Pepiniqui *el Putadas* por vengarse con bromas, que improvisa en un abrir y cerrar de ojos. A pesar de todo, incluso sus víctimas lo aprecian por la generosidad y gracia con que después las repara.

Ésa era parte de la personalidad de mi tío Pepe, al que me uní, tras la profunda ausencia de mi padre, angustiado hasta el extremo de oír su voz, aún consciente de que la separación era para siempre. Encontré en tío Pepe un enorme corazón para cubrir el infinito silencio que sentía. Su generosidad y cariño propició la buena y fluida amistad tan difícil a veces entre padres e hijos. Salíamos como amigos a tomar vino y, como amigos, hablábamos de cualquier cosa que nos llamara la atención o se nos pasara por la cabeza. Él sabía el momento que atravesaba y me ayudaba a superarlo, desde la eficaz distancia, con sabiduría y conversaciones que bordeaba sin tocar la pérdida de un ser tan entrañable y querido al que también él adoraba, y con el que también, como Luis Marín y yo, de una casa a otra se acompañaban entre largas conversaciones sin encontrar el momento definitivo de separarse. Aún me parece verlos por la calle Elvira, ahora dirección plaza Nueva, por donde vivía tío Pepe o dando la vuelta hacia el Triunfo, donde vivíamos nosotros, mientras el reloj se les paraba, es real lo que digo, se olvidaban de darle cuerda, cuando lo miraban seguían, digamos, en las nueve; también he de decir que no necesitaban que el reloj se detuviera para que el tiempo se les cayera entre palabras y risas. Me gustaba ver cómo disfrutaban, y me costaba entender cómo pudieron participar en el derribo de una democracia que yo quería restituir.

La noche que mi padre nos rescató de comisaría no fue la única vez que evitó un serio apuro. En la primavera del 68, los estudiantes corríamos delante de la policía contagiados por el mayo francés. En nuestra huida, Luis Marín y yo buscamos refugio en el portal de la primera casa de la calle Reyes Católicos, según se dobla la Gran Vía hacia Puerta Real, y allí, con sus porras negras, descargando sus complejos, los grises nos apalearon sin contemplaciones y nos detuvieron. Treinta y dos años después, el régimen franquista seguía utilizando la fuerza contra cualquier atisbo de libertad. Yo creía, como todos los jóvenes, que mi padre era ajeno a mi pensamiento político, en formación, a mis deseos de hacer caer «La Estaca» que aguantó una larga década más. No le dio la más mínima importancia a la nueva detención, al contrario, su comentario me sorprendió: «Franco debería ser juzgado por crímenes de guerra. Una sociedad que soporta una dictadura es una sociedad enferma para varias generaciones.» Yo esperaba un sermón, no esa respuesta. ¡Y vaya si lo es! Los de mi generación no fuimos educados en sus escuelas, fuimos adiestrados linealmente en unas aulas necróticas presididas por dos mártires: José Antonio a un lado, la cruz en medio y el vivo retrato del Generalísimo al otro. Hoy sigue siendo una sociedad enferma, muchos de nuestros hijos, herederos de la deformación que nos impartieron, nietos del franquismo, manifiestan un alarde de incoherencia democrática que apesta.

Me sigue resultando nauseabundo que mi familia participara en aquella «gesta» del 36, colaborando a la creación de dos o tres generaciones enfermas, si no más, y sigo sin entender cómo es posible que sus actitudes, por el contrario, al menos desde que los conocí, fueran mucho más liberales y progresistas que las de otros que hoy militan en partidos «democráticos» y dirigen foros de decisión. Pongo democráticos entre comillas porque todos ellos son partidos en la España del siglo XXI que aceptan las reglas de la alternancia, las urnas, pero que internamente están muy lejos de ser democráticos. Así no se puede desarrollar una democracia. A la sociedad actual se le va la capacidad de análisis, deja hacer a la oligarquía internacional capitalista grandes atropellos en pro de sus beneficios, ¿para qué querrán tantos? Entre tanto trabajo para subsistir, se le va el sentido del humor. Y yo no digo que hubiera que conservarlo tan pesado como el de mi tío Pepe, del que mi padre recordaba esta anécdota cercana a los primeros días de la guerra.

Encontró abierto el flamante Mercedes de un amigo. Estaba aparcado en Puerta Real, en la parada de los taxis piratas que van a Motril. Tocó las puertas y notó que el coche no estaba cerrado. Como si hubiera preparado minuciosamente el plan durante días, abrió las puertas del auto y se puso a pregonar, como era costumbre: «¡A Motril, Almuñécar! ¡Vamos, que salimos en unos minutos para Motril!» Llenó el impoluto Mercedes de viajeros con pollos, conejos, utensilios de labranza y cestas de mimbre de las que salía olor a comida recalcitrada. Les dijo: «En seguida vendrá el chófer, tiene muy mala *follá*, pero no le hagan caso, siempre se pone a dar gritos, es un buen chófer, después de unas cuantas voces los llevará. Les voy a decir la verdad, es un buen hombre, pero anda cabreado por asuntos con su mujer, ya saben lo que son esas cosas.» Y se quedó por los alrededores para disfrutar del espontáneo teatro que estaba a punto de comenzar. A cualquier amigo que por allí pasaba le decía: «Espera, espérate aquí, que ya verás la que se va a liar en ese Mercedes.»

Efectivamente, al poco rato, cuando llegó el verdadero dueño del automóvil, Lázaro Fonseca, con los andares prepotentes de quien se veía dueño de un flamante Mercedes en aquellos días, la trifulca que se armó fue de época. Los catetos, bien asentados, con las servilletas de cuadros

sobre las rodillas, las fiambreras abiertas y como único cubierto la navaja, con la que gesticulaban, se resistían a salir, gritándole: «¡Ya nos advirtió el señor de la mala *follá* que usted gasta. Deje de dar voces y arranque!»
Tras media hora de discusión, consiguió sacarlos del coche con la ayuda
de los guardias, y cuando aún Lázaro Fonseca recogía restos de plumas,
trozos de pan y escupía, entre pelusas de conejos, maldiciones, Pepe se
acercó como quien pasa por allí. Lo consoló, lo acompañó al lavadero de
coches, pagó la limpieza y lo invitó a comer mientras envolvían de brillo
el auto, y en los postres, cuando el mal rato por el vino y los licores de la
sobremesa parecía lejano, le dijo que había sido él.

La anécdota del viaje a Madrid y la perrera con las mil pesetas del
«obrero amaestrado» vino a la memoria de Gerardo, mi padre, porque a
la mañana siguiente del fracasado intento de Ruiz Alonso en el Albayzín,
cuando le cambiaba el vendaje al acuchillado que terminó en el hospital
y lo escuchaba, entre maldiciones para la canalla comunista, de pronto
se presentó en el hospital un fofo grandón con cara de animal y, de mala
leche, le dijo:

—Soy el diputado Ramón Ruiz Alonso. Déjanos solos, que quiero hablar con él.

—En seguida termino, hombre...

«Me miraba fijamente sin parpadear, como si quisiera reconocer-
me», aclaraba mi padre.

—Tú eres uno de los Rosales, ¿no?

—Sí. Soy Gerardo, ¿y tú de qué eres diputado?

—Conozco a tus hermanos, pero bueno, acaba cuanto antes, que no
tengo toda la mañana.

No me gustó el tono, y las prisas no eran buenas para terminar el
vendaje de la herida, que seguía sangrando. Con las manos a la espalda,
mientras yo terminaba tranquilamente, Ruiz Alonso esperaba impacien-

te, pasillo arriba, pasillo abajo, tocándose el hombro izquierdo, el apuñalado. Al retirarme me quedé con la curiosidad de saber más sobre el personaje, y después de darle vueltas a la cabeza, llegué a la conclusión de que tal vez fuera aquel grandullón que, junto a Antonio López Font, esperaba en el patio de casa a mi hermano Antonio y que comentaba, exaltado, la entrevista que le hizo Bagaría a García Lorca en *El Sol*, en la que el poeta aseguraba que en Granada se agitaba la peor burguesía de España.

Tratar con heridos ofrece una información de primera mano; en sus horas bajas te cuentan de todo sin preguntar. Cuando me fui a otra sala, el impaciente Ruiz Alonso se quedó sentado sobre la cama del herido, hablando en voz bajita, confidencial, inclinado hacia el enfermo como pecador en el confesonario.

Las bajas del Movimiento se silencian en lo que pueden para aumentar la sensación de gran victoria y debilitar moralmente a los contrarios. Nuevos bombardeos, aún más intensivos que los de ayer, resuenan desde temprano contra el Albayzín desde hace rato. Agotadas las escasas municiones, los que mantienen la resistencia en el barrio se rinden. Los más jóvenes y decididos escapan por la parte alta y, huyendo a campo traviesa, consiguen llegar hasta las líneas republicanas cercanas a Guadix. Los más lentos, como en una cacería de conejos, son derribados con los fusiles mientras corren a campo abierto, y los que decidieron esconderse han sido apresados en sus propios domicilios, registrados rincón a rincón y hueco a hueco por soldados y falangistas. La cárcel, la comisaría y los calabozos del Gobierno Civil son sus nuevas moradas mientras esperan, encerrados, esos juicios sumarísimos que, para ellos, mucho me temo que nunca llegarán.

A medida que pasan los días, lo que se preveía como un eficaz y limpio golpe para hacerse con el poder se convierte en una auténtica guerra fratricida. Las posiciones de resistencia republicana son cada vez más sólidas, alrededor de la ciudad. Los fusilamientos, sin más juicio que el de encomendarse al juicio final de Dios, son la respuesta por cada día de bombardeo de la aviación republicana. Ocho o doce de los encarcelados, atadas las manos a la espalda, son conducidos en camiones todas las mañanas desde la cárcel o comisaría hasta las puertas del cementerio. Frente a su tapia, cerca del Generalife, de madrugada suenan los fusiles y la sangre «roja» se estampa en la blanca cal de las murallas donde viven los muertos. No es fácil contabilizar los que corren la misma suerte; hay días en que los camiones con detenidos para ser fusilados no paran de ir de la cárcel al cementerio o a Víznar, donde también se producen numerosas ejecuciones.

Valdés, como nuevo gobernador civil, crea un régimen de terror para reprimir cualquier intento o pensamiento contrario a sus intereses. En ese despacho se confeccionan las listas de condenados y sospechosos que hay que detener por cualquier motivo, o incluso sin motivo alguno. Por meras riñas, envidias, deudas o venganzas del pasado, cualquiera puede ser denunciado, torturado e incluido en las listas que llevan a la muerte.

Nuevos elementos sedientos de triunfo se incorporan a Falange. Al olor de la victoria, muchos de ellos con intereses personales, serviles, cumplen del acorazado Valdés todo lo que les manda sin que les tiemble la mano; hacen el trabajo sucio como sicarios que, bajo el mando del policía Julio Romero Funes, mano derecha del comandante, y con la excusa de recomponer el antiguo Comité de Acción de Falange Española, «El CAFE», articula las escuadras negras y sus asesinos «paseos». Otros se integran en Falange con el fin de salvar sus vidas y proteger a sus familias; éstos suelen quedarse en segunda línea, la encargada de los servicios de abastecimiento de la ciudad y del frente. El jefe provincial, Antonio Robles Jiménez, ha nombrado a Luis jefe de sector del frente de Motril, por su decisiva participación en la toma de Radio Granada.

En la zona roja, ciegos de rencillas y odio, fusilan y atropellan hasta extremos inconcebibles. Ser concejal de la CEDA o haberlo sido es motivo suficiente para que, en asamblea popular (una especie de juicio sumarísimo sin garantías ni defensa posible), alguien sea condenado a

86

muerte, si sale vivo del linchamiento. Lo mismo sucede con los propietarios de tierras: primero les son arrebatadas, y después los acribillan sin compasión, que para eso son comunistas, como al zar de Rusia junto a toda su familia. Ser sacerdote también basta para que, en asamblea popular, ni Dios te salve.

La cruel situación cainita me hastía profundamente, entre el yodo, las vendas, la sangre, la Falange y el miedo que se respira por las calles sin saber si es lunes o viernes. Intento evocar lo que Luis me decía días atrás: «Si no te gusta todo lo que ves, que a mí tampoco, recuerda que en Falange estaremos protegidos.» ¡Dios! Protegidos.

Hoy domingo, 2 de agosto, después de trabajar durante toda la noche en el hospital, tengo el día libre. He podido ir a misa. Ojalá mi plegaria para que este horror termine sea escuchada. Al llegar a casa me encuentro con Luis, que viene a comer; hacía días que no lo veía. Nuestra madre, durante el almuerzo, cuenta que, al salir de la misa de la Virgen de las Angustias, se han encontrado con los padres de Federico García Lorca, a los que les une cierta amistad.

—Doña Vicenta nos ha dicho que están muy preocupados por su yerno y que temen por su vida. Que ayer fue a la Huerta de San Vicente una escuadra de Falange, al mando del capitán Rojas, haciendo preguntas y registrando por las habitaciones. De forma delicada nos han pedido que intervengáis para evitar lo peor. También están preocupados por Federico, dicen que lo encuentran muy nervioso, ¿tú qué opinas, Luis?

—Mamá, yo no tengo influencia para hacer nada por Manolo Fernández-Montesinos. Es mejor decírselo a Pepe, aunque mucho me temo que él tampoco pueda hacer nada. Ya sabes que se ha fusilado a concejales, incluso a funcionarios, pero si alguien puede hacer algo, ése es Pepe. Lo de Federico es otra cosa, estará como un pajarillo asustado, iré a verlo esta tarde.

—No os podéis imaginar lo angustiados que están. «Esperanza, con esas criaturas tan pequeñas, ¿qué va a ser de ellos? Necesitan tanto a su padre... ¿Cómo explicarles? Los tenemos con nosotros en la Huerta y, cuando los veo, me echo a llorar», decía, refiriéndose a sus nietos. Vuestro padre y yo les hemos prometido que hablaríamos con vosotros.

—Ya sé, mamá. Es un tema muy delicado, estamos hablando del alcalde y no de cualquier socialista. Habría que actuar con mucho tacto y prudencia. Si nos equivocamos de persona al plantearlo, incluso puede que sea peor para él. Dame tiempo para pensar y, desde luego, hay que hablarlo con Pepe, conoce mejor quién o quiénes pueden ser los adecuados.

—¿Y si tu hermano tarda dos o tres días en venir?

—Está aquí, lo he visto esta mañana, iba al Gobierno Militar. Dijo que vendría a comer. De todas formas, iré sin falta esta tarde a la Huerta de San Vicente.

Federico y otros en casa

Son las ocho de la tarde cuando Luis y yo salimos de casa. Los pájaros revolotean entre las ramas con agudos silbidos como cada atardecer, disputándose el sitio para pasar la noche esperando la brisa fresca y defendiendo los nidos de intrusos en su particular guerra de graznidos. Las calles, disfrazadas de normalidad, se visten sosamente de domingo; las risas y el alto hablar andaluz se han transformado en susurros. Sólo los niños, alegres como vencejos, corretean, ajenos, bajo la atenta mirada de sus padres.

La visita a Federico es el objetivo de Luis, y el mío acudir a la cita con dos amigos a los que hace tiempo que no veo, Manolo Contreras y Manuel López Banús, de quien últimamente no sé nada a pesar de las oposiciones. En esta ocasión, cosa extraña, pues suelo ser el último en llegar, soy el primero en acudir al Suizo, café con gran salón, lugar de encuentro y tertulias nocturnas, donde es agradable sentarse bajo los ventiladores que entretienen el calor del verano. Sin duda llego tan pronto por la inquietud de hablar con ellos y pasar una tarde lejos de correajes y moribundos. Han pasado tantas cosas, y tan de prisa, que estoy impaciente por verlos. Terminando el café, llega Manuel.

—Hola, Gerardo. ¿Manolo no ha llegado?

—Aún no, y llevo un buen rato.

—¿Tú, un buen rato? No me lo puedo creer.

—Ya ves, no sé qué tomarme, si un bollo o una cerveza, tampoco he visto ninguna moza de interés que alegre el paisaje.

—No empecemos a hablar de mujeres, que la cosa está mal, ahora si salen es por la mañana, para hacer algún encargo o compra.

—Sí, Manuel, esto se ha convertido en una maldita guerra, por mucho que la quieran disfrazar.

—Eso me temo yo también, pero no hablemos aquí del asunto. ¿Cómo llevas las oposiciones, has podido estudiar?

—Pues mal, no he podido hacer nada, estoy todo el día metido en el dichoso hospital, no encuentro tiempo ni para afeitarme.

—Pues tampoco yo he avanzado mucho. No salgo, y aprovecho para estudiar pero no me concentro, no puedo. He tomado unas notas que te vendrán bien para las tuyas, de penal, pero se me han olvidado, mi cabeza no anda donde debería.

—Oye, Manolo está tardando más de la cuenta y él no suele retrasarse, ¿qué hacemos, vamos a su casa?

—Esperemos un poco, a ver si viene.

Hablando de nuestros asuntos pasó más de hora y media sin darnos cuenta, hasta que decidimos ir a buscarlo. En su casa no contestaba nadie, y volvimos otra vez al Suizo, por si las moscas. Lo encontramos en la esquina de la calle Mesones, muy inquieto y asustado.

—Gerardo, Manuel, vámonos de aquí en seguida, me buscan, ¡vámonos!

—Hemos ido a tu casa a...

—No hay nadie, venga, ahora os lo cuento.

—No andes tan de prisa, hombre, que casi vamos corriendo.

—Me persiguen.

—¿Cómo que te persiguen?

—Eso he dicho, sí.

—Entonces, con más motivo. ¡No ves que así llamaremos más la atención! Vamos, tranquilos.

—Tenéis razón. ¿Podemos ir a tu casa, Gerardo?

—Pues claro.

—¿Pero qué ha pasado?

—Ahora os lo cuento, Manuel.

A pesar de nuestra insistencia por ir despacio, sus zancadas nos llevan a casa en un santiamén. Nos quedamos en el gabinete de la planta baja, resguardados del calor. Manolo Contreras, nervioso, asustado, narra lo sucedido mientras yo saco unas cervezas.

—Estoy en la lista de Valdés.

—¡Qué dices! No lo digas ni en broma.

—No es broma. Cuando estaba a punto de salir de mi casa para acudir a nuestra cita, llamaron a la puerta, aporreándola. Son ellos, pensé, por vosotros. Un momento antes de abrir, otra vez plom, plom, pensé que por qué llamabais tanto; volvieron a golpear la puerta, plom, plom, más fuerte. Entonces, escamado, miré por un agujerillo de la madera y vi unos correajes. Miré por otro agujerillo de la madera y allí delante sólo veía correajes. Plom, plom, plom otra vez, sin decir nada, no les veía las caras, y entonces salí a toda prisa por la ventana del patio, la que da a la otra escalera. Subí hasta la terraza y por allí a la azotea de la casa de al lado, sabéis la que digo, ¿no?, la de Pancho. Bueno, pues allí, allí, no sabía qué hacer, dudaba si bajar a la calle o saltar a la tercera terraza, la que hay debajo, mientras seguía oyendo aporrear la puerta. Creo que la han echado abajo porque la oí crujir, yo no sabía qué hacer allí, en la terraza, no sabía qué hacer, las piernas no me respondían, las piernas eran de trapo, ¿sabéis?, de trapo, como los muñecos que no se sostienen en pie. Cómo correr si las piernas no me respondían, ¡qué impotencia!

—Tranquilo, Manolo, ahora estás a salvo, no te preocupes, ¿quieres otra cerveza?

—Sí, por favor. Por fin decidí bajar hasta la calle y allí estaban. Había otros dos apostados en la puerta de mi casa, en la calle, qué hijos de puta, me dije, y salí corriendo. Idiota de mí: me vieron por salir corriendo, nunca he corrido tanto, por una calle, por otra, hasta que conseguí esconderme en un portal y esperé a ver si me seguían. Cuando pasó un buen rato me fui para el Suizo. Menos mal que os he encontrado, menos mal. Y tú, Manuel, debes andar con cuidado. Muchos de nuestros compañeros de Derecho, con los que hemos reído y compartido estos años de juventud, ahora son esbirros del Gobierno Civil que aprovechan las conversaciones políticas de antaño para denunciarnos, saben dónde estamos cada uno de nosotros. Se han vuelto locos por demostrar cuál es su posición. Les importa una mierda mandarnos a la cárcel o pegarnos un tiro, ya eran de los Cien Mil Hijos de San Luis años atrás. Quiero marcharme de Granada, pasar a zona republicana esta misma noche.

—No, esta noche la pasas aquí, o las que hagan falta, luego ya veremos.

—Pero Gerardo, ¿cómo la voy a pasar aquí? ¿Y tus hermanos qué pensarán? Aquí no estoy seguro entre falangistas.

—No digas tonterías. Mis hermanos no son de esa clase de falangistas y no vas a ser el primero en refugiarte en esta casa. Con Luis también tienes buena amistad, él ha pasado a varios al frente republicano, a Antoñico García y a Juan Labella, y también te puede pasar a ti. No te preocupes. Voy a subir a pedirle permiso a mi padre y te quedas aquí.

—Espera, Gerardo, te lo agradezco, pero ¿qué pensará tu hermano Pepe? Es mejor que me vaya...

—¡Cómo te vas a marchar ahora, Manolo...!

—Gerardo tiene razón, ¿llevas dinero, ropa, cómo te vas a ir sin preparar nada?

—Iré a Santa Fe, allí tengo amigos.

—Escucha: Granada está rodeada por el frente, se combate por todos los alrededores, nos tienen cercados. Hay que saber exactamente por dónde pasar. Sería un riesgo muy alto, hazle caso a Gerardo. Aquí no te buscarán.

—Mira, Manolo, ahora que estás más tranquilo, pensemos. Primero, con mi hermano Pepe no tendrás ningún problema, al contrario, te ayudará, sin lugar a dudas, puedes estar seguro. Él no es de los que tú te imaginas, créeme, también ha ayudado a otros. Te lo digo en serio. No voy a exagerar en un asunto así. En esta casa ya se han refugiado cinco o seis, unos se han ido por su cuenta porque tenían contactos y a otros se les ha ayudado. Habla con Luis, que está a punto de llegar, y lo piensas fríamente. Danos tiempo para que te busquemos dinero, ropa, tabaco, lo imprescindible. No seas terco jugándote el pellejo que has salvado esta tarde. ¿Crees que no serías vulnerable pisando maizales y caña de azúcar por la vega a medianoche? Te darían el alto de inmediato, o un tiro por la espalda sin avisar, desde cualquiera de los dos bandos, de manera que, por Dios, Manolo, habla con Luis, que ahí llega.

Mientras Luis atiende a Contreras, subo a consultar a mi padre, que no pone objeción alguna y acepta que se quede en casa.

—Luis, ¿estás seguro de poder pasarme a zona republicana?

—Tranquilamente, ten en cuenta que ellos están en la misma situación. Hay que tomar precauciones, claro, hablar con Enrique Martín, que es de fiar. Por medio de él hacemos intercambios. Nos pasa a gente en la misma situación, sólo que del otro lado. Confiamos el uno en el otro, ya lo hemos hecho varias veces sin contratiempo alguno.

—Eso me ha dicho Gerardo, no sé, ¿qué precauciones son ésas?

—Entiendo que estés preocupado, pero son muy sencillas. Después de que hayamos hablado con Martín, te vestimos de falangista, o de soldado, y te vienes como uno más de nosotros al frente. Allí te lo presentaré y te facilitará los medios para seguir hasta Málaga o hasta donde sea. Ten en cuenta que los intercambios interesan a ambos bandos, a los dos, Manolo. Aunque siempre implica un riesgo, tenemos bastante controlado lo de llevar y traer la dolorosa mercancía, que es la libertad de nuestros propios amigos.

Mucho más calmado al fin, Manolo desiste de la arriesgada huida. Esperancita, cariñosamente, avisa para cenar, extendiendo la invitación también a Manuel López Banús. «A ti, Manolo, te hemos preparado la cama en la habitación de Gerardo y un pijama que espero que te esté bien, je, je, de manga corta y pantalones, ja, ja, también cortos, muy fresquito.» Se mondaba de risa mientras salía del gabinete casi corriendo, entre sonrisas y leves carcajadas, aliviando la preocupación que nos envolvía. Durante la cena, mi madre preguntó a Luis que si había visto a Federico.

—Sí, lo he visto. Piensa que no corre peligro, que la visita de Rojas ha sido rutinaria por ser familia del alcalde; les comunicó que no había cargos contra ellos. Eso sí, está muy asustado con los bombardeos. Dice que no puede controlar el miedo, aunque una vez pasado, vuelve a la vida como el pájaro después de la tormenta. Toda la familia está muy preocupada con la detención de Fernández-Montesinos. En una carta que ha mandado desde la cárcel a su hermano le dice que hable con Rosales, suponemos que se refiere a Pepe. Por cierto, ¿lo habéis visto?

—Sí, piensa lo que tú, que es muy difícil por tratarse de quien es. Ha hecho varias llamadas y tiene pocas esperanzas.

—Nadie lo ve fácil, mamá. Ese asunto seguro que depende directamente de Queipo de Llano.

—Pobre doña Vicenta, y Conchita, con esos niños tan pequeños.

La conversación, que no es la adecuada para el momento, cambia. Todos participamos haciéndola amena, al plantear la inutilidad de la oreja de un sordo, punto débil durante el frío invierno para sus sabañones, y otras cuantas barrabasadas. A pesar de ello, cada minuto noto a Manuel López Banús más callado, escondiendo tras su habitual gesto amable la preocupación por lo sucedido. Sus ojos excesivamente ausentes no perciben que lo observo al levantarse con gesto decidido.

—¿Te marchas, Manuel?

—Se hace tarde para estos tiempos. Muchas gracias por todo, doña Esperanza. Buenas noches, don Miguel.

—Saluda a tus padres de nuestra parte.

—Así lo haré, adiós.

—Espera, voy contigo.

—No hace falta, Gerardo.

—Pues claro, te acompaño hasta la esquina, faltaba más.

La noche tranquila permite pasear este corto tramo mientras lo acompaño hasta el fondo de la calle de las Tablas.

—Te noto preocupado, Manuel.

—Se me ha metido en la cabeza que yo también puedo estar en la lista de Valdés, eso me ronda desde hace rato, y me angustia.

—No creo, tú siempre has sido introvertido, no te has postulado como socialista ni te has metido en alborotos.

—Alguna que otra vez, sí, Gerardo.

—Nunca te ha gustado destacar. Yo creo que puedes estar tranquilo, ¿o es que sospechas algo?

—No es que sospeche, la verdad, no tengo razones, es una inquietud a lo mejor injustificada, pero me corroe, ¿sabes? Me oprime como si tuviera a alguien detrás de la espalda.

—Estamos impresionados por lo que le ha sucedido a Manolo Contreras, es normal, mañana verás las cosas de otra manera, la noche siempre pasea sombras. De todas formas, habrá que ir con cuidado, todos debemos ir con cautela.

—Claro, con cautela... En fin, es verdad que de día desaparecen las sombras y que me ha afectado lo de Manolo, fíjate lo que le espera, exiliarse, dejar su casa, sus padres, la novia; en fin, no quiero pensar en ello, ojalá tenga suerte, cuéntame cómo sale todo.

Cuando vuelvo, Pepe acaba de llegar y habla con Manolo Contreras, le dice que en un par de días lo sacarán de Granada, que todo esto es muy doloroso, una cabronada, pero que esté tranquilo, que ya se puede considerar a salvo. Y de Montesinos cuenta:

—Luis, me temo que no se puede hacer nada por el cuñado de Federico, no depende de Granada, que ya sería complicado. Estamos hablando de un alcalde socialista y el asunto está en manos de Sevilla, eso pone a Valdés en una situación idónea para no mover el dedo que tampoco movería.

—¿Has hablado con él?

—¿Con quién?

—Con Valdés.

—No, las relaciones entre él y yo no pasan por un buen momento. Pepe Valdés está fuera de sí, no atiende a razones, cree que a más mano dura menos resistencia. La única posibilidad que veo, y remota, sería un intercambio por algún alcalde de los nuestros, por alguien de cierto peso para nosotros, partiendo de que a los rojos también les interese canjear a Fernández-Montesinos. Lo he hablado con Antonio Robles, pero de momento no hay nada. Lo siento, Luis, así están las cosas, sé que te gustaría ayudarlo por tu amistad con Federico, pero no te voy a soltar cuentos chinos.

—Ya lo sé, Pepe, lo mismo le he dicho yo a mamá.

—En cuanto a Federico, parece que no hay ningún problema, aunque no me gusta que Rojas esté por medio. Nadie comenta nada, claro que tampoco puedo ir por ahí preguntando: «Oye, ¿con García Lorca, el amigo de Fernando de los Ríos, qué vamos a hacer?» Sería una majadería, de manera que tampoco podemos estar seguros.

—Tienes toda la razón, eso sería una tremenda imprudencia. De todas formas, lo de Federico creo que es miedo, Cecilio Cirre, que ha hablado con Rojas, dice que no hay cargos contra él. Toda su familia está muy preocupada por Manolo Fernández-Montesinos. Tienen metido el pánico en el cuerpo, temen que se le fusile cualquier día.

—Oye, Luis, cambiemos de asunto, ¿te irás mañana temprano al frente?

—Sí, a las siete, quiero hablar con Martín lo de Manolo Contreras, a ver si pudiéramos pasarlo el miércoles o el jueves, puede que el jueves sea el día, creo que hay que subirse a uno.

—Te preguntaba por eso. Si quieres, yo lo preparo.

—Tú lo tienes más complicado. No te preocupes. Si acaso, límpiame el campo para esos dos días, no vaya a ser que me cuelguen a alguno de esos atrancados.

—Dalo por hecho. Ahora me voy a la cama, que estoy reventado, mañana hablamos y me dices para tenerlo todo a punto.

Efectivamente, el jueves, 6 de agosto, a las seis treinta de la mañana, cuando la primera luz alcanza los tejados más altos, Luis y Manolo Contreras, los dos vestidos de falangistas, salen de casa hacia el frente de Motril. Una camioneta los espera para llevarlos a primera línea, donde se combate. Allí, si todo va bien, Manolo, que por equipaje lleva lo imprescindible, mochila militar, con algo de ropa y setecientas pesetas, quedará a salvo, fuera de la tremenda pesadilla que sufre por los esbirros de Valdés. Me he levantado para decirle adiós, la despedida ha sido corta, sin palabras, sólo un sincero abrazo nos aleja definitivamente sin que me haya atrevido a decirle que tenga suerte, por temor a perder a un buen amigo del que tantos recuerdos guardo. La luz aún los viste de blanco y negro cuando se alejan sin mirar atrás, y sus recuerdos burbujean apelmazados como si pertenecieran todos al mismo instante.

Para mí es demasiado temprano, he desayunado con ellos compartiendo el especial momento. En la cocina de nuevo, fumando un cigarrillo y tomando el segundo café, recuerdo lo que Manuel López Banús decía la otra noche: «Manolo Contreras va camino del exilio. Es tan difícil imaginar lo que puede sentir o creer, que prefiero pensar en lo que tengo que hacer hoy.» Me doy cuenta de que no es tan temprano, tengo que incorporarme a las ocho a un grupo de abastecimiento. He dejado el hospital, los últimos días han ido llegando mujeres afines al Movimiento, en su mayoría jóvenes enfermeras que quieren ser útiles a la causa. Paralelamente, ha descendido el número de heridos y, con la ayuda de las nuevas voluntarias, el tiempo para pensar crece desmesuradamente y el alboroto provocado por las faldas me ha convertido casi en un estorbo. Los heridos, como es natural, prefieren ser atendidos por ellas, en especial reclaman a Elena. Es una criatura admirable que llegó la semana pasada, se mantiene rebosante de dulzura y buen humor hasta última hora, y cuando la miro a la cara, sus ojos me devuelven la paz del espejo de la infancia, como si nunca hubieran visto nada que los perturbase, me pierdo en ellos, y el pudor enrojecido le brota cuando se da cuenta, realzando su belleza. Me he ocupado de ella para enseñarle el funcionamiento de esto, que es bien sencillo. Y aunque podía desenvolverse sola desde el primer día, la he acompañado durante tres porque me gusta ir a su lado, observar la delicadeza de sus manos y el cariño con el que atiende a los heridos. Durante los momentos de calma, podemos hablar en el cuarto de la ropa con breve intimidad; las palabras que salen por la ventana sin que nadie más las oiga a menudo son cortadas ante el requerimiento de algún enfermo. A pesar de la fugacidad, podemos enlazar las conversaciones a trompicones, no voy a decir que sean profundas, no pueden serlo, tampoco son triviales, lo que hace avanzar la confianza y la amistad. Elena, sin saberlo, pone la ilusión en cada mañana al levantarme con sus recuerdos, como hoy. Sucede desde que la conozco, también me hace pensar que ha llegado el momento de marcharme del hospital; realmente allí no me necesitan. En segunda línea me mantendré más activo para que el tiempo no me atrape, ni el corazón me salte cada vez que la veo. Anoche, al despedirme de ella, preguntó por qué me iba. Tuve el valor de ser sincero y le conté los sentimientos que revolotean por mi cabeza, y digo bien, porque en la cabeza es donde la imaginación vuela desatando sentimientos.

—Por eso te vas, ¿porque te resulto agradable? —repuso sin titubeos, con una mirada abierta, sin ocultarse. Sus ojos me hablaban con dulzura lo que los labios guardaban y una especie de dolor agradable recorría mi cuerpo al notar que le contrariaba la decisión de marcharme—. No entiendo que te vayas por algo así, Gerardo.

—No es sólo eso, son varias cosas. Desde que llegaste estoy más pendiente de ti que de los enfermos.

—Has tenido que enseñarme.

—¿Yo, enseñarte? ¿Qué puedo enseñarte, Elena, excepto dónde están algunas cosas que se guardan en los armarios y que alguna vez he escondido deliberadamente para que me preguntaras? No me refería a estar pendiente de ti de esa manera. Si yo fuera un herido, o un enfermo, preferiría que me atendiera una de vosotras, además, ni siquiera soy enfermero; a vuestro lado soy un patán.

—Gerardo, eso no tiene nada que ver, tú los tratas con paciencia y cariño, les hablas y les hablas, calmándoles el dolor. Cuando caen abatidos les cambias la conversación con simpatía, les cuentas anécdotas con un derroche de imaginación que les hace olvidar dónde están, y ríen; no eres consciente de lo que vale la risa, porque en ti es natural, lo llevas dentro. Yo también te observo y te vi poner la palangana en el armarito del rincón y te pregunté sabiendo dónde estaba, y como te observo, sé que te aprecian, de manera que no digas que no eres útil, eso no es verdad. Me haces daño al decirlo, ninguno de los que estamos aquí sabemos hacerles olvidar; es tan importante...

—Siempre llevas la mirada limpia, Elena, ves lo mejor de cada uno. Vuelves las cosas sencillas, agradables, e imagino que te daría igual estar en este hospital, dando consuelo a estos hombres, que en cualquier otro del bando contrario.

—Pues claro, no estoy aquí por ninguna afinidad, si Granada estuviera del otro bando, haría lo mismo. A esos muchachos, la guerra los ha cogido haciendo el servicio y no han tenido elección; yo tampoco la tengo.

—¿Tú ves? Sin embargo, a mí las dudas me atrapan, estoy en conflicto con ellas.

—¿Qué dudas te persiguen?

—Dejemos eso para otra ocasión en que podamos hablar tranquilamente. Te agradezco los ánimos que me das, pero necesito estar en contacto con lo que pasa ahí fuera, ir y venir, sentirme más útil o, si lo prefieres, sentirme útil de otra manera.

—Ya comprendo. Te vas al frente como un hombre con la escopeta al hombro, con las cartucheras llenas de balas para disparar, o que te disparen por la patria destrozándote el pecho, como a Gustavo, el de la cama siete. Creí que eras de otra manera, Gerardo.

—Escucha, Elena, no voy al frente a disparar fusiles, no es lo mío. Me incorporo a un grupo de abastecimiento, necesito estar en la calle, informado, cerca de lo que ocurre. Tengo amigos que pasan por situaciones muy delicadas y quiero tener información de utilidad para ellos, he de hacerlo, saber quién es cada cual, poder moverme, desde aquí no puedo ayudarlos. Debería haberme ido cuando llegasteis, quisiera que lo comprendieras, he de irme.

—¿Cuándo empiezas?

—Mañana.

—¡Mañana! ¿Entonces no vendrás más?

—Si tengo que traer a algún herido, te buscaré, pero no volveré al hospital.

—Me buscarás, claro, si tienes que traer a algún herido, me buscarás, si acaso vienes. No sé qué decirte, se me esconden las palabras, las repito como una tonta, no quería decir...

—Ssshh, no es necesario que digas nada, ya lo hacen tus ojos.

—No he querido ofenderte, Gerardo, me he puesto nerviosa, estoy acostumbrada a que los hombres piensen que las cosas son blancas o negras, que hay que estar de un lado o del otro, y creí que te ibas al frente. Cada vez que vengas me darás una alegría. Ten mucho cuidado.

Fue lo último que me dijo anoche, mientras sostenía las sábanas que acababa de coger para cambiar una de las camas. «Ten mucho cuidado.» Otras frases suyas aparecen en el laberinto de mi cabeza y me reconfortan. Resulta doloroso en sentimientos no ser correspondido, hasta ridículo, por no decir patético. Ninguno de los dos deseábamos anoche salir de la estrechez que hay entre la pared y la mesa, queríamos estar cerca, tan cerca que podía percibir el calor de su delicado y hermoso cuerpo y deseaba abrazarla, acariciar la suave piel que alguna vez al rozarme me ponía el vello de punta y el corazón en la garganta. Al alejarme, se quedó asomada a la puerta de aquel sofocante cuartucho, donde se guarda y se plancha la ropa, y del techo se desprende algún trozo de pintura reseca. Sus ojos, contrariados por primera vez, iban de las sábanas a los míos, reflejaban en el verde iris la misma sensación que yo sentía, el cosquilleo que sigo teniendo esta mañana al recordar sus palabras.

Ha llegado el momento de irme para el cuartel de San Jerónimo. Manolo Contreras, si no ha surgido ningún problema, debe de estar a salvo en zona republicana. Al entrar al cuartel de Falange (hacía tiempo que no iba), lo encuentro lleno de caras desconocidas. Han instalado literas y más de treinta hombres hacen el retén, lo que supone un descanso lejos de las trincheras y del frente. Un fuerte olor a pies y a comida podrida flota por el aire que deja el tabaco; apesta, en una palabra. Casi no hablan, escuchan la radio y el teléfono no para de sonar, mi hermano Miguel es el que lo atiende. Me han asignado al grupo que abastece el frente de Güéjar Sierra, debe de ser por indicación de Pepiniqui que, como jefe de sector, manda una centuria en el mismo frente; así la llaman, centuria, aunque no llegue a los cien hombres. Llevar municiones, comida, documentos, trasladar heridos, etc., es mi nuevo cometido.

Para subir a Güéjar Sierra vamos con la camioneta por la carretera de la sierra, junto al río. El viaje es agradable, la naturaleza, ajena a las miserias humanas que ocupan nuestra atención, abre su esplendor con olor a campo y sierra, a tomillo y tierra labrada, y el murmullo del agua, saltando piedras y desniveles, se bate en duelo con el sol que apenas penetra entre la espesura de los árboles. Un juego de sombras y luz multicolor gana la partida al terrible calor andaluz de agosto en todo el trayecto. Mis ánimos también cambian de color en contacto con los sonidos del campo, donde no llegan quejidos de moribundos, y quisiera robarles la templanza a los robustos castaños y nogales orgullosamente erguidos. Sólo el resonar de algún cañonazo, repetido por el eco, rompe la armonía y hace salir en estampida a palomas, gorriones, mirlos, mientras las chicharras callan.

Cuando por la noche vuelvo a casa, con agujetas que me nacen en los cansados brazos, de cargar y descargar, hay un invitado de mi hermano Antonio sentado a la mesa. Es Antonio López Font, próximo a las escuadras negras. Todos están cenando, menos Miguel, que es el único ausente. Hacía tiempo que no coincidíamos, lo que es casi una sorpresa. Luis, al tiempo que desplomo mi molido cuerpo sobre la silla y me arrimo a la mesa, hace un gesto positivo que advierto: Manolo Contreras está a salvo, no cabe duda. Mi padre, cada vez que se hace referencia a la guerra, intenta desviar la conversación, pero López Font parece no darse cuenta del poco interés que el resto manifestamos, e insiste en engordar anécdotas exaltadas de patriotismo, pavoneándose de su sustancial colaboración en la caza de rojos, hasta que suelta:

—Pues esta noche salgo de redada con el Chato, Pedro Morales, con los López, en fin, que vamos a por tres rojos acusados de tener radios clandestinas y escuchar a la canalla marxista.

Se va a armar un buen follón, pensé. A Pepiniqui tampoco le gustan nada las escuadras negras, a las que cada vez se incorporan más falangistas violentos. Los llama «los drogados por la excitación del gatillo» y está en lucha permanente por frenar la creciente tendencia a la radicalización dentro de Falange. Pero, inteligente, actúa con precaución, me sigue sorprendiendo su control. Sonriente, antes de que nadie diga nada, como si tal cosa, para saber por qué conducto y quiénes son los denunciados, dice:

—Oye, tened cuidado, que nunca se sabe. Algunos rojos son peligrosos. ¿A por quiénes vais?

—Valdés dice que son unos *cagaos*. Vamos a por Eduardo Ruiz Checa, o Chena, o como se llame ése, a por López Banús y a por el Manolo Contreras, que ya se nos escapó el otro día, pero hoy sabemos dónde encontrarlo.

—¿Dónde? —le pregunta Luis.

—En su casa. Esta noche lo pillamos en su casa. Sabemos que se ha perdido un par de días, pero hoy está allí.

«Calladitos», insinúa Pepe con una leve indicación del dedo índice sobre sus labios, mientras López Font clava su vista en las chuletas. La indicación incluye a nuestro padre, que está a punto de levantarse e indicar a López Font que se retire. Los tres son amigos y vienen a casa con frecuencia. Evidentemente, con Manolo Contreras se equivoca: hace horas que está a salvo. De pronto, el presentimiento que López Banús manifestaba al despedirnos el domingo me viene como un rayo a la cabeza. ¿Por qué no haremos caso a las intuiciones? ¿Acaso terminaríamos paranoicos si las tuviéramos en cuenta? Desechamos tantas veces las certeras que la vida se convierte en un cúmulo de errores. En eso pienso cuando Luis se levanta pausadamente y, después de entrar en la cocina, sale ajustándose el correaje sin prisa. Con una señal indica que yo también entre, y se despide:

—Papá, excúsame. No tengo tiempo de terminar de cenar, lo siento. Se me ha hecho muy tarde y me esperan en el cuartel. ¡Antonio! —dirigiéndose a López Font—, ten cuidado con la redada, nunca se sabe con esos rojos.

—No te preocupes, Luis. Eso está hecho. Gracias de todas formas.

—¿Queréis otra cerveza fresquita? —ofrezco como pretexto para seguir la orden de Luis e ir a la cocina.

Allí, Basi, nada más entrar, suelta:

—Señorito, el señorito Luis dice que lo espera en la segunda esquina de abajo. Dice que vaya cuanto antes, pero que primero termine de cenar, que él tiene que hacer otra cosa antes. Eso me ha dicho el señorito Luis que le diga.

Desde la segunda esquina de abajo se ve la casa de Manuel, y sé que la precipitada salida de Luis es para avisarlo a él y a Eduardo. Se me hace un nudo en la garganta, preocupado por el riesgo que corren. La impaciencia hace que me muestre ágil y, como todos, finjo tranquilidad. Pasados quince minutos, con el corazón en un puño, me disculpo como quien se retira a su habitación y salgo pitando al encuentro de Luis por la puerta chica, la que comunica directamente con la segunda planta, llevándome las llaves. Estoy en la segunda esquina de abajo y Luis aún no ha llegado, mi impulso es ir a avisar a López Banús, estoy viendo su casa y todo parece tranquilo. Por fin, Luis llega con dos monos y brazaletes de Falange, e instintivamente le pregunto:

—¿Esperamos a Pepe?

—No, vamos sin perder tiempo. Pepe se quedará entreteniendo a Antonio López Font, dalo por seguro. Lo emborrachará, si es preciso, para retenerlo todo lo que pueda. Por si acaso, se lo he dicho a Basi, que será algo lela, pero si le das un encargo lo cumple al pie de la letra.

—Desde luego, a mí me ha pasado el soplo inmediatamente. ¿Cómo ha ido esta mañana lo de Manolo Contreras?

—Bien, sin contratiempos. Iba muerto de miedo, pensaba que en cualquier momento nos podían pillar, me dijo que te diera un abrazo muy fuerte y las gracias. Menos mal que ya está a salvo y menos mal que el imbécil de López Font no sabe que somos amigos de ellos.

—Y gracias a Dios que es un bocazas, si no, a ver cómo nos enteramos.

—Hemos tenido suerte. Ojalá la sigamos teniendo en la nochecita que tenemos por delante, y en la que me las he visto para sacar los monos.

—Hay que joderse... Vamos más despacio o llamaremos la atención. Esta calle es tan larga que pueden vernos desde la otra punta, Ponte Suelas, pero de siete leguas tenía que llamarse en lugar de Puentezuelas. Luis, tengo que decirte que la primera noche, cuando llegaste de Madrid, ¿recuerdas que estuvimos hablando de qué hacer con Falange y todo eso? Ahora es cuando comprendo la razón que tenías, y me doy cuenta de que nosotros mismos podíamos estar en la lista negra. Cualquier hijo de puta te denuncia y cualquier otro hijo de puta te pega un tiro para sentirse más *patridiota* que nadie. Menos mal que Falange también sirve para sacar a amigos de apuros, que no es poco.

—Me gusta la palabra *patridiota*; desde luego, a algunos les sienta como anillo al dedo. Te agradezco que me digas eso, te noté contrariado aquella noche y días después. Sé que estás en continuo conflicto con tu conciencia... yo también. Tú eres más romántico, más puro, pero no te sientas traicionado por ti mismo, no sufras innecesariamente.

—Ya no lo paso mal en ese sentido, Luis. Lo que estamos haciendo me compensa del resto. Bien, hemos llegado. Si te parece, subo a por Manuel y tú esperas en el portal que hay enfrente. Cuando bajemos, si es que está, quédate con las manos en los bolsillos si no hay problemas. De lo contrario, pon los brazos cruzados, yo te veré antes de salir. Dame un mono y vete al portal.

—De acuerdo, manos en los bolsillos si no hay moros en la costa. Suerte.

No hay ningún problema para encontrar a Manuel que, con la mosca detrás de la oreja desde lo de Manolo Contreras, había subido una cama y cuatro cosas al trastero que tienen en la azotea donde, desde entonces, pasa la mayor parte del día.

A pesar de la cercanía de la casa de Manuel y la nuestra, damos un rodeo para no tropezar con sus verdugos. Entramos en la calle Angulo con sumo cuidado por si el cantamañanas de López Font sigue tomando algún trago. El segundo piso de nuestra casa, donde vive tía Luisa, tiene una puertecita independiente que da a la calle; es la misma por la que salí hace algo más de media hora, la misma que ahora utilizamos, precavidos, por si López Font sigue dentro. La empinada escalera conduce directamente a las estancias de tía Luisa, que se comunican con el resto de la vivienda por otra puerta interior que nadie que no sea de la familia atraviesa. De manera que es un lugar seguro para Manuel, al que dejamos acomodado en la misma habitación, de dos camas, donde Enrique Prados, el empleado de papá, pasó la noche del Alzamiento al pedir amparo.

—No podemos entretenernos si queremos encontrar a Eduardo Ruiz. Aquí arriba estarás bien, ya lo sabe mi tía. No te asomes al patio y quédate en la habitación hasta que lleguemos.

—Gracias a los dos. No olvidaré esto en la vida. Id con muchísimo cuidado, por lo que más queráis.

Oímos cómo Antonio López Font, aún en casa, se despide, y aguardamos un momento antes de salir. Pepe le dice: «Voy contigo, tengo que ir a dar una vuelta a los novatos.» Una vez han salido, por fin podemos utilizar el teléfono sin delatarnos, ante el atravesado, desde el asunto de las armas y el trastero, pero providencial y zafio comensal. Luis advierte inmediatamente a Eduardo Ruiz, diciéndole que salga de su casa ipso facto, y queda con él en la iglesia de Santo Domingo, la del Realejo. Tardamos en llegar más de lo previsto. Allí mismo, tras las rejas de la sacristía, le encasquetamos el mono azul, el brazalete con la insignia de Falange y el correaje con pistola incluida. Rápidamente guardamos su ropa en la mochila, sólo unos zapatos veraniegos lo delatan, y el comentario: «Para qué me dais esto, si no sé disparar.» «Venga, guarda eso y vámonos», dice Luis.

Son las doce de la noche, la hora predilecta de las escuadras negras que, en pleno toque de queda y a la voz de su amo, como sicarios, se adueñan de la ciudad. El silencio deja oír unos pasos que se deslizan por la calle de abajo, se puede incluso escuchar el motor de un automóvil que rueda por Puerta Real. Es una ventaja para nosotros, que caminamos sigilosos y podemos oír el taconeo si se acerca alguna escuadra negra. Ellos pisan como si quisieran perforar la tierra en esta hora envenenada. Con el miedo metido en las entrañas, entre callejuelas, doblamos la última esquina que nos separa de la Carrera de la Virgen, en pleno centro. Es el paso más difícil antes de continuar entre callejones. Estamos muy cerca del piso de la calle San Isidro, situado en un edificio propiedad de mi padre, que Pepiniqui poco a poco va amueblando y donde mantiene su centro de operaciones alejado de casa. Podemos quedarnos allí unas horas, incluso hasta el amanecer. Jamás podrían sospechar del piso que tantas veces ha servido para reuniones clandestinas, testigo de los planes para la sublevación en Granada. Pasos y voces de varias personas, al menos cuatro, se acercan desde la fuente de las Batallas, impidiéndonos seguir adelante. Pueden ser los justicieros camino de sus presas, López Font y sus compinches drogados por la excitación del gatillo.

—¿Qué hacemos?

—Ssshh, ¡espera!

—Se han parado, parecen legionarios.

—¿Estás seguro?

—No.

—¡Mierda!

—Ssshh.

—Sí, son legionarios.

—¿Seguro?

—Completamente.

—No podemos quedarnos aquí escondidos, ¿bajamos al paseo del Salón o vamos despacio como si tal cosa?

—Al Salón, ni hablar, que siempre lo patrullan; mejor salimos tranquilamente a su encuentro, sospecharán menos.

—¡Eh, vosotros —sí, son legionarios—, alto, quedaos ahí!

Sin darles tregua, antes de que terminen de acercarse, les digo:

—Buenas noches, camaradas. ¿Vosotros también estáis de ronda?

—¡Ah!, que sois falangistas.

—Sí, ya veis. Vamos al relevo. Granada ahora está más segura con vosotros.

—Bueno, para eso hemos venido.

—Pues suerte, nosotros seguimos, que los otros se cabrean si llegamos tarde.

Acaban de llegar de Tetuán y Larache para asegurar las posiciones tomadas. Con ellos, el general Orgaz disminuye la posibilidad de un avance republicano. Seguimos sin titubear hacia otro grupo que hay en Puerta Real y que nos ha visto hablar con el primero. Al llegar a su altura nos cortan el paso.

—¡Eh! ¿Tenéis un cigarrillo?

—Tengo para liar, pero no llevo papel.

—Yo, sí. Echa *pa* dos cigarros.

—Claro, hombre, ¿así?

—¿Adónde vais a estas horas?

—Al relevo, ¿no ves que son las doce? Vamos tarde, de manera que no podemos entretenernos.

—¡No tan de prisa! ¿Y esos zapatos?

—¿Qué les pasa a los zapatos? ¿Es que nunca te han hecho daño las botas...?

El legionario, por segunda y tercera vez, mira los zapatos blancos que terminan en punta redonda negra. Eduardo Ruiz Checa, acercando la mano a la pistola, busca a Luis con ojos interrogativos. Afortunadamente, los que nos retienen no se dan cuenta del provocativo gesto y, antes de que alguien suelte alguna inconveniencia, digo:

—Ya estamos bastante fastidiados teniendo que pasar la noche de guardia, en lugar de estar durmiendo, que buena falta nos hace y hasta los cojones de pasear estos correajes, con lo que pesa el plomo que llevan dentro. Soy jefe de sector, de manera que no jodáis, y decidme, ¿quién está a vuestro mando?

—¿Que quién está al mando? Bueno, seguid, pero que sepáis que nosotros estamos para eso.

La huida hacia adelante ha funcionado, e inventarme que soy jefe de sector, aunque Luis sí lo es, les ha bajado los humos.

—Es lo que se me ha ocurrido para salir del paso —digo una vez lejos de ellos.

—Bien hecho, Gerardo, aunque creí que se iba a liar.

—¿Y tú por qué has puesto la mano en la pistola?

—Los nervios, chico, que son unos puñeteros, se te meten por la espalda y cuando quieres darte cuenta estás haciendo tonterías. Menos mal que al tocar la cacha me dije «estás de remate, Eduardo, si piensan que quieres disparar nos fríen». Ya ves, disparar yo, que voy pendiente de un hilo por si se le escapa algún tiro a este chisme.

—Sólo forma parte del disfraz, Eduardo, está descargada.

—¿Descargada, Luis? ¿Llevo un canguis que *pa* qué, y ahora me lo dices? Cuentan las buenas lenguas que las armas las carga el diablo y me da escalofrío llevarla apuntándome a la pierna, de manera que cuanto antes la suelte mejor.

La sangre que llevábamos podía provocar cualquier reacción, pero la estremecida cara de Eduardo hizo que la risa se adelantara a borbotones. Sin embargo, él, cada vez más preocupado, pedía silencio ante las sonoras carcajadas que recorrían la calle sin que otros sonidos pudieran acallarlas. En su vano intento por hacernos callar, nuestra risa incontrolada terminó por contagiarle como si fuéramos adolescentes de fuelle flojo ante cualquier tontuna. De nuevo calmados, avanzamos por Puentezuelas, que se hace interminable, cualquier gato en ronda nocturna nos eriza más que al animal y cualquier ruido, por leve que sea, potencia el grado de alerta recuperado. Al desembocar en la calle de las Tablas, vemos a Pepe en la esquina con Angulo, pendiente de nuestra llegada; va armado, y no es normal, tan cerca de casa. Pensando que hay problemas, nos paramos, lo miramos, quietos, pendientes de la indicación que surge al instante. Con la mano señala, rápido, ¡ahora!

Pienso que en semejante situación los legionarios debieron de parecerles —como a Pepico Corral— peligrosos alacranes negros africanos; más adelante hablaré de la ingeniosa anécdota de los arácnidos. Primero he de contar, para no alejarme de aquellos años posteriores de mi juventud, que la amistad con tío Pepe era insustituible, tan cercana que no tenía más que insinuarle para terminar de saber y ordenar los datos que me faltaban, rellenar las blancas casillas de la memoria, para completar el relato que nos ocupa, a ti como lector, y a mí como escribano. Tío Pepe coincidía en muchas de las cosas que me confió mi padre y aportaba otras nuevas con una oratoria extraordinaria y divertida. Cuando profundizaba, el dolor le subía a la cara, recordando aquellos días de furia, desengañado de la utilización que el franquismo había hecho de Falange, a la que seguía defendiendo desde sus ideales románticos y censuraba a los oportunistas que pasaban factura al régimen desde la guerra. «Para eso no me jugué yo la vida tantas veces, para que estos descerebrados lleven treinta años de tiranía. Anda, vamos a tomarnos otro vino, sobrino, y que les den.» Aquellos días del 36 le dolían, le dolían más de lo que él creía y más de lo que algunas veces podía soportar. De manera que, a pesar de mi curiosidad por desenmarañar el drama de Federico, evitaba hurgar demasiado en sus heridas. «Cometimos muchos errores, éramos jóvenes y no pudimos hacer nada —señalaba con frecuencia—. A Federico lo mataron por envidia, por maldita envidia, por denunciar injusticias y defender los derechos de los demás, que proclamaba con valentía. Es verdad que era frágil, condición que muchos confunden con débil. El cristal también es frágil y a la vez resistente, aguanta el calor, el frío, no deja pasar el aire, ni la lluvia, puedes arrimar una vela para derretir la nieve que hay al otro lado sin que se rompa, pero si lo golpeas es frágil e hiriente. Así era Federico, resistente en sus cualidades, en su pensamiento, si la sociedad tocaba sus principios; incisivo como el cristal en declaraciones, escritos o conferencias. Como el cristal, no dejaba que le calara la locura que en aquellos años teníamos unos y otros, mantenía sus principios impermeables, lejos de aquellas exaltaciones, transparente como el cristal, cortante como el cristal, resistente. Pero si lo golpeaban físicamente, se desmoronaba hecho añicos. Cuentan muchas historias falsas sobre Federico, algunas difundidas desde El Pardo para lavar las manos al régimen y a su Falange. Franco quiere cubrirse la espalda ante la presión internacional, aunque siga firmando sentencias de muerte. Claro que Falange y los militares participaron en la detención de Federico, digan ahora lo que digan. Valdés, falangista y militar; el Rojas, falangista y militar; falangista de ocasión el artífice de Ruiz Alonso, que al infierno vaya, diga también lo que diga ahora; falangista Antonio Robles, que no movió un dedo para ayudarnos a salvar a Federico, al contrario, nos puso en el piquete, y soldados, mandados por militares, los que fueron con Ruiz Alonso a detenerlo, a los que se unie-

110

ron falangistas de tres al cuarto al saber que el poeta estaba en nuestra casa, con la intención de desprestigiarnos a nosotros y a Cirre, el pequeño príncipe, desprestigiar al sector de Falange que no estaba de acuerdo con los métodos que imponía la hiena de Valdés y el Funes. La política es una mierda. Fue una operación pensada para que ahora quieran contar que cuatro chalados actuaron por su cuenta matando a Federico. En una cosa sí tienen razón, eran chalados, pero no cuatro, ni actuaban por su cuenta.»

El día que tío Pepe me contó esta y otras cosas, lo encontré en plaza Nueva, serían las once de la mañana, después de tomar café. Yo tenía que continuar trabajando, y de una manera sorprendente me pidió que me quedara con él. «¿Cuánto vas a ganar hoy, sobrino, mil duros? Yo te los doy y pasamos el día juntos.» Seguía siendo Pepiniqui. No pude negarme, cinco mil pesetas era una barbaridad, doscientos cincuenta euros de hoy; para ajustarme a algo más tangible, yo pagaba entonces siete mil quinientas pesetas al mes por una preciosa casa de dos plantas. Al final de la tarde, ante mi negativa de aceptar el dinero, se empeñó en comprar un biquini para que se lo regalara a mi mujer. Le advertí que estaba embarazada, pero no hubo manera de persuadirlo. Envuelto el biquini en papel de regalo y muerto de risa, me dijo: «Llévaselo, ya le bajará la barriga, si no le haces otra al probárselo.» Durante el último vino que nos tomamos, ya entrada la noche, soltó: «Sobrino, ¿por qué crees que mandan a muchachos de veinte años a la mili? Porque no saben lo que hacen, y nosotros tampoco lo sabíamos. Cuando tienes esa edad, crees que eres un hombre y, entre tú y yo, ni a los veinte ni a los veinticinco lo eres, y no te ofendas, sobrino, a esa edad se es una mierda en aprendizaje. Pero eso no es lo que me duele, ¡maldita sea!» Y callaba, callaba con los ojos azules, que tanto me acercaban a los de mi padre, perdidos en el recuerdo. Él deseaba contar lo que le dolía, y yo oírlo, porque al descargar un pesar se vuelve pequeño y él quería descargarlo, pero no podía. Me olvidaba, entonces, de mi fisgoneo, y cambiaba de tema para no abrir sus heridas.

Tengo tantos recuerdos, tantas horas pasadas con él, que parte de mis aptitudes se las debo.

Entre las cosas que me contó en distintas ocasiones, estaba la noche que nos ocupa en el relato, la noche en la que tuvo que entretener a López Font, al que casi emborracha, para que tío Luis y mi padre ganaran tiempo. Los esperaba en la esquina de la calle de las Tablas, porque López Font había vuelto, acompañado por tres drogados del gatillo, a recoger un segundo correaje que había olvidado en el perchero, y acababan de salir.

—Gracias a Dios que habéis llegado, no os habéis tropezado con ellos de milagro. Subamos. Manuel está como un manojo de nervios y papá me ha preguntado mil veces si sabía algo de vosotros. Habéis tardado demasiado.

—Hemos tenido que venir por callejones, escondernos cada dos por tres, esperar metidos en cualquier portal hasta que no oíamos pasos ni coches. Y para colmo, unos de la Legión han estado a punto de armarla. Menos mal que Gerardo los ha toreado bien.

Papá, nervioso, sale de su habitación para comprobar que estamos todos.

—No le habréis dicho a nadie que veníais aquí, ¿verdad?

—No, don Miguel, no se preocupe. Sé perfectamente el riesgo que corren todos ustedes por mi culpa y quiero aprovechar para darle las gracias por su hospitalidad. Incluso mi propia familia, primos y parientes, me han dado la espalda con excusas que inventan sin que yo les haya pedido nada. No sabe usted lo agradecido que les estaré siempre.

—Que estéis a salvo es lo importante. Ahora id a descansar. Mañana ya veremos.

La escena de hace tres días con Manolo Contreras se vuelve a repetir. La preocupación de Eduardo Ruiz y Manuel López Banús es lógica. Les insistimos en que correrán la misma suerte que Manolo Contreras, que desde esta misma mañana está fuera de peligro.

—Vosotros lo estaréis en un par de días, mientras tanto aquí no os pasará nada.

—Os estáis arriesgando mucho por nosotros y comprometiendo a vuestra familia. Debemos marcharnos cuanto antes.

—No pienses ahora en eso. Esta casa es casi otro cuartel de Falange. Aquí estáis a salvo y os quedaréis el tiempo que sea necesario, las prisas no son buenas. Eso sí, debéis tomar algunas precauciones. No bajéis al resto de la vivienda. Quedaos aquí arriba sin asomaros por las ventanas que dan al patio; ya sabéis el trajín que hay en esta casa. En cualquier momento puede venir alguien a buscarnos y, si os ve, podemos estar todos en un buen apuro. Esta noche hemos tenido suerte al enterarnos por chiripa de que irían a buscaros. Pero en cualquier momento puede venir alguno de los amiguitos de mi hermano Antonio, o cualquier otro, y fastidiarla.

—Así lo haremos.

—Pasamos todo el día en el frente, de manera que Esperancita os atenderá cuando no estemos. Si necesitáis algo, se lo decís a ella, o a mi tía Luisa, las dos son un encanto. Y ahora vamos a dormir, que mañana hay que estar en pie temprano.

Tres noches han pasado en la misma habitación, de dos camas, que Manolo Contreras dejó el mismo día que ellos llegaron, la que está situada en la segunda planta, a la que empezamos a llamar el refugio, entre el gabinete y el dormitorio de tía Luisa. Apenas hemos podido estar con ellos. Sus padres nos proporcionaron ropa, dinero y alguna que otra cosa, y hoy domingo 9 de agosto, al fin, hemos podido dejarlos a salvo. Por la noche, cuando de nuevo acogíamos en el refugio a otro invitado amigo de Luis, nos dieron una alegría al llamar por teléfono: habían llegado a Málaga y encontrado a Manolo Contreras.

El nuevo invitado que ha llegado a casa es alguien muy especial.

A media tarde (sigo hablando del mismo domingo día 9), Luis y yo picoteábamos muertos de hambre en la cocina. Acabábamos de llegar de poner a salvo a nuestros dos entrañables amigos, cuando suena el teléfono. Mi madre, ante nuestra glotona pasividad, se dispone a cogerlo mientras comenta: «Me tenéis de telefonista y seguro que es para alguno de vosotros.» De pronto, con voz alta, en la que se advierte un tono de preocupación, la oímos decir: «¡Luis, es doña Vicenta! En la Huerta de San Vicente ha ocurrido algo, Federico te espera al teléfono.» Luis me mira, sobresaltado, y, con el bocado en la boca, sale para atender a Federico.

—Luis, querido Luis, soy Federico. Necesito verte. Estoy asustadísimo. Ha sucedido algo espeluznante, horroroso.

—¿Qué ha pasado? ¿Dónde estás?

—Estoy en la Huerta. Un grupo de falangistas ha venido y nos han pegado, querían matar aquí mismo a los caseros, a todos los que se les pusieran por delante. Ha sido horripilante. ¿Podrás ayudarme? Me han golpeado, insultado, amenazado. Necesito hablar contigo, Luis. ¿Puedes venir?

—Claro que sí, voy en seguida, Federico.

Luis tapa el auricular y pregunta:

—¡Mamá!, ¿y Pepe?

—Está arriba, con tía Luisa.

—¡Pepe!

—¡Qué!

—¡Baja! Necesito hablar contigo.

—¿Qué pasa?, dime.

—Federico está al teléfono, parece que corre peligro y quizá necesitemos traerlo, ¿sabes algo nuevo?

—No sé nada, pero tráetelo en seguida sin perder tiempo, ¿quieres que te acompañe?

—Es mejor que venga Gerardo. Federico, ¿Federico...?

—Sí, Luis, dime.

—No te muevas de ahí, llego en un momento.

Antes de salir, pedimos permiso a nuestro padre. Nos advierte que tengamos especial cuidado para traer a Federico. Es conocido y, si lo han amenazado en serio, pueden volver a por él en cualquier momento. Se extiende explicando que tengamos en cuenta que es cuñado de Fernández-Montesinos y que su amistad con Fernando de los Ríos lo compromete. «Id con precaución —termina por decir—. Buscad el taxi de Abelardo, que os lleve él, y volved también con él o con alguien de absoluta confianza hasta la misma puerta. Que no os vea Jesús Casas, ya sabéis a lo que me refiero, siempre está merodeando. Por el amor de Dios, tened muchísimo cuidado, la otra noche lo pasé fatal, por no hablar de vuestra madre, mientras esperaba que llegarais.»

Jesús Casas es un vecino, abogado, de Acción Popular, fanático antirrepublicano que, tras los visillos de su balcón, se pasa horas acechando, como viuda aburrida, a ver quién pasa por la calle, entra o sale de cualquier casa, hasta donde le alcance la vista y las horas.

Son las siete y media de la tarde cuando Abelardo, el taxista que desde hace años atiende los servicios que necesitamos en casa, nos deja a Luis y a mí a la entrada de la finca de los García Lorca. Aunque a escasos minutos de la ciudad, la Huerta de San Vicente está en plena vega. El poco tabaco sembrado, alto, empieza a amarillear, pronto será recogido, las copas del maíz se inclinan al viento mientras la remolacha, erguida, se mece plácidamente en una tarde calurosa amainada por las acequias y el agua de riego de la vega. Al fondo, alcanzada de pleno por la inclinación del sol, la blanca fachada de la casa refleja una luz cegadora.

Los perros de la finca ladran por el camino de la huerta, ante dos extraños. Don Federico los llama desde la puerta y ellos, fieles, obedecen ante la sonora voz que les manda, al tiempo que nos observan, recelosos. Federico García Lorca está en la puerta, creo que desde el Corpus pasado no lo veo. Al llegar nos hace entrar de inmediato y cierra la puerta detrás de nosotros. En su cara se aprecia un ligero moretón y una pequeña herida en la frente, cerca del ojo derecho.

En el recibidor me llama la atención un atrevido cartel de La Barraca realizado por uno de mis pintores preferidos, Benjamín Palencia. Doña Vicenta, impaciente, nos hace pasar y nos acomoda en la habitación principal de la planta baja; desde la ventana se puede ver sierra Nevada, que aún conserva algunas manchas de nieve, y la torre de la Vela.

Somos seis sentados alrededor de la mesa, más de comedor de ciudad que de cortijo. Concha, la hermana de Federico, casada con el alcalde encarcelado desde el 20 de julio, Federico, sus padres y nosotros dos. Todos ellos parecen alterados. Angelina, la criada, se lleva a los niños de Concha fuera de la habitación y, tras pocos preámbulos, Federico tras comentar el registro efectuado por el capitán Rojas, días antes, y otro buscando el arquitecto del ayuntamiento, Alfredo Rodríguez Orgaz, más asustado que otra cosa, comienza a contar lo sucedido:

—Estamos preocupadísimos, Luis. Esta tarde, pasadas las cuatro, han venido buscando a los hermanos de Gabriel, nuestro casero. Nosotros creíamos que venían a por Alfredo Rodríguez Orgaz, que había venido a visitarnos, pero no, buscaban a los hermanos de Gabriel. Los acusan de haber matado a dos personas en Arquerosa o por la Fuente; pensaban que podían estar aquí escondidos. Los que venían dispuestos a detenerlos son también de allí y de Pinos Puente, los Roldanes, los hermanos Roldán, también venía otro que atendía por Marranero, y cuatro más vestidos de falangistas. Todos armados. Muy tiburones, enseñando dientes.

»Yo estaba durmiendo la siesta. De pronto oí voces y gritos. Registraban por todas partes, pegaban a Gabriel con la culata del fusil y a su madre Isabel, que estaba de rodillas en el suelo, humillada. ¡Qué angustia y qué impotencia, Luis! Después los empujaron por la escalera y cayeron rodando. Los golpeaban mientras otros los apuntaban con las escopetas. A Angelina, que gritaba «¡Pero por Dios, por Dios, que los vais a matar!», también empezaron a pegarle para que se callara. Bajé sin saber qué hacer. Aunque temblando de miedo, me metí por medio para parar el insultante atropello; no pude hacer nada, me llamaron mari... maricón, me pegaron y me tiraron por la escalera para que no interviniera, caí rodando, oyendo voces y gritos de angustia, ha sido violentísimo.

»¡Qué miedo, Luis, cuando a mi prima Isabel y a Angelina las pusieron en fila, con Gabriel, para matarlos! Entonces Isabel, que también es prima de los Roldán, le dijo a Horacio, que era el que mandaba: «Nosotros no sabemos nada. ¡Yo te he criado con mis pechos! ¡Mira al menos por quien te ha visto nacer y te sofocó el hambre cuando eras niño!» Y él le dijo: «¡Tus tetas las ponías por mi dinero, no para quitarme el hambre!» Los matan aquí mismo, pensé, y en ese momento oí un coche que se acercaba. Gracias a Dios eran otros falangistas y milicianos. Discutieron entre ellos un buen rato. «¡No seáis salvajes, coño! Nos llevamos a este Perea y que se le interrogue para ver si sabe dónde están sus hermanos.» En ese alboroto, Angelina salió corriendo y cogió a los niños para que los chiquillos no vieran todo aquello, pero yo pensaba que la matarían por la espalda al huir.

»Poco a poco, los segundos fueron calmando a los primeros, y decidieron llevarse a Gabriel, que casi no podía andar de tantos palos en el cuerpo como llevaba. Antes de irse, el que llamaban Marranero les dijo a todos, señalándome: «¡Ése es amigo del marxista Fernando de los Ríos, de ese canalla enemigo de Granada!» Yo le contesté: «También soy amigo de otras muchas personas sin que me importe su pensamiento político. Por encima de todo soy católico.» Me apuntó con el fusil y dijo: «De ti ya daremos cuenta, maricón, no saques los pies de estas cuatro paredes hasta que no volvamos para interrogarte, estás bajo arresto desde este momento.» Qué horror, Luis, qué espanto, si no llegan a venir los otros, vete a saber a cuántos habrían matado. En los registros anteriores nos dijeron que no había cargos contra ninguno de nosotros.

—¿Quiénes eran los otros que vinieron, don Federico? Los segundos, ¿los conoce usted?

—No lo sabemos... Te llamas Gerardo, ¿verdad?

—Sí, Gerardo.

—No, no los conocemos, parecían de Granada. Alguien de alrededor debe de haberlos llamado al ver lo que estaba pasando. Eran cinco. Uno de ellos, aunque no parecía viejo, decía ser sargento retirado de la Guardia Civil, pero no sabemos quiénes son. Menos mal que llegaron, si no, como dice mi Federico, a lo peor podían habernos matado a todos. Estamos muy preocupados, como os podéis figurar. Cuando se fueron, pensamos qué podíamos hacer. Yo conozco a unos campesinos que podrían llevar a mi Federico a zona republicana por la Alpujarra, como han hecho con Alfredo Rodríguez, pero mi hijo no quiere.

—Si me fuera, lo pagarían con vosotros, papá.

—Piensa que lo pagarán conmigo o con cualquiera de la familia.

—Así es, papá. Ya lo has visto con Gabriel, al no encontrar a sus hermanos se lo han llevado a él. Lo pagarían con vosotros.

—También hemos pensado que vaya unos días con don Manuel de Falla, allí estaría seguro. Es una casa que respetan y don Manuel lo acogería de buen grado, pero tampoco quiere.

—Papá, ya sabes que no me habla desde hace años. Es por culpa de un poema mío que le dediqué a la «Oda al Santísimo Sacramento» y él no lo interpretó como yo quería. Yo quería halagarlo y don Manuel lo tomó como una ofensa y un desprecio mío, que no era; también lo encontró irreverente. El caso, para no extenderme, es que desde entonces no me dirige la palabra. Yo sé que, en estas circunstancias, él me acogería, pero me sentiría muy incómodo, no quiero violentar su casa. Soy tan cristiano como él, pero discrepamos de los modos de la Santa Iglesia y discutiríamos en seguida.

—Está bien, Federico, ya lo sé. Sólo le estoy explicando a Luis lo que hemos pensado, nada más. Ya sé que prefieres irte con él, a casa de don Miguel Rosales Vallecillos. Ésa es otra posibilidad que hemos barajado, Luis, por eso te hemos llamado. Siendo vuestro padre una persona tan querida en la ciudad, tan religiosos todos vosotros, y siendo vuestros hermanos falangistas destacados, sería un buen sitio donde esconderte.

—Luis, me da apuro pedirte esto. Eduardillo Rodríguez Valdivieso, que ha llamado hace un rato, también me ha ofrecido su casa, pero yo no lo veo conveniente. En fin, quiero decir que vuestra casa es un sitio seguro por las razones que dice mi padre, por eso hemos pensado en ello.

—Sé que mi Federico y tú, aunque no os veis muy a menudo, aunque no intiméis porque tú eres mucho más joven, os tenéis respeto y afecto y sé que se puede confiar en tu familia. Entre tu padre y yo, aunque sólo seamos conocidos, también hay gran afecto.

—Hemos venido para ayudar en lo que podamos, don Federico. Haremos lo que ustedes decidan.

—Yo tengo mis dudas de lo que puedan pensar vuestros hermanos, sobre todo los mayores.

—¡Concha, por Dios!

—Déjame que se lo diga a ellos, mamá. Igual no están de acuerdo y será un error que Federico vaya a vuestra casa, ellos son muy falangistas, demasiado falangistas.

—¡Cómo puedes decir eso, Concha...!

Doña Vicenta, para quitar tensión a las palabras de su hija, se levanta y saca del aparador unos vasos, al tiempo que ordena a la criada que traiga limonada y un poco de jamón. La tarde se ha ido sin darnos cuenta y doña Vicenta, en pie, aprovecha para encender la luz. Siendo la mujer de Fernández-Montesinos, entiendo perfectamente el comentario de Concha, algo imprudente aunque comprensible en esta situación de nerviosismo, a la que Luis, relajado e impresionado por el relato de su amigo, contesta:

—Cualquier comentario es bueno si se plantea con absoluta sinceridad y para mayor seguridad. Así que, doña Vicenta, deje a Concha que diga lo que piensa. Yo haría lo mismo. De hecho, lo voy a hacer con la misma claridad y confianza que ella. Antes de venir, mi hermano Pepe no ha dudado un instante en proteger a Federico, en insistir que venga a casa cuanto antes si corre peligro; mi padre también ha dado su conformidad. De nuestros otros hermanos, mejor les cuento algo más gráfico. Ya hemos tenido a otras personas en casa, a empleados de mi padre, a amigos nuestros, socialistas que ahora están fuera de peligro y que tanto Pepe como Gerardo y yo los hemos ayudado a llegar a zona republicana. Para seguir siendo sincero, tengo que decir que Miguel y Antonio se han mantenido al margen, sin poner la más mínima objeción. Es verdad que ellos tienen una actitud menos altruista, más extremista, si quieres, pero de ahí a pensar que pueden suponer una amenaza, es una equivocación, Concha, te lo digo con franqueza.

—Conozco a sus hermanos, Concha. Lejos de ser un peligro, son todo lo contrario. Precisamente por ser falangistas, allí no me molestarán y estaré cerca de vosotros.

—Lo he dicho sin querer ofender. A fin de cuentas, lo que yo piense no tiene importancia, tú eres el que tienes que decidir, Federico. Estoy muy nerviosa por todo lo que me está pasando con Manolo en la cárcel y por lo sucedido esta tarde. Tú eres el que tiene que decidir.

—Estamos a tu disposición para lo que necesites, Federico —dice Luis—, ya te lo expliqué por teléfono. Si has decidido venir, será un placer tenerte en nuestra casa. Después podemos pasarte, si lo deseas, a zona republicana. Es fácil, lo hacemos con frecuencia, con gente de un bando o del otro. Es como un intercambio voluntario, donde nadie pone problemas. Naturalmente, también puedes quedarte en nuestra casa el tiempo que desees. Averiguaremos si se trata de una bravuconada del tal Marranero y los Roldán o si, detrás, hay otras cosas. Entretanto, debes ponerte a salvo para evitar un incidente como el de esta tarde, Federico. Estoy convencido de que lo de hoy ha sido un ajuste de cuentas entre la gente de Fuente Vaqueros y Asquerosa, nada más. Ésos van por su cuenta y el incidente te ha pillado por medio, sin que tenga nada que ver contigo.

—Yo creo que es mejor que me vaya a tu casa, Luis, y esperar a que todo se calme. Estaré bien. Podré hablar con vosotros, leer, escribir, no quiero estar lejos de mi familia. No quiero pasar por la experiencia de los últimos meses en Madrid, por ese sinfín de presiones para hacer causa con los que tampoco me identifico. Esta locura terminará muy pronto, el discurso de Indalecio Prieto me llena de esperanza, es cuestión de días.

—De acuerdo, Federico, si es eso lo que decides, si lo que deseas es venirte a casa, vamos entonces.

En ese momento, Angelina llega con jamón, queso y limonada. Doña Vicenta se apresura a poner un mantel. Recuerdo las palabras de mi padre y digo:

—No se lo tome a mal, doña Vicenta, pero no es momento de tomar un aperitivo. De verdad que se lo agradecemos, en cualquier momento pueden volver, si las amenazas iban en serio, o si siguen por ahí dándole vueltas. A ésos, cuando se les mete algo en la cabeza, les atraca dentro, es mejor darse prisa, ya han dado el toque de queda.

Luis me apoya y dice:

—Gerardo tiene razón. Si volvieran, bajo ningún concepto deben decir dónde está Federico, sería muy difícil protegerlo si lo localizan. Todos estaríamos en una situación muy delicada. Comprendan la importancia de mantenerlo en secreto. Digan, si llega el caso, que ha huido por la vega hasta zona roja, díganlo así, a zona roja, no al bando republicano, ni con los del gobierno. De todas formas, no creo que vuelvan. Pero si lo hacen, no olviden esto: ha huido con los rojos.

—Descuida, Luis. Tenéis mi palabra. Comprendo lo que dices y ojalá no pasemos por ese trance. También tenéis razón en que debéis salir cuanto antes, voy a llamar al taxi.

—¿Conoce usted al chófer, don Federico?

—Sí, es Paco, *el Niño de Loja*, una persona de absoluta confianza. Lo ayudé a comprar su primer taxi, viene todas las tardes menos los domingos a traer tabaco. Lo llamaré, vendrá en seguida.

Estamos en el rellano esperando al taxi, Concha es la única que nos acompaña. Federico, que ha dejado el cenicero lleno de colillas apuradas con ansia, ha subido con doña Vicenta, que se empeña en preparar equipaje. El padre ha pasado a otra habitación de la planta baja que parece ser su despacho. Mientras, Luis le insiste a Concha en la importancia de no revelar bajo ningún concepto el paradero de Federico.

—Si vienen a por tu hermano, mañana o cualquier otro día, te presionarán para que digas dónde está; di que se fue. Utilizarán cualquier medio para forzaros, tú no los conoces, Concha, pero si te mantienes firme, se marcharán pensando que ha huido. Eso es lo que tienen que creer. Aunque veas que amenazan a tu madre o a quien sea, diles, por lo que más quieras, que Federico se marchó a zona roja. Nunca digas dónde está.

—Tú esas cosas las dices con mucha facilidad, Luis: que si vienen, que si no sabes cómo son, que nos forzarán..., porque seguramente estarás acostumbrado a ellas. ¡Tú no tienes que advertirme de nada, yo sé cómo defender a mi hermano sin necesidad de que un falangista me diga lo que tengo que contestar! No tendría que hacerlo si vosotros no fuerais con pistolas y correajes por ahí, pegando tiros, con militares traidores que encarcelan a concejales y alcaldes, como a mi esposo, y luego los asesinan. Han sido falangistas los que han venido esta tarde, ¿sabes, Luis?, falangistas como vosotros. No sé cómo mi hermano quiere irse a vuestra casa, ni cómo mi padre lo deja. De manera que tú a mí no me digas nada. Tú y yo no tenemos nada que hablar.

—También han sido falangistas los que os han protegido esta tarde, ¿no, Concha?

—Falangistas, o milicianos, o voluntarios, o soldados, todos sois iguales. Mamarrachos que estáis cometiendo locuras y asesinatos, sin respeto a nadie. ¿O es que no es verdad? Les dais alas a los más bestias, ¿o no? ¡Alas a los canallas, a la estopa más baja de Granada!

Con lágrimas en los ojos, Concha sube corriendo la escalera, se cruza con Federico, que se ha cambiado de la ropa de estar por casa. Lleva un traje crema con la chaqueta al brazo y una camisa naranja. Concha se contiene, lo besa en cada mejilla y se pierde, fugaz, en lo alto de la escalera. Federico continúa bajando, lo sigue su madre con una pequeña maleta que me apresuro a coger. Sonriente, en la plazoleta arbolada que sirve de porche a la casa, se despide con un beso y dos palabras de sus padres: «Hasta siempre.» El taxi espera arrancado, es un Nash grande con matrícula de Sevilla. Don Federico abre la puerta del automóvil y saca de su bolsillo un sobre: «Por si lo necesitas.» El poeta lo coge e inclina la cabeza entrando con decisión por la portezuela del auto, que deja abierta, y sentado espera el instante que su padre emplea para darnos las gracias con un apretón de manos.

Cuando salimos se ha hecho tarde. Son cerca de las once de la noche. El toque de queda prohíbe circular a cualquier vehículo que no sea oficial a partir de las diez. También prohíbe circular a más de dos personas; somos cuatro en el interior del taxi, casi una manifestación. Subimos por los callejones de Gracia hasta la placeta del mismo nombre, donde decidimos que Paco detenga el automóvil, apague las luces y el motor para poder oír la noche: si alguien circula por los alrededores o se acerca algún vehículo que pueda cogernos por sorpresa: las experiencias anteriores nos han servido para sustituir algo del miedo por la prudencia. Federico, erguido, sentado atrás, junto a Luis, lleva ojos de atalayero, abiertos de par en par, las rodillas juntas y apretadas, y sobre ellas las manos entrecruzadas, rígidas como los brazos por donde mana la tensión que sufre. Una vez que seguimos, la reacción de Concha me hace pensar que además de pasar por momentos difíciles, de la barbaridad ocurrida esta tarde en la Huerta, de su ideología contraria a Falange y al Alzamiento, también debe de estar dolida con mis hermanos por la carta donde su marido pide que se hable con Rosales, dolida porque mis hermanos no pueden hacer nada. Quizá sus sentimientos, por otro lado comprensibles, la traicionen más allá de una natural desconfianza.

—¿Estamos haciendo lo correcto, Luis? ¿No importunaré a tu familia al llegar a estas horas?

—Faltaría más, Federico, serás bienvenido, mis padres te esperan.

—Resulta todo tan extraño, las calles tan vacías. Parece que los noctámbulos del verano han sido derretidos por el calor de horas pasadas. No puedo pensar, Luis. Me atormenta que los míos tengan que enfrentarse a esos cocodrilos. Estoy asustado, como un gorrión entre las manos apretadas de un niño, por los fantasmas sin rostro de ahí fuera, oigo sus latidos como perros jadeantes.

—En seguida llegamos, Federico, y atrás quedará la noche con sus sombras.

—Eso es, sombras que me acorralan.

Nos hemos cruzado con dos personas, circulan de prisa y nada parece impedir que continuemos. De nuevo paramos antes de salir a Puentezuelas. El sordo eco de algunas explosiones que llega desde la vega es el que Federico describe como el latir de fantasmas. Es el único sonido inquietante. Seguimos para desembocar en la calle de las Tablas, avanzamos despacio, llegando a la esquina, desde donde podremos ver la calle Angulo. Paco, el taxista, al que pedimos de nuevo que pare, comienza a quejarse con la perrera de un niño, tal vez por eso lleve el apodo del Niño de Loja.

—Vaya lío en el que me ha metido su padre, señorito. Si nos pillan, me quitarán el taxi, y a ver qué hago yo. Vaya horas de ir a ningún sitio, vaya lío en el que me están metiendo.

—Pues déjanos ahí en la esquina, ya subimos nosotros.

—De eso, ni hablar, señorito. Me ha dicho su padre que los lleve hasta la casa de estos amigos suyos. Lo que yo digo es que vaya el lío en que me están metiendo, que ni con mucho celo los gatos salen a follar esta noche. Y encima, con las cosas que dice usted que hay por ahí, me está metiendo pánico en el cuerpo, eso es lo que digo, coño. ¡Que no me gustan los fantasmas!

—Shhh, Paco, deje el coche en punto muerto, con el motor apagado. Y pare antes de salir a Tablas.

—No. Si verán con tanto parar si no la fastidiamos y nos quedamos aquí mismo, que de gasolina voy peor que del susto, y los surtidores cerrados a estas horas. Y aunque no lo estuvieran, no podría echar ni gota, tengo la cartilla *agotá*, así que ya me dirán la papeleta.

—No, hombre, pare, que no sabemos qué nos podemos encontrar.

—Si hubiera alguien, lo mejor es pisar a fondo y salir a *toa* leche, que a este Nash no hay quien lo pille.

—Paco, haga lo que digo, hombre, que nos pueden pegar cuatro tiros.

—No, si ya lo hago. Descuide, es que no me gusta nada esto. Tengo hijos y mujer. Si fuera por mí, si yo estuviera solo, ya verían, ya, si me encontrara con algún hijo de esos de su madre, aunque ella sea una santa, con un fascista de los que van por ahí a estas horas, le rebanaba el cuello como a un pollo con ésta.

—Shhh, para y calla, que nos van a oír, y guarda la navaja —interviene Federico.

—Si no fuera por los favores que le debo a su padre... ya está *parao*.

A pesar de la cercanía de casa, me apeo y compruebo que no hay nadie.

—Vamos a por el último tirón, Paco. Arranque y venga, entre por la segunda calle de la izquierda.

—A ver si es verdad que diez metros más arriba no me dice que pare, que ustedes están a punto de llegar, pero a saber lo que me espera a mí hasta mi casa. Si no fuera por don Federico, de qué... Maldita sea, con la de años que tengo, verme en éstas y encima ese gato negro se cruza, no le digo...

—¿No decía que ni los gatos salen esta noche?

—Es un maldito gato negro, vamos a ver lo que pasa ahora.

—Ande, pare, que hemos llegado.

Por fin en casa, siento pavor por si algún extraño se encuentra en el mismísimo patio cenando. Como no llevamos la llave de la puerta pequeña, entro primero por si acaso. No hay sorpresas, la familia nos está esperando charlando tranquilamente en el patio, donde las calurosas noches de agosto se hacen soportables.

Federico, después de telefonear a sus padres, se une a la informal cena y explica, ante la pregunta de mi madre, sin demasiados detalles, lo sucedido en la Huerta de San Vicente. Ante su angustia, intentamos distraerlo con bromas y anécdotas sin conseguirlo. La personalidad arrolladora que lo caracteriza se desvanece en un letargo.

Una vez más, Esperancica, acompañada de Luis, encarna el papel de anfitriona instalándolo en la habitación, en la misma habitación que esta mañana dejaron los que están a salvo en Málaga, la del segundo piso, junto al gabinete de tía Luisa, donde hay un viejo pero afinado piano y parte de la biblioteca de Luis, que ya no cabe en la de abajo. Su voz al despedirse, dulce, suave e insegura, es aplastada por los gigantescos fantasmas que lo acompañan.

—Sabemos que tocas muy bien el piano, aquí estarás cómodo. Si necesitas algo, me lo dices a mí, que los chicos están todo el día fuera y además no saben dónde hay nada.

—Así lo haré, Esperanza. Desde este momento, serás mi divina carcelera.

Esperancita, al bajar, desmoronada y excitada por esa atribución, «mi divina carcelera», comenta impresionada que se siente cumpliendo una función carcelaria, desde hace días, aunque sabe que el apodo puesto por Federico es cariñoso. Luis se queda un momento con él advirtiéndole, como hicimos con López Banús y los demás, de la necesidad de no hacerse visible a ciertas horas y de la seguridad que ofrece la independencia del segundo piso. Federico realmente es un conocido para nosotros. Sólo tiene amistad con Luis, tampoco se puede decir que sea estrecha, es más una admiración literaria y un profundo respeto mutuo, como decía su padre hace un rato.

A pesar de ser la primera vez que Federico visita esta casa, para nosotros, sin duda, es un huésped excepcional. Cuando cierro la puerta de mi dormitorio, veo cómo se apaga la luz de su habitación, mientras Luis baja la escalera, y comprendo que este conjunto de paredes, en la calle Angulo, convierten la vivienda en una prisión para nuestro invitado, sin la ilusión de encontrarse libre en un par de días, como la tenían Contreras o López Banús. ¿Llamará Federico por eso a Esperancita mi divina carcelera?

Primeros días

Mientras en la calle Angulo todos descansan, algunos, inmersos en los laberintos del pensamiento, sin poder conciliar el sueño, aprovecharé para salir un momento del año 36 y contar que, tras la muerte de mi tío Pepe, me quedaba la amistad con varios de los que formaban el Grupo. A través de ellos seguía unido al círculo de mi padre, necesitaba no perder ese vínculo y menos aún tras la pérdida de tío Pepe. Los del Grupo, que me aceptaban como uno más, a pesar de la diferencia de edad, eran: Pepico Corral, filósofo errante que flotaba en su peculiar mundo y articulista del periódico *Ideal*; Manolo García Sánchez, de sólida formación intelectual y antropólogo apasionado; Antonio Ortiz, psiquiatra, que hoy sigue haciendo ciento cincuenta kilómetros, con ochenta lúcidas primaveras, para ver a un paciente al que no le cobra, y lo hace durante el período de tiempo que sea necesario; años, si es preciso. No como los «doctores» de hoy, que se mueven en función de oscura productividad, o de exóticos viajes «científicos» convertidos en congresólogos, nueva especialidad médica financiada por los laboratorios farmacéuticos que así sobornan la rentabilidad del facultativo.

Luisico. No podría olvidarme de Luis Alfonso Ordóñez, profesor de instituto, profesor durante los meses de verano que pasábamos en la playa con algunos suspensos, pendientes para que en setiembre nuestros adiestradores, como ya dije, los curas, tuvieran la sagrada benevolencia de aprobarnos. A todos ellos pregunté, desde la confianza y amistad de adulto, lo que recordaban de las tertulias que tenían con mi padre, aquellas en las que de vez en cuando surgía Lorca. La verdad es que no sabían demasiado, pero siempre llegaba un nuevo análisis que me hacía pensar y avanzar.

Ahora que salieron los veranos de la playa, intentando aprobar en setiembre, y que Pepico Corral se ha dado a conocer, es el momento de contar cómo el alacrán negro africano (el que me recordó a los legionarios que detectaron los veraniegos zapatos de Eduardo Ruiz Checa) llegó a las costas de Taramay.

Casi sin darnos cuenta, a mediados de los sesenta comenzaron a aparecer, por el pequeño camping de Taramay, turistas, familias que pasaban un mes o dos en tiendas de campaña. A mí me alegraba, porque las chicas, francesas la mayoría, iban de bañador y de pensamiento más descubiertas que las españolas, para cotilleo puritano de las domingueras que también comenzaban a llegar a las playas de los mares del sur. Las recatadas señoras destrozaban los calientes cuerpos al sol que tanto me gustaban con lenguas aún más calientes.

Un domingo (parece que los domingos quieran protagonizar esta narración), además de una avalancha de Seiscientos, cargados hasta el techo de bártulos y de donde inexplicablemente salían hasta cinco o seis personas, llegaron varios autobuses abarrotados a nuestra playa, hasta entonces de Robinsón Crusoe, menos los festivos. Sábanas y mantas a modo de toldos, sujetas por estacas, surgían por doquier para dar sombra a la suegra de permanente luto. Cáscaras de sandías y melones flotaban por el agua a la media hora, latas medio enterradas en la arena arrancaban un trozo de pie, en zigzag, a cualquier cristiano al menor descuido, como al menor descuido te sacudían la cabeza al grito de «¡mía, mía!» con aquellas pelotas de goma, bien apretadas, o te metían la arena por los ojos al chutar. Y es que los nenes, angelitos, tenían que jugar, mientras sus padres, embutidos en cámaras de coche, chapoteaban inseguros sin decir nada a sus vivos retratos. Eso sí, vigilaban a sus atrevidas esposas, por si en la orilla se ahogaban, cuando la espuma les subía a las rodillas o se tumbaban en el rompeolas, del que nunca pasaban, con los brazos cargados de corchos flotadores, como guerreras de otros tiempos envueltas en largos sayones, empapados, pegados al cuerpo, que dejaban un rastro de sal al secarse. Ésa era la España gris de la segunda parte de los sesenta, en el aspecto que le corresponde. Pepico Corral, a quien no le gustaban los desembarcos masivos, andaba durante todo el día de aquí para allá, cabizbajo. Al encontrarte con él, te paraba y te decía: «¿Qué piensas de la vida, Gerardillo?, y de la playa, ahora que gritan los niños y que sus madres no recogen los desechos dejándola sucia como una pocilga, ¿qué piensas, dime, estás de acuerdo con mi Mari Loli?» Naturalmente, yo no sabía lo que pensaba su hija Loli, por aquel entonces de quince o dieciséis años, como yo, y que seguramente andaba, como yo, en asuntos más afrancesados.

Llegó, en aquel domingo, «la hora del té de los convalecientes», así llamaba Pepe Corral a la puesta de sol. Su atalaya, un risco con torre vigía de esas que dan carácter a las costas —desde allí se podía ver una espectacular puesta de sol—, estaba intransitable, era su hora predilecta y no pudo subir, aunque lo intentó. Bajaba diciendo en el suave y melancólico tono que le caracterizaba: «No vayáis a la atalaya, niños, los vikingos nos han invadido, los bárbaros, su tripa y el orín han soltado por todos lados, no hay crepúsculo ni fragancias, no se puede respirar.» No era de extrañar que con tanto melón, sandía, plátano, sardina en lata, tintorro, tripas de salchichón, tripas de chorizo y de salchicha, entre otras tripas, padres y nenes, angelitos, tuvieran que vaciar las suyas. Aquella misma noche, cuando las primeras estrellas devolvían la tranquilidad a la cala, Pepico Corral escribió un artículo, que se publicó a los dos días en el *Ideal*, en el que inventaba que el terrible y mortal alacrán negro africano había invadido las playas de la zona, que el letal monstruo llegaba en oleadas, haciendo impracticable el baño y el descanso en la arena. El resultado de la fábula para él fue el deseado. Volvimos como robinsones a disfrutar de la tranquila playa durante el resto del verano. Para mí fue decepcionante. Coincidió, para terminar de fastidiarla, que un día antes de que se publicara el artículo del terrible monstruo africano, un alacrán, autóctono, picó a mi hermano Miguel, sin más consecuencias que un buen hinchazón en el pie y, por esa desafortunada coincidencia, hasta los extranjeros, menos asustadizos, se creyeron la historia y se marcharon. Sus hijas, las francesitas, con las que se podía descubrir la mayor inquietud de esas edades (el sexo), desaparecieron con ellos y, con ellas, los biquinis que, mojadas las finas telas, dejaban ver erizados y deliciosos pezones rosas, qué maravilla, y hasta partes más eróticas si eran de color blanco. Así eran los del Grupo, se les ocurría una travesura y no dudaban en ponerla al servicio de sus víctimas. Pero ya es hora de volver al relato principal.

Cuando mi padre se levantó aquella mañana del 10 de agosto, en la que Lorca por primera vez despertó en la calle Angulo, los demás se habían marchado a sus asuntos: sus hermanos, al frente; mi abuelo, al comercio, como todos los días; Esperanza y la abuela, al mercado, como cada lunes. Eran las diez de la mañana y hasta las cinco no tenía servicio y pudo dormir a pierna suelta, como hacía tiempo que no practicaba. Después de lavarse la cara y mojarse el cabello, el olor a café lo llevó directamente a la cocina, pensando si Federico se habría levantado.

—Basi, ¿hay café?

—Sí, señorito, lo he preparado para el señorito poeta. Me ha dicho su madre que lo mantenga caliente por si se levanta.

—¿No se ha levantado aún?

—Se oyen ruidos arriba desde hace un ratito, pero no he subido, ni me han pedido nada.

—¿Sabes quién es?

—¿Quién, el señorito poeta?

—¿Por qué lo llamas el señorito poeta?

—No sé cómo se llama y me ha dicho la señora que es un famoso poeta y muy importante, ¿cómo quiere que lo llame, si eso es lo que me ha dicho su madre? También me ha dicho que no diga nada a nadie de que está aquí y ya ve usted, si yo no salgo, a quién voy a decirle yo *na*.

132

—Se llama Federico, y si no sales es porque no quieres.

—Pero ¿adónde voy a ir yo, señorito, con la estampa que Dios me ha *dao*...?

—¡Que no eres fea! A otras peores he visto con novio, eso con cinco duros te lo arreglo yo, te compras el vestido más bonito que encuentres y ya verás.

—No diga tonterías, señorito, yo sé que lo dice por animarme y, además, esas que dice *usté*, seguro que no serán de pueblo.

—Claro que puedes encontrar novio, mujer. ¿Y a ti quién te ha dicho que aquí no hay también hombres de pueblo?

—Pues no los hay, que se lo digo yo, somos las mujeres las que venimos a servir. Ellos se quedan en el campo tan tranquilos, y por las noches, a beber a la taberna. Eso es lo que les gusta a los hombres: mandar y beber, y no lo digo por usted, me santiguo, ¿eh?, si no acuérdese de cuando usted y los señoritos Pepe y Luis se llevaron a mi Vicente, cómo volvió de vino... madre del amor hermoso, cómo lo trajeron.

—¡Ah, sí! Me acuerdo que llegó a gatas, el pobre, y que quería seguir de juerga.

—Ya ve, eso es lo que les gusta a los del pueblo, eso y una mujer que les ponga la comida y les haga la cama sin rechistar, y más cosas que a mí me han *contao* y no se las voy a decir.

—¡Huy, huy!, que sabes más de lo que parece.

—No seré yo quien se las cuente, que me da vergüenza.

—No digo que me las cuentes, mujer, lo que tienes que hacer es poner los ojos en algún muchacho que sea trabajador.

—Ande, señorito Gerardo, no me chinche más, que siempre está con ganas de guasa, y tómese el café, que se le está enfriando. Mire, ya tiene nata. Además, ¡adónde voy a ir yo!, ¿a buscar novio?, ¡con la que está cayendo!

—Bueno, Basi, con estos cinco duros te compras un vestido y verás cómo todo se anda. Prepara una bandeja con galletas, pan, mermelada y café, que se la voy a subir al señorito poeta, como tú lo llamas.

—La tengo preparada. Espere a que le ponga el café calentico.

—Mejor lo sirves en el comedor de arriba, que estará más cómodo.

—Ese comedor está cerrado a cal y canto en verano.

—Pues lo abres y lo sirves allí. Y si pregunta alguien por mí, di que no estoy.

—¡Josú, cuánto misterio!

—Venga, y coge los cinco duros de la mesa y te los guardas.

—Es que es mucho y, además, su padre me trajo el otro día unas telas que me salen dos vestidos, por lo menos.

—Pues con eso te compras unos zapatos de tacón y unas medias, y ya verás cómo se fijan los mozos.

—Madre mía, señorito, yo con unas medias, si será verdad, y que me vea la Puri... La Basi con medias y tacón. Ya veré lo que me compro o si lo guardo.

—Oye, de guardarlo nada, eso es para que te compres algo, lo que tú quieras, me lo tienes que prometer.

—Está bien, le haré caso. Y suba a ver si ya se ha *levantao* el señorito, no sea que piense que en esta casa no se desayuna, que los poetas cavilan con *to*.

—¡Qué cosas tienes...!

Antes de llamar a la puerta de Federico, espero un momento. Me pregunto si seguirá en la cama, o si le apetecerá compañía. ¡Qué demonios...! Yo, en sus circunstancias, estaría deseando charlar con alguien, saber un poco de la rutina de la casa para no sentirme incómodo, de manera que plom, plom.

—¿Estás despierto?

—Pasa, Luis.

—Ya ves, no soy Luis.

—Os parecéis tanto en la voz. Pasa, por favor, no te quedes ahí, Gerardo, buenos días.

134

—Y tanto que son buenos, el aire es limpio y huele a campo, eso quiere decir que hará menos calor que ayer.

—Sí, una mañana agradable... aún se despereza de la tregua de los domingos.

Federico, como andaluz, cecea con voz grave y oscura de madera negra.

—¿Has dormido bien? Bueno, qué pregunta más tonta. Habrás extrañado todo, pero nos espera un desayuno que nos invita al mundo de los despiertos, ¡vamos! No, no, por aquí, Federico, esa puerta lleva directamente a la calle, siempre está cerrada, esta otra es la que comunica con el resto de la casa. Puedes utilizarla siempre que quieras.

—Me dijo Luis que no debía bajar, que en cualquier momento podrían verme otros falangistas que vienen por vuestra casa.

—A estas horas no hay visitas. De todas formas, vamos al primer piso, que en verano se usa sólo para los baños y para dormir. Quiero decir que puedes estar en las habitaciones del primero, o usar cualquier cuarto de baño si el de arriba está ocupado por mi tía Luisa. Durante la mañana también puedes bajar a la biblioteca de Luis. Desde que comenzó la guerra, por aquí no viene nadie, estamos todo el día fuera, si acaso muy temprano alguien puede venir a recogernos. Por la tarde puede ser distinto, aunque ya te digo que desde que empezó la maldita guerra todos estamos reventados y no viene casi nadie.

—¿No molestaré si uso la biblioteca de Luis?

—¡No, hombre! Qué disparate, puedes hacerlo siempre que quieras. Tengo curiosidad por saber cosas de Cuba, que me cuentes tus viajes por América, Argentina, dice Luis que te ha ido muy bien por aquellas tierras.

—Te contaré lo que quieras. ¿Aquí?

—Más adelante, sígueme.

Recorremos la galería que rodea las habitaciones y Federico parece impaciente por entrar en alguna de ellas, le pido que me ayude a correr el toldo que cubre el patio, el sol empieza a dar y calentará todo. Se presta sin titubeos, amable y sonriente.

—Qué precioso patio, ¿cuántas habitaciones tiene esta casa?

—Pues nunca las he contado, veintiuna o veintitrés, creo. Ésta es la que nos espera, pasa por aquí. Por Dios, no te sientas incómodo, que estamos encantados de tenerte con nosotros.

Federico observa la habitación, que se divide en dos estancias, y termina tímidamente por sentarse. Tengo que morderme los labios para no preguntarle el significado del mote que le puso anoche a Esperancica. Y que aún resuena en mi cabeza al verlo cohibido. Poco a poco va sintiéndose cómodo ante el desayuno y ante los cigarrillos que quema sin cesar. Me pregunta por los cuadros de paisajes que hay encima del sofá, al otro extremo.

—Los ha pintado mi madre —le digo—. En especial me gusta el de la izquierda, tiene una profundidad muy conseguida, la luz envuelve todo el cuadro en una atmósfera misteriosa que, sin definirlo, queda abierto a la interpretación, a la imaginación de cada cual. Al mirarlo soy yo el que termina la forma, veo lo que quiero ver, no lo que me ponen delante. Mi madre dice que ese cuadro no está terminado. Sin embargo, ésa es su gracia.

—Yo no hubiera pensado que está sin terminar, sino que se acerca al impresionismo.

—Eso es, Federico, fíjate en los demás, son estáticos, retocados en exceso. Siempre dicen lo mismo, como alguien de sonrisa boba que no pierde el gesto y nunca sabes si llora, ríe, tiene frío, algo así como la *Gioconda*, de eterna expresión bobalicona.

—Te gusta la pintura, ¿verdad?

—Claro que me gusta.

—¿Conoces lo que hace Benjamín Palencia, o lo último de Picasso?

—Ayer me sorprendió el cartel que tienes de La Barraca firmado por Benjamín Palencia, el que hay a la entrada de la Huerta. Llama la atención, lo cual es la misión de un cartel, por sencillo y atrevido.

—¡Ah, te fijaste en él!

—¡Cómo no! Además, conocí a Benjamín en el último viaje que hice a Madrid. Es muy amigo de Luis. Estuvimos viendo sus cuadros, me encantó el color que les da mezclado a madrazos, sin complejos que le sujeten la mano.

—Ése es el secreto del arte, no sólo en pintura, también en poesía. Si estás pendiente de lo establecido, del modo habitual de expresión, o de la moda, no puedes ser tú mismo. Serías un compendio de los demás y, por tanto, desapareces entre ellos, entre los putrefactos. Pertenecemos a una cultura que, inevitablemente, nos empuja, sí, y debemos dejar que nos oriente, pero nunca que nos conduzca. Si caemos en esa trampa, seremos palomas de alas recortadas, siempre en el palomar del clasicismo o de la moda imperante.

—Efectivamente, ¿cómo has dicho?, ¿perdidos entre los putrefactos? Yo diría podridos entre los putrefactos.

—Exactamente, podridos entre los putrefactos, ¡me encanta!

—¿Quieres más café, Federico?

— Sí. Acércame el azúcar.

—¿Que si conozco lo último de Picasso? ¿Qué te puedo decir? Él sí que ha abandonado el palomar en vuelo libre, dejando las gazmoñas que cultivan tantos pintores, como las dejó Goya al abandonar la corte. Ha creado un lenguaje propio lleno de fuerza y movimiento, en busca de lo tridimensional. Estoy viendo ahora mismo *Las señoritas de Aviñón*. Picasso es a la forma, a la composición plástica y a la sugerencia, como Matisse al color, Modigliani a la sensualidad o Van Gogh al trazo y al movimiento. Me gusta mucho más que Dalí o que cualquier otro de los actuales.

—¡Son artistas tan diferentes! Salvador Dalí, con quien he tenido una buenísima relación, es un escudriñador de sueños, le gusta moverse por el subconsciente como fuente del surrealismo, esconde su timidez en el gran teatro de los fantasmas que comparte con Luis Buñuel y que yo también he compartido.

—Desayunando con un poeta es mejor dejar la pintura, dime, ¿qué has escrito últimamente?

—He trabajado en varias cosas a la vez, pero lo último que he terminado ha sido, ¡tatatachán!, *La casa de Bernarda Alba*. La leí el día antes de venirme a Granada en casa de Eusebio Oliver; a Jorge Guillén, a Pedro Salinas, Dámaso Alonso, a todos les gustó mucho.

Federico, que ha roto la timidez, se pone en pie y, con gesto teatral, dice:

—¡Señoras y caballeros, tomen sus asientos que va a comenzar el acto primero!

BERNARDA

Ésa sale a sus tías; blandas y untuosas y que ponían los ojos de carnero al piropo de cualquier barberillo. ¡Cuánto hay que sufrir y luchar para hacer que las personas sean decentes y no tiren al monte demasiado!

LA PONCIA

¡Es que tus hijas están ya en edad de merecer! Demasiado poca guerra te dan. Angustias ya debe tener mucho más de los treinta.

BERNARDA

Treinta y nueve justos.

LA PONCIA

Figúrate. Y no ha tenido nunca novio...

BERNARDA (Furiosa)

¡No ha tenido novio ninguna ni les hace falta! Pueden pasarse muy bien.

LA PONCIA

No he querido ofenderte.

BERNARDA

No hay en cien leguas a la redonda quien se pueda acercar a ellas. Los hombres de aquí no son de su clase. ¿Es que quieres que las entregue a cualquier gañán?

LA PONCIA

Debías haberte ido a otro pueblo.

BERNARDA

Eso. ¡A venderlas!

LA PONCIA

No, Bernarda, a cambiar... Claro que en otros sitios ellas resultan las pobres.

BERNARDA

¡Calla esa lengua atormentadora!

LA PONCIA

Contigo no se puede hablar. ¿Tenemos o no tenemos confianza?

BERNARDA

No tenemos. Me sirves y te pago. ¡Nada más (8)!

»Es una parte del primer acto, te invitaré al estreno cuando la presente en Granada, en primera fila, junto mí.

—Iré encantado. Me imagino que no será fácil montar una obra.

—Como le gusta decir a Dalí, hay que abandonar las normas de la poesía antigua y de la pintura decadente por la estructura metafísica del cosmos. El surrealismo es fuente de evasión que mana de las irrealidades de los sueños. —Federico, que sigue en pie y saca los ojos fuera de sus órbitas imitando a Dalí, creo, por el acento catalán, usa silencios medidos recreándose en lo que dice. De pronto se descalza y, sobre la silla, como el que sube al escenario en plena representación teatral, continúa con voz grave—: Un sangriento bofetón visual para el que contempla el destripamiento del elefante o la mutilación de un cuerpo donde crecen cajones, eso es arte, cajones llenos de pestilentes calcetines abandonados. ¡A ti, planeta desierto, porque estás deshabitado de pensamiento en la órbita del vacío cósmico, te regalo este reloj doblado de pena y llanto infinitesimal!

—Estupendo, ¡bravo! Es verdad que el arte no siempre tiene que ser estético, aun así, me pregunto si no es una rebuscada obsesión la brutalidad que Dalí refleja de sus sueños. Recoge los complejos, las obsesiones,

(8)   F. García Lorca, *La casa de Bernarda Alba*.

sus deseos frustrados, ése es el Dalí interior, el que se esconde detrás del personaje que representa. Yo quisiera saber cómo llevar a la pintura el pensamiento no analítico, me refiero al que pertenece al sentimiento espontáneo indeterminado, lleno de fuerza y sinceridad.

—¿A qué te refieres, Gerardo? ¿Cómo es eso del sentimiento espontáneo indeterminado?

—No sólo de pensamientos y sueños se alimenta el hombre. Existe también un mundo de sentimientos, que a veces son irracionales, que se escapan a la coherencia y también a la deformación de la alucinación surrealista. Son sensaciones primitivas, indeterminadas, pero cargadas de vitalidad y pureza, como el amor. Por ejemplo: cómo decirle a una mujer que la amas sin necesidad de pintarla, eso es lo que quiero decir; cómo hacerlo sin tener que recurrir a un retrato.

—En literatura tenemos mil maneras de decir a alguien que lo amas, la poesía es la más embelesadora, la más sutil, pero en pintura es distinto, claro. Tú hablas de la abstracción, del gesto como expresión artística, eso es, ¿pero cómo llevarlo a cabo para espanto de los putrefactos? Interesante. La palabra contiene una forma precisa, un significado que sostener. Por ejemplo, yo veo que entran cuatro caballos blancos en el mar, o que Bernarda dice: «Calla esa lengua atormentadora», cada una de esas palabras evoca una imagen, lleva una acción concreta, y el orden al agruparlas, entre combinaciones infinitas, es lo que cambia el sentido, haciéndolo real o irreal. La complejidad del lenguaje, tan sencillo en apariencia, resulta fascinante.

Federico se extiende hablando de su obra entre risas, con una personalidad arrolladora. Ése es el García Lorca que yo deseaba encontrar, el que tan pronto se refiere a un poema como a una obra de teatro, o a la inutilidad del ala del pollo con la que es capaz de construir una historia en torno a la incapacidad del ave para volar. Esperancita y mi madre, que han vuelto de la compra, suben a preguntarle a Federico si tiene alguna preferencia para comer. Él contesta, sonriente:

140

—¡Acabo de desayunar, doña Esperanza! ¿Cómo podría pensar en algo tan lejano?

—Queremos que te sientas cómodo, como si estuvieras en tu casa. Pídenos lo que desees, que no es ningún trabajo preparar una comida de tu agrado, hay que cocinar de todas formas. Quería decirte que puedes utilizar el piano, sabemos que tocas muy bien, y consultar la biblioteca de Luis.

—Pues mire, doña Esperanza, para que vea que me siento cómodo, me gustaría disponer de papel y de una radio, si es posible, y del piano.

—Claro que sí, no hay ningún problema. Te hemos traído el periódico.

Salgo a la calle y le traigo de la tienda de mi padre el papel suficiente como para que pueda escribir varias obras de teatro. Al entrar en su habitación con el papel y la radio de Miguel, que desde que se casó no se usa, me sobrecoge de pronto la profunda expresión de tristeza que hay en Federico. Lo había dejado alegre, conversador, y ahora lo encuentro hundido, leyendo el *Ideal* de hoy, porque en la página cuatro publica la nota siguiente:

DETENIDO POR SUPUESTA OCULTACIÓN

Por sospecharse que pudiera ocultar el paradero de sus hermanos José, Andrés y Antonio, acusados por haber dado muerte a José y Daniel Linares, hecho ocurrido en un pueblo de la provincia el 2 del pasado mes, un sargento de la Benemérita, retirado, detuvo ayer a Gabriel Perea Ruiz en su domicilio, callejones de Gracia, huerta de don Federico García. Después de interrogado, fue puesto en libertad (9).

—Gerardo, mira qué imprudencia hacer estas cosas públicas. Ahora la gente quizá acusen a mi padre de encubridor o reaviven toda esa farsa de mi comunismo.

(9) Publicado en el diario *Ideal* e incluido en la obra de Ian Gibson *El asesinato de García Lorca*.

141

—No creo, Federico, el periódico lo que hace es aclarar la situación. ¿No ves qué dice?, que después de interrogar a Gabriel lo han puesto en libertad. Eso os beneficia, te beneficia a ti, aleja cualquier tipo de sospecha de Gabriel y de tu familia, es una buena noticia.

—Ya veremos, Gerardo, con esta nota hacen público un suceso que no tenía que haber ocurrido y dice «en la huerta de don Federico García», sin aclarar que se trata del casero. Los que no sepan que vive allí pueden pensar que mi familia está implicada, que va en contra de los que hoy toman las calles, ya estamos en desgracia con mi cuñado encarcelado y yo aquí, porque no puedo quedarme en mi casa y esperar sentado a que vayan a buscarme. Estamos en desgracia, Gerardo. Pobre Gabriel, mozo viejo, ¿qué le habrán hecho en el interrogatorio?

—Gabriel está en libertad, que es lo importante, no te aflijas. La nota no deja dudas de que la detención fue un error. Anda, vamos a instalar la radio, acércame el cable por detrás.

—¡Si supieras qué sensaciones tan extrañas me asaltan! Me oprimen como si vinieran del limbo, donde no debe de haber nada. Hace unos días tuve un sueño espantoso. Estaba tendido en el suelo, rodeado de pies a cabeza por mujeres con los rostros ocultos por el luto, se acercaban vestidas de negro y me amenazaban con crucifijos negros en las manos, entonando un desafinado réquiem al sonsonete de quien reza el rosario. Cerraban el círculo a mi alrededor, sin dejarme espacio, y hacían ademanes para golpearme con los crucifijos, la vida se me iba de puro espanto. Ni tan siquiera podía gritar «¡auxilio!», y por mi garganta no pasaba saliva, qué ahogo. Al mirarlas, se transformaban y escondían los crucifijos bajo un chal que les salía de la cintura sin amenazarme. Les veía las caras azules como de muerte y seducción, llevaban unos extraños zapatos rojos, como los que usan en Argentina para bailar el tango y, cuando dejaba de mirarlas, de nuevo se transformaban. Sentía que iban a matarme y quería verlas de nuevo para que se detuvieran, pero no podía, los ojos no me obedecían y se quedaban cerrados. ¡Qué miedo pasé!

Al fin, desperté angustiado, antes de perder el último aliento. Bajé sudando de mi habitación con la cara descompuesta y el corazón en la boca. Le conté el sueño a mi madre y a Eduardillo Rodríguez Valdivieso, que había ido a visitarme a la Huerta. Ellos me decían que me tranquilizara, estaba descompuesto, que sólo había sido una pesadilla... Pero yo vi que mi madre también se asustaba.

—El subconsciente es un puñetero, Federico, le gusta gastar bromas pesadas. Deberías pensar en los éxitos que has tenido en Buenos Aires o quizá en una nueva obra de teatro, divertida, por qué no, cómica, eso es, cómica, intrascendente, el humor ahuyenta los pensamientos oscuros. Piensa en cosas banales y agradables.

—Eso debería hacer, Gerardo... ¡Ay!, suceden tantas cosas inesperadas a mi alrededor, que se me llena el cuerpo de sombras. Los sueños agradables se van en el aire con cada bomba, con cada tiro que hace desaparecer a un hombre.

—¡Deja de pensar en esas cosas, Federico, y tira del cable por detrás del mueble, hombre! Eso es, así, y dámelo por aquí. Ahora, a enchufar y esperar un momento a que la radio se caliente. ¿Ves?, ya suena, eso que crepita es Radio Sevilla, creo, música por aquí... Radio Madrid por allá... a ver... Radio Granada... Lo que quieras, un sinfín de voces lejanas y cada una con sus mentiras.

—Eso es, en lugar de llamarlos noticiarios, vamos a llamarlos los «embustarios». ¿Puedes localizar otra vez Radio Madrid?

—¿Dónde te escondes, Madrid? Por aquí, ¿verdad...? A ver, a ver. Te pillé, aquí la tienes. No le hagas mucho caso a Madrid, que da los partes manipulados para influir en la gente; los retuercen y los emiten con mucho retraso. Siembran la confusión intencionadamente, no son de fiar. Es mejor no tomarse en serio cualquier «embustario», como tú dices, venga de donde venga. Hazme caso y piensa en cosas alegres.

—Ya sé que en todos los partes matan la verdad, como en el frente, que por decir la verdad, también matan en cualquiera de los dos bandos.

Igual que han matado a mi amigo Constantino Ruiz por decir su verdad en *El Defensor*, por ser fiel a sus convicciones, por defenderlas hasta el último día que lo dejaron publicar el periódico. A él y a tantos otros amigos los han matado por hablar, y mi cuñado correrá la misma suerte... Perdona, Gerardo. Sé que contigo puedo hablar de estas cosas, que habéis salvado otras vidas. Tengo mucho miedo.

—No debes pensar en eso, te vendrás abajo si sigues así. ¿Cómo sabes que hemos pasado a algunos amigos al otro lado?

—Lo dijisteis ayer en la Huerta, pero lo sé hace días. Por eso llamé a Luis, por eso vine.

—Pero ¿cómo te enteraste?

—Granada es muy chica. Tenemos amigos comunes.

La respuesta de Federico: «Lo sé hace días, Granada es muy chica», me alerta del peligro que corremos todos. Me vuelvo a la radio para quitarle voz y darme unos instantes para no caer contagiado de pensamientos oscuros.

—Escucha, Federico, no hablemos más de esto, hablemos de cosas alegres.

—¿De cosas alegres o bonitas, dices? Los recuerdos realmente agradables vienen de Asquerosa. De la casa de mi infancia y de aquel patio cerrado por las cuadras, cuando el tiempo se detenía en las largas tardes de verano, al refugio del frescor que rezumaba el pozo y del olor a maíz recién cosechado, que bajaba por la escalera desde el granero, como la niebla desciende pegada a la montaña. Me gustaba garabatear en la misma pared del granero donde mi padre con lápiz rojo de carpintero, de esos que tienen la mina plana, ajustaba las cuentas en decimales: tantos kilos por real. Aquellas cuentas interminables se quedaban en la pared, como testigos de un año y otro.

»Mi mundo de números era aquel zócalo. Allí escribía las diez tablas de matemáticas, como diez mandamientos. Eran mis cuentas. Las repasaba una y otra vez, memorizaba la del ocho, pensando que algún día podría descubrir el enigma de las multiplicaciones, de los decimales que vivían encima de mis tablas y me vigilaban. ¡Virgen mía! ¡Qué trabajo me costaban! Eran agotadoras. Yo me ayudaba desgranando el maíz, como me enseñó mi madre, para comprender que cuatro montoncitos de cuatro granos eran dieciséis granos y después, cuando me cansaba de repasar las cuentas y de contar los montoncitos, me ponía a jugar. ¡Ay!, el juego me perdía.

»Jugaba a vestirme de todo, de soldado, de Fonseca, de caballero, de Romeo, de cocinera, de doña Rosita, imaginaba escenas de teatro, observaba el secreto que tienen las cosas. Ésa es la poesía: el misterio que envuelve a las cosas o a las personas, la unión de dos palabras que uno nunca supo que pudieran juntarse y que forman algo así como un secreto; y cuanto más las pronuncias, más sugestiones acuerdan entre ellas. La poesía andaba por la casa, bajo aquellas vigas venerables donde vivían tan a gusto las polillas y los ratoncitos, en las viejísimas salas y en las paredes que se morían de aburrimiento en los largos inviernos esperando que llegáramos a pasar el verano. La poesía andaba por aquel patio y el teatro, espontáneo como la vida, surgía por las calles de Arquerosa, por la casa de Frasquita Alba. Allí nací poeta, en Arquerosa. Ahora, aquellos pobres ladrillos, puertas y ventanas, cansadísimos de vivir, esperan deshacerse bajo el sol en un muladar.

»Siempre miramos atrás, donde los sabios vidrios se quiebran, a nuestro lugar de origen. A la infancia, que nos moldea junto al río, con un sabor a caña de azúcar. A las mañanas de cristal de hielo nacidas con alfombras de nieve. Aquellas mañanas, yo era el primero en abandonar corriendo la cama con dos calcetines y las botas bien abrochadas. Bajo mis pies hacía crujir la esponjosa nevada. Quería dejar mis huellas el primero, pero los perros siempre se anticipaban y yo seguía las hileras de hoyitos que habían dejado sus patas para encontrarlos. De pronto, los hoyitos se arremolinaban en círculo antes de tomar otra dirección, y formaban un laberinto de caminos que nunca me llevaba a los perros.

—Federico, ¿por qué a veces llamas al pueblo Arquerosa y otras Asquerosa? ¿Cómo se llama?

—Los musulmanes tenían allí un destacamento de arqueros, y debió de tomar el nombre de Arquerosa, pero con la pronunciación de los del pueblo se convirtió en Asquerosa. Todos lo llamaban así, Asquerosa. Todavía recuerdo a mi hermana Concha, casi mozuela, tirándole bolas de nieve a Horacio Roldán, que entonces la cortejaba con cara de bobo. El mismo Roldán que ayer parecía dispuesto a apretar el gatillo contra el pobre Gabriel en la Huerta de San Vicente. Ella le tiraba bolas con coraje, bien amasadas, para ahuyentarlo, protegida por el pozo repleto de nieve en los filos y, tras el cubo que colgaba de la garrucha, le tiraba a dar, con ganas de hacerle daño, pero no se daba cuenta de que él lo tomaba como un juego, acertando más veces que ella. Hasta que Concha, con las manitas rojas, tiritando de frío y apretando la boca para evitar el castañeteo de los dientes, no daba una, entonces corría al calor de la lumbre para refugiarse en la casa, la pobrecita a punto de llorar.

»Fuera, sin pasar la frontera del pozo, Horacio la esperaba inútilmente, haciendo intentonas de verla a través de los cristales empañados, y ella le escribía en el vaho: «Burro, burro, más que burro», en letra grande y al revés para que él pudiera leerlo. No sé si por miopía, o porque no sabía leer del todo, o porque se fijaba en otra cosa, el caso es que no llegó a descifrarlo a pesar de lo atento que miraba. Como desde pequeñico ha sido tan burrísimo, yo temía que, si lo leía, rompiera el cristal de un bolazo.

—Bueno, deja a los Roldán y cuéntame otras cosas.

—También en Nueva York mis ojos miraban al pueblo en contraste con los gemidos putrefactos del amenazado Harlem. O a la manera de saludarse de los estudiantes, con un largo apretón de manos en señal de afecto, igual que la de los campesinos resguardados en la brisa de las choperas de Asquerosa. Me acuerdo de las novatadas que gastaban los estudiantes viejos a los jovencillos recién llegados. Un día me despertaron los griteríos a las nueve de la mañana, me asomé a la ventana, y vi cómo los desnudaban enteros. En cinco minutos dejaron un montón de zapatos, saquitos, camisas y calzones blancos en el campo de juegos; a los valientes que se resistían los agarraron sin misericordia y los tiraron al pilón de agua que había cerca de la puerta de la biblioteca. Después volvían los pobres como gallinas mojadas. Parecían, desde la altura, muñecos de trapo recogidos del río. Yo tuve suerte, me libré de todo eso por ser mayor para ellos. ¡Qué vergüenza, si llego a quedarme en trapillos delante de tanto hombre! A pesar de todo, disfruté viendo cómo corrían sin remedio aquellos jóvenes de monísimos cuerpos. Después, como el David de Miguel Ángel, los pobrecitos se quedaron quietos sin atreverse a mover un dedo (10).

—¡Eh! ¡Los de arriba! ¿Queréis un aperitivo?

—¡Ya vamos...! Es Esperancica, que nos avisa para tomar algo.

—Ve tú, por favor, en seguida bajo yo.

Voy entendiendo la profunda fragilidad de Federico, que se queda oyendo el parte de Radio Madrid, esperando noticias que lo calmen y le devuelvan la elocuencia del desayuno. Lo noto derrumbado, abatido, y sus ojos tienen el brillo roto, inquietante.

Luis, que acaba de llegar con Pepe, comenta que se ha encontrado con José María Nestares en la calle Duquesa y que le ha sonsacado para averiguar si hay alguna denuncia o algo contra Federico.

—Le he preguntado por lo sucedido ayer en la Huerta de San Vicente, aprovechando la nota que viene hoy en el periódico, sin decirle que Federico está con nosotros. Nestares no sabe qué pasó, piensa que se trata de un ajuste de cuentas de los Roldán y no ha oído ningún rumor contra él. Aunque recuerda que don Federico, hace tiempo, tuvo un agarrón con Horacio Roldán por un litigio de lindes que terminó en los juzgados y que desde entonces le tiene ganas a la familia García Lorca. «Asunto entre ca-

(10) Basado en cartas de Federico a su familia, facilitadas por los archivos de la casa natal del poeta, en Valderrubio (antes Asquerosa).

ciques, ya sabes...» me ha dicho Nestares, sin mayor importancia. En fin, parece que Federico no corre peligro, aunque tampoco podemos estar seguros, ni debemos ir por ahí preguntando a unos y a otros como si tal cosa: «Oye, fulano, ¿García Lorca está entre los sospechosos?» Sería una majadería, como bien dijiste el otro día.

—Es posible que no sea nada más que una fanfarronada, Luis, y que al poner en libertad a Gabriel, el casero, ¿se llama Gabriel, no?, la cosa quede ahí. Pero también es posible que encuentren un motivo para ir directamente a por Federico.

—Tú los conoces mejor que nadie, Pepe, ¿tú qué dices?

—Te lo acabo de decir. Yo no movería mucho las aguas, por si huelen. Aquí está seguro, deja que pasen unos días y verás cómo se olvidan de él, después...

—¿De verdad creéis que está seguro? —interrumpe Miguel, que ha venido a traer unas cosas—, y lo que es peor, ¿estamos seguros nosotros? Si se enteran de las declaraciones de Federico sobre la burguesía, de la entrevista en *El Sol* con Bagaría... de sus manifiestos en apoyo del Frente Popular, de aquel que publicó *Mundo Obrero*, o del pésame al gobierno soviético por la muerte de Gorki, del montón de manifiestos que ha firmado... desde luego, si se enteran, irán a por él. Y nos salpicará a nosotros si se sabe que está aquí. Les importa cuatro leches que seamos falangistas o quienes seamos, están acojonados porque a Granada la tienen asediada los rojos y lo mismo les da ocho que ochenta. ¿Sabéis lo de Valdés y la Zapatera de la calle Mesones, la de la bandera republicana por el 29?

—Mira, Miguel, no sigas —exclama Luis.

—Pues la detuvieron hace unos días, la llevaron a Valdés, que estaba detrás de su mesa, y la Agustina le dijo: «Usted está ahora ahí y yo aquí. Dentro de media hora yo estaré *sentá* en su sillón y mandaré que lo fusilen.» Y Valdés dijo: «¡Al cementerio ahora mismo con ella antes de que pase esa media hora!»

—¿Es verdad lo que has contado de la Zapatera? —pregunta Pepe.

—Completamente, y se la llevaron inmediatamente para el cementerio. Si hasta ahora no buscan a García Lorca, es porque no se interesan por esas cosas de la poesía y el teatro. Pero no son estúpidos. Tarde o temprano se enterarán de quién es tu amigo, y que sepáis que le compromete su amistad con el Fernando de los Ríos y con el Otero, y también por ser cuñado de un alcalde socialista, aunque ése tenga de socialista lo que yo de cura. En fin, vosotros veréis, con tantos amiguitos como traéis por aquí.

—Miguel, dices eso con un tonillo que atufa. Se trata de un poeta, no está en ningún partido político. ¿Y cómo no van a saber en Granada quién es Federico García Lorca?

—Luis, no te confundas...

—¿Tú también, Gerardico? Y no me confundo, pero no vamos a discutir.

—¡Pues claro que no vamos a discutir! Tú eres poeta, te interesas por la cultura, vas al cine, al teatro, te gustan los libros, participas en tertulias y lees los periódicos, pero ellos no conocen ese mundo. Leen, sí, pero las esquelas mortuorias del periódico o los titulares de algún asunto morboso y, si les llama la atención lo suficiente como para empapárselo entero, les asusta tanto leer que ni se enteran. Sus tertulias son sobre mesa de tahúres donde se juegan lo que no tienen a las cartas, sobre putas o queridas. Si acaso, en lugar de al teatro, van a los toros, a beber y después a seguir bebiendo. Funcionan así: al paso del que tiene más cojones. Y desde luego no tienen cultura alguna. Bueno... cultura es para ellos un insulto, un enemigo que los ridiculiza. Un enemigo real al que temen y odian si no lo tienen de su lado.

—Mira por dónde sale el benjamín. Ahí os quedáis con vuestras historias de cultura, que os creéis muy listos. Yo ya he dicho lo que tenía que decir de vuestros amiguitos, es peligroso lo que estáis haciendo, que lo sepáis. Me voy.

—¿No te quedas a comer, Miguel?

—No, comeré en mi casa.

Al marcharse Miguel, me quedo pensando que, con independencia de sus formas, en el fondo puede tener razón, y recuerdo que Luis, al enterarse de que Federico había llegado a Granada, pensaba que podía correr peligro. Entonces digo:

—Estaría bien hablar con Federico e intentar pasarlo a la otra zona, como nos sugirió ayer su padre, sería mejor para él, estaría más tranquilo en Málaga con López Banús y Contreras, que son amigos suyos, y tampoco se sentiría solo. Esta mañana lo he notado con miedo, enjaulado, presintiendo el peligro.

—¡Venga, Gerardo! A Miguel le sobra y a ti te falta. Ya sabemos que vas un poco a contrapelo con el Alzamiento, estás exagerando. Federico no corre peligro ni aquí le pasará nada, hombre. Sólo serán unos días, hasta que dejen de ir esos miserables por la Huerta. Dejemos esta conversación y vayamos a comer, por favor. Voy a subir a por él.

Al momento, Luis y Federico entran al comedor de la planta baja.

—¡Hombre, Federico! Siéntate por aquí, ¿qué tal en tu habitación, te encuentras cómodo, te apetece un gazpacho fresquito o necesitas cualquier cosa?

—Sí, sí, estoy bien, gracias, Pepe, y el gazpacho lo estoy deseando. ¿Puedo llamar a mis padres?

—El teléfono es todo tuyo, no tienes que preguntar —responde mi padre, que se pone en pie para recibirlo.

Después de hablar brevemente con su casa y de saber que Gabriel, el casero, está bien y que nadie ha vuelto a molestar por la Huerta de San Vicente, Federico recobra la sonrisa y el brillo en los ojos.

Nos sentamos a la mesa con la ausencia de Antonio, que anda de servicio. Como de costumbre, el menú (entremeses, costillas de cordero, judías verdes con tomate, perdices de lechuga y mi postre favorito, flan con caramelo) está en el aparador para ser servido.

Cuando Basi comienza a servir, mi madre, después de santiguarse, gesto que Federico adopta instintivamente, le dice:

—Espero que hayamos acertado en la comida, no conocemos tus preferencias, si algún día quieres algo especial, no tienes más que decirlo.

—Son muy sencillas, doña Esperanza, casi chiquitinas de la poca importancia. Me chifla la tortilla de patatas con tomate, el pollo, y el gazpacho, como ahora, riquísimo en verano. Según veo, hay dos de mis cuatro delicias: el tomate y la reina de las sopas frías con trocitos de pepino, ¿qué más puedo pedir?

Al desdoblar su servilleta, Federico encuentra una vieja foto en la que aparecen dos niños. Asombrado, sin duda por tan peculiar sitio de guardar el retrato, pregunta socarrón mientras me pasa la fotografía:

—¿Quiénes son estos comensales?

—Somos mi hermana María y yo, aunque no recuerdo bien cuándo nos la hicieron, han pasado tantos años...

—Qué caprichosa es la memoria, que no encuentra parte de lo vivido, ¿verdad? A todos nos pasa, pero está ahí, dentro de una servilleta.

Luis se muere de risa y está a punto de atragantarse. Luego exclama:

—¡Bueno! ¡Qué hallazgo! ¡Mira lo que aparece, la memoria perdida! La foto que guardé en la servilleta para que no se manchara mientras escribía y desayunaba la otra mañana. Pásame la foto, por favor.

Estas dos cabecitas infantiles, una de niño, otra de niña, que veis, son dos cabecitas serias, conciliadoras. La de ella es más serena y, por tanto, más distante. La de él, algo más próxima, me está diciendo su secreto, me está diciendo que la hombría comienza a definirse por la tristeza. En los retratos de los adolescentes siempre es más triste el varón. El hombre ya está de luto desde niño, y el luto es sólo una continuidad, una fidelidad a algo que es nuestro y nos falta. Hay una risa alegre, franca, abierta, y hay también esa risa andada e interior que es un milagro de la fe, o aún más precisamente, de la fidelidad. Y tengo que deciros que no hay nadie en el mundo que se haya preservado tanto como Gerardo en esta humana fidelidad de la sonrisa.

Mas no todos la ven. Recuerdo que aquel día acompañaba yo a los niños cuan-

do se retrataron. Era una tarde de verano. Detrás de los cristales del estudio, alguien iba escribiendo una luz lenta y colegiala. El fotógrafo, que no estaba de suerte, por lo visto, ya había tirado inútilmente varias fotografías. No le gustaban demasiado. No le podían gustar. Gerardo no se quedaba quieto, sino rígido. En el momento mismo de sentirse colocado frente a la máquina, se contraía, se espesaba hacia dentro, paralíticamente. María posaba, en cambio, como el agua que corre. Y al fotógrafo se le había quedado toda su ciencia tan inútil como esa vaga hora medio pensionista de la salida del colegio, y no sabía qué hacer con ellos. Se encapuchaba detrás de la máquina y se quedaba allí como un lagarto negro. Después volvía a salir, ¿por qué me daba entonces la impresión de estar decapitado?, para rehacer y volver a rehacer, inútilmente, el grupo, y darles a los niños las más prolijas y sustanciales indicaciones. Al fin, cansado y sudoroso como una esponja, recurrió a mí: «Oiga, ¿quiere decirle a su hermanito que pruebe a sonreír?» Yo me callé. Ya estaba dicho todo. Ya estaba el daño hecho. Gerardo me miraba, y el tiempo era como un espejo inmenso que se iba deshelando y avanzaba como un alud de nieve sobre él. Ya estaba dicho todo cuando el fotógrafo, que tenía cara de colador, y nevaba también con una nieve sucia en el espejo, volvió a sacar la cabeza de la cámara y, adelantando el cuerpo a las palabras, repitió: «¿Lo has oído, pequeño?» Yo sabía que Gerardo lo había oído. Yo sabía que Gerardo sufría como si se sintiese golpeado. Le miré. Le miré levantarse lentamente del asiento y dirigirse a mí. Le temblaban los labios. Tardó bastante en contestar. Al fin, pudo decirme: «Dile al señor que yo aún no sé reír (11).»

—Entrañable, Luis, realmente entrañable, preciosísima. Mira cómo ríe ahora Gerardo, vencida la timidez de niño. Ríe al despertar el recuerdo de un profundo sueño.

—Reíd lo que queráis, sí, pero no creáis que el recuerdo me ha despertado del todo, sigue envuelto en una niebla que no me deja ver.

—¿Cuándo lo escribiste, Luis?

(11)   Luis Rosales, «Ayer, siempre domingo», en *El contenido del corazón. Obras completas I*, Trota.

—Lo hice al llegar de Madrid, la foto me invitó a viajar por los rincones perdidos de la memoria, a encontrar el vestigio olvidado tras los años.

—Tú te nutres del interior, Luis. Hurgas en el pasado como arquitecto que revisa meticulosamente los cimientos antes de seguir construyendo. Te basas en la estructura del comportamiento como valor indeleble hacia la vida. Es muy hermoso lo que acabas de narrar. Sin duda tienes alma de poeta.

»En cambio, yo no practico ese mirar hacia dentro. Me nutro del exterior, de la observación de lo que me rodea y de la misteriosa música que lo envuelve, del sonido en el aire o de los metales, de la deshumanizadora actitud del hombre y de su grandeza. En el misterio que rodea las cosas encuentro la poesía. En el rechinar del cristal, en el golpear del martillo o en las sirenas que continuamente suenan por las grandes ciudades, y sus cadenas. Y en el enjambre que rodea al hombre víctima de su propia necedad. Todo ello me incita sin partidismo a la crítica social. Y me duele el desamparo putrefacto de Nueva York, y de las plácidas pero analfabetas ciudades sin acceso a la libertadora que nunca traiciona. La cultura.

»Permíteme que recite a tu familia algo de *Poeta en Nueva York*, un párrafo de «Grito hacia Roma» y «Danza de la Muerte», donde encuentro esa mirada profundísima, limpia, como instrumento poderoso:

> *Manzanas levemente heridas*
> *por finos espadines de plata,*
> *nubes rasgadas por una mano de coral*
> *que lleva en el dorso una almendra de fuego,*
> *peces de arsénico como tiburones,*
> *tiburones como gotas de llanto para cegar una multitud,*
> *rosas que hieren*
> *y las agujas instaladas en los caños de la sangre,*
> *mundos enemigos y amores cubiertos de gusanos*

caerán sobre ti. Caerán sobre la gran cúpula
que untan de aceite las lenguas militares
donde un hombre se orina en una deslumbrante paloma
y escupe carbón machacado
rodeado de miles de campanillas.

Porque ya no hay quien reparta el pan ni el vino,
ni quien cultive hierbas en la boca del muerto,
ni quien abra los linos del reposo,
ni quien llore por las heridas de los elefantes.
No hay más que un millón de herreros
forjando cadenas para los niños que han de venir.
No hay más que un millón de carpinteros
que hacen ataúdes sin cruz.
No hay más que un gentío de lamentos
que se abren las ropas en espera de las balas.

»O éste:

Yo estaba en la terraza luchando con la luna.
Enjambres de ventanas acribillaban un muslo de la noche.
En mis ojos bebían las dulces vacas de los cielos
y las brisas de largos remos
golpeaban los cenicientos cristales de Broadway.

La gota de sangre buscaba la luz de la yema del astro
para fingir una muerta semilla de manzana.
El aire de la llanura, empujado por los pastores,
temblaba con un miedo de molusco sin concha (12).

(12)   F. García Lorca, *Poeta en Nueva York*.

154

—Como acabáis de oír, Federico extiende los brazos impregnando los versos de calor humano, animando lo inanimado. Envuelve las palabras en música, pintándolas, expresando de manera inequívoca una sucesión de imágenes. De sonidos naturales y metálicos, mezclados, que se lamentan desesperadamente bajo el ritmo del yunque o del crujir de los cristales por la presión del viento, de los pastores que empujan al aire ante la soledad del horizonte. Lo ancestral, lo primitivo que todos llevamos dentro, flota en sus poemas desde una profunda conciencia. Federico, eres sencillamente el mago de las palabras.

—Me vas a subir los colores, Luis.

—Dejadme que os diga — interviene Pepe—: ¡Sois dos poetas como la copa de un pino! Y he disfrutado, aunque estáis demasiado melancólicos evocando nostalgias y tristezas. Os contaré algo curioso sobre la gravedad.

—¿Sobre qué has dicho, Pepe?

—Sobre la gravedad, y las palabras, que tanto os gustan. Por ejemplo: imaginad un lápiz con la mina bien afilada apuntando al suelo y sostenido por el extremo contrario con los dedos. El suelo de piedra lo mira fijamente. De pronto, los dedos sueltan el lápiz y... ¡pataplún!, la punta se hace añicos al estrellarse contra el durísimo suelo. ¿Podríamos deducir por eso que la gravedad es un rompepuntas?

»Las palabras, sin embargo, conocen muy bien el juego del escondite. ¿Adónde van las palabras que en este momento salen de mi boca? No se las ve por ahí suspendidas, ni caídas al suelo. Se ocultan, juguetonas, flotando para que las busquemos, refugiadas en un olvido invisible. Podríamos pensar que son ingrávidas, grandes viajeras en las ondas del tiempo. También podríamos decir que la gravedad es un pegamento que nos sujeta al suelo, un pegamento elástico que nos permite saltar. O un rompehuevos, porque hay que ver la que se lía cuando dejas caer un huevo al suelo, la que se lía para recogerlo poniéndolo todo peguntoso.

»Las mozuelas deberían tener gravedad en los labios. Aunque algunas los tienen imantados... El otro día no me podía despegar, ¡ya eran las diez, y claro, no podía ir conmigo a su casa! Era el de arriba, el labio que a nadie le gusta, el más imantado, pero para mí... ay de mí, sin duda habría sido mejor que tuviese gravedad.

»También la gravedad tiene sus ventajas, imaginaos por la mañana, cuando vamos al retrete a poner nuestras sobras trituradas y empaquetadas...

—Pero Pepe, por Dios, que estamos en la mesa.

—Perdona, mamá, es que... es que... imaginaos que los paquetitos, si no hubiera gravedad, se quedaran pegaditos, haciéndonos cosquillas. ¡Qué molestos! Todo el día ahí, y venga con las cosquillas, como moscas, otras ingrávidas que te persiguen como si tuvieras imán y nos adoptan, como si fuéramos sus padres allá donde vamos.

Los gestos de Pepe y su risa acentúan el disparate haciéndonos reír a todos. Incluso a mi madre, a pesar de su llamada de atención, se le escapa la risa guardada entre las manos. De pronto, el ruido de aviones nos hace callar y el aullar de las sirenas correr rápidamente hacia el hueco de la escalera. Federico no duda en refugiarse entre las tinajas. El bombardeo, más intenso que otras veces, se oye muy próximo, y los aviones, probablemente cuatro, sobrevuelan la zona. Ante la preocupación de mi madre, Federico comenta:

—Estoy seguro de que en una casa tan hospitalaria no caerá ninguna bomba, doña Esperanza. A este lugar —dice, refiriéndose al hueco de la escalera— lo llamaré el «Bombario protector».

A pesar de sus palabras, el pánico le sale por los ojos. Tiembla encogido, en cuclillas, con las manos sobre la cabeza, como un niño asustado tras el rinconcillo de las tinajas de agua. Mis hermanos empiezan a insultar a la aviación, sin escatimar adjetivos, mientras Basi gime:

—¡Ay! ¡Otra! ¡Y otra más! ¡Por Dios! ¡Que acabe esto!

La hora de marcharnos ha llegado violentamente, recordándonos el turno para la guerra. Cada vez me cuesta más cumplir con las obligaciones a las que voluntariamente me he comprometido. Los aviones se alejan definitivamente, todos nos preparamos para salir, excepto las mujeres y Federico.

Por la noche vuelvo tan tarde que ceno rápidamente sin apenas hablar con mis hermanos. Me cuentan que Federico ha pasado la tarde con mi madre, tía Luisa y Esperancita, tocando el piano. Luis sube a verlo, y yo me acuesto pensando que los días pasan penosamente, sin poder ver a los amigos, a pesar de que la ciudad, al oscurecer, queda en una aparente normalidad. Los cines funcionan, los cafés, las tabernas y el Rey Chico, donde Pepe quería que fuéramos para descargar la tensión del día, abren sus puertas todas las noches. Desde que me incorporé al grupo de abastecimiento, y a pesar de las ganas que tengo, no he podido ver a Elena. Qué será de ella, ¿creerá que no quiero verla? Mañana, aunque sean diez minutos, tengo que acercarme al hospital.

Hoy, martes, 11 de agosto, antes de salir subo un momento a saludar a Federico, que ya está leyendo el diario *Ideal*, «el cuentachismes», lo llama. Se publica que entre la madrugada de ayer y de hoy se han efectuado veintinueve ejecuciones como represalia a los últimos bombardeos; la nota dice textualmente:

En la mañana de ayer se ejecutó la sentencia condenatoria a la última pena en nueve paisanos por los delitos de rebelión y agresión a la fuerza armada.

En la de hoy han sido ejecutados tres paisanos por los mismos delitos; dos más por los de amenazas a la fuerza pública, hacer propaganda marxista y propagar bulos, y quince por represalias por el bombardeo de la población civil en el día de ayer, en virtud de lo dispuesto en el Bando dictado a este efecto (13).

Federico, muy preocupado, comenta:

—Cualquier día le tocará a mi cuñado. Cualquier día le tocará a otro amigo inocente.

(13)   Publicado en el diario *Ideal*.

Para distraerlo le pregunto cómo pasó ayer la tarde.

—Bien, tocando el piano para las damas de la casa y leyendo.

—¿Eres tú, Gerardo?

—Sí, tía Luisa.

—Hola, hijo, no sabes lo bien que toca el piano Federico.

—Eso me estaba diciendo, que tocó ayer para vosotras.

—Y cantó, sabe muchas canciones antiguas, lo hace muy bien.

—Doña Luisa, que no es para tanto...

—Di que sí, que tiene una voz muy bonita y hace bailar al piano. Lo que pasa es que Federico es muy modesto o aún no tiene confianza con nosotras, que es lo que me temo. Bueno, os dejo, que vosotros sois jóvenes y os gustará hablar de otras cosas.

—Como quieras, tía Luisa.

—Tu tía es muy amable, le encanta hablar, estuvo toda la tarde pendiente de mí por si necesitaba algo.

—Sí que lo es. ¿Y qué estuviste leyendo?

—*Las metamorfosis* de Ovidio, hacía tiempo que no lo hojeaba, en ese libro está el ritmo de la literatura, Gerardo.

—Me tengo que ir, Federico, he subido sólo a fumarme este cigarrillo contigo. Pero me tienes que hablar de Ovidio y del ritmo de la literatura, ¿eh?

—Gerardo, ¿crees que seguirán con esas ejecuciones?

—Me temo que sí, el clima de terror que está imponiendo Valdés en Granada es espantoso. Sé que te preocupa tu cuñado, pero piensa que si lleva tantos días detenido es porque no tienen intención de hacerle nada, temerán que la izquierda se les eche encima.

—¡Ojalá tengas razón!

—Cuando vuelva subiré a verte.

—De acuerdo. Te hablaré de Ovidio.

Lo dejo escuchando la radio, leyendo, pensando... Me marcho con el remordimiento de haberle mentido sobre su cuñado, aunque sea para tranquilizarlo. Tengo la sensación de que necesita comunicarse, que a pesar de nuestras atenciones, que tampoco son muchas, ya que estamos todo el día fuera de casa, se siente atrapado entre falangistas sin entera libertad para hablar, y salgo con ganas de decirle: «¡Vete, Federico! ¡Huye, no dependas de los demás!» Pero ¿acaso no estoy yo tan atrapado como él..., a punto de cometer cualquier imprudencia?

—¡Eh, benjamín! Espera.

Oigo a mis espaldas la voz de mi hermano Miguel, acabo de doblar por la calle de la Cárcel, la esquina de su casa, viene detrás de mí y los dos vamos al mismo sitio, al cuartel de San Jerónimo.

—Oye, Gerardico. Ese rojo que Luis tiene escondido en casa puede darnos problemas.

—¿Qué dices?

—Sí, hombre. ¿O te haces de nuevas?

—¡Qué nuevas ni qué viejas! ¿A qué viene eso ahora?

—¡Coño, Gerardo! Que el poeta no es de fiar. Que ése está más comprometido de lo que parece. Ése es un masón, que lo sé yo, me lo dijeron en la cofradía de Santa María de la Alhambra. Y aunque fuera un santo, no es de mi agrado.

—Si no tiene que ser de tu agrado, ni vives con nosotros desde que te casaste. A ti ni te va ni te viene, es papá quien lo tiene invitado en su casa, y no tú en la tuya.

—¿Cómo que no me va? Está poniendo en peligro la vida de mi madre, de mis hermanas, ¿te parece poco?

—Miguel, no digas más tonterías, que es *pa* cagarse con la capa puesta. Ahora resulta que es masón y que tus amigos no representaban peligro mientras estabais conspirando y Federico sí. ¡Venga ya!

—¿Me estás llamando tonto o algo parecido, a mí, a tu hermano mayor?

—Pero ¿qué hermano mayor ni qué caray, qué historias son ésas a estas alturas? Mira, yo no quiero discutir sandeces de ese tipo. Ya me di cuenta ayer, cuando le dabas un repaso a todos los actos políticos en los que ha participado García Lorca, y ahora, que si es masón... En fin, ya te digo que no voy a discutir. Si no te parece bien, díselo a papá, o a Luis, o a Pepe, pero no a mí, no me vengas con monsergas y vamos a dejar el asunto.

—¡Dejar el asunto! ¡Dejar el asunto! ¿No tienes otra cosa mejor que decir que dejar el asunto? Si no fuera porque comprometo a mi propia familia, ya veríamos... Que estáis todos con él que se os cae la baba.

Me detuve en seco y le solté lo que en tantas ocasiones me pasaba por la cabeza.

—Mira, Miguel, hasta aquí hemos llegado. Desprecio la violencia y el energúmeno comportamiento que estás teniendo desde la tarde del 20. Me duele y me aleja de ti el odio enfermizo que les tienes a los republicanos. Me duele ver cómo unas familias despedazan a otras y, lo que es peor, ya no se trata de una lucha ideológica, sino de una aberración. Los rojos nos tiran tres bombas o veintisiete, da lo mismo, y como represalia fusiláis a diez de los suyos, lo dice hoy el periódico. Después, ellos responden con más bombas. ¡Dios! ¡Qué locura! Ésa es la única ideología que tenéis, mataros unos a otros sin razón, acusar a alguien por quítame esas pajas.

—No te enfades, benjamín, que tú y yo estamos del mismo lado.

—No estés tan seguro, Miguelito.

Al llegar al cuartel, la conversación queda zanjada, me espera la camioneta para subir a Güéjar Sierra. Durante el trayecto voy pensando en la reacción de Miguel, aunque sé que se le va la fuerza por la boca, no deja de preocuparme. He hecho bien en recordarle que él, hace poco, sólo un mes, y Antonio y Pepe eran los que ponían en peligro al resto de la familia. El día ha sido tranquilo, he regresado con tiempo para intentar ver a Elena. Paso por casa rápidamente y me lavo un poco; mientras lo hago, oigo a Federico tocar el piano como si fuera el amigo inseparable al que cuenta sus penas. Si me entretengo con él, no llego a ver a Elena; son las

160

Granada, 20 de julio de 1936.

Patio de la casa de los Rosales.

Don Miguel Rosales Vallecillos y Doña Esperanza Camacho Corona.

José, Luis y Gerardo Rosales con el hermano de Basi.

Federico García Lorca.

Luis Rosales Camacho.

Miguel Rosales Camacho.

Antonio Rosales Camacho.

José Rosales Camacho.

Gerardo Rosales Camacho.

Doña Luisa Camacho Corona.

Esperanza y María
Rosales Camacho.

Calle Angulo. En primer plano, la casa de los Rosales y al fondo, la calle de las Tablas.

Federico García Lorca.

Huerta de San Vicente.

Declaración
exculpatoria de
Luis Rosales.

Doy para tu conocimiento información exacta de mi conducta en relación con la detención de Federico García Lorca.

En fecha una escuadra d Falange al mando del Jefe de Milicias practicó un registro en casa del detenido con resultado infructuoso. Este día le fué comunicado por nuestro Jefe, que no existí acusación alguna contra él.

Al día siguiente y por elementos distintos, se practicó otro registro en dicha casa, para capturar al antiguo arquitecto de Granada Alfredo Rodríguez Orgaz. El resultado fué también infructuoso.

A los dos días, varios individuos armados irrumpieron en el domicilio del detenido, con la finalidad de aprehender a uno de sus colonos. En este registro se procedió con bastante violencia.

Habida información sobre el caso en la Comisaría, se puso en libertad al acusado.

Teniendo en cuenta que los que practicaron el segundo y tercer registro no habían presentado la orden necesaria para practicarlos, la incidencia en las molestias, y con la única finalidad de que no pudiera ser violentado por personas que no tuvieran autoridad para ello, le albergué en mi casa a partir del último registro, en que había sido golpeado, hasta el día de su detención, dejando orden en su domicilio para que si había nuevos requerimientos, indicasen el lugar en que se encontraba, para ponerlo inmediatamente a disposición de la justicia.

En apoyo de mi actitud, digo:

1º - Que no había en aquel momento ninguna clase de requerimiento oficial contra el detenido.

2º - Que nuestro Jefe de Milicias en el primer registro y dados sus resultados, le había puesto en libertad.

3º - Que dado el carácter literario de mi relación con el detenido, nunca supuse pudiera ser enemigo para la causa que defiendo.

4º - Que mi obligación como autoridad era defender al detenido contra cualquier clase de atropello o incorrección.

5º - Que mi obligación como autoridad era tener al detenido a disposición de la justicia cuando ésta procediera contra él.

6º - Que no contento con esto y comprendiendo que si no había orden de detención el primer día, udo haberla después, pregunté por medio del camarada Jefe de Sector Cecilio Cirre al camarada Jefe de Milicias Manuel Rojas si había lguna clase de denuncia u orden de detención contra él, con la única finalidad de ponerlo a disposición de la autoridad competente.

7º - Que me fué comunicado, dos horas antes de la detención de García Lorca que no había nada contra él, por nuestro Jefe de Milicias por mediación de Cecilio Cirre.

8º - Que durante el tiempo que estuvo en mi casa, no solamente no estuvo oculto, sino que dando bien ostensible lo han visto y conversado con él, cuantos falangistas han pasado por allí: Rojas, Cirre, Serrano, Casas, Reyes y muchísimos más.

9º - Que cumpliendo mis ordenes, al primer requerimiento, se puso al detenido a disposición de la justicia.

10 - Que he podido saber, después de practicada la detención, que un día antes, la escuadra al mando de Francisco Díaz Esteve se personó con orden de prenderlo en su domicilio, sito en los Callejones de Gracia y allí se le notificó, cumpliendo mis ordenes, que estaba en mi casa.

11 - Que el mismo día le fué dada orden al Jefe de esta escuadra por el camarada Sánchez Rubio para que se me presentara con la intención de que yo pusiera al detenido a la disposición de la autoridad.

12 - Que dicho Jefe no cumplió esta orden por lo cual yo no pude saber que se procedía contra el preso.

Creo que he cumplido siempre con celo en la defensa de mi Religión, mi Bandera y mi Patria.

Mis escritos, mi palabra y mi conducta han respondido, responden y responderán en todo momento de ello.

Tengo que contestar urgentemente ahora, de una imputación calumniosa y pido se exijan las responsabilidades derivadas de la conducta observada por quien o quienes hayan ordenado se rodease mi domicilio con fuerza armada, realizando con ello un intolerable atropello, y una notoria vejación hacia mi casa, mi familia y el crédito de mi nombre.

Dejo el cargo que ostento a tu disposición en tanto no tenga un certificado de la legalidad de mi conducta.

Arriba España !!!

Luis Rosales

Carta de Cecilio Cirre y José Rosales anulando el cese en Falange.

Sr. Jefe Provincial de F. Española

Presente

Por la presente les suplicamos los camaradas José Rosales Camacho y Cecilio Cirre Jiménez, deje sin efecto nuestra carta fecha 22 del c/mes en la que se le pedía fuéramos baja en esta organización.

Granada 25 agosto 1936

Procedase a la detencion del Jefe de Sector Jose Rosales Camacho, y que sea conducido al Cuartel de Milicias, para responder de los cargos que sobre el pesan con motivo de su actuacion en dicho Cuartel en un todo disconforme con la disciplina de nuestra organizacid

Granada 27 de Agosto 1936

EL JEFE PROVINCIAL

Orden de detención contra José Rosales.

nueve menos diez y salgo apresurado, camino del hospital. Aunque su hora de salir es a las nueve, siempre lo hace alrededor de las nueve y cuarto. Llego con el tiempo justo, jadeante, y espero frente a la puerta el tiempo necesario para que el sofoco por la carrera se afloje. Apenas pasan cinco minutos cuando la veo salir con otra compañera, ojalá tomen direcciones distintas. Al verme, Elena se despide de su acompañante y viene a saludarme. Me doy cuenta de que tengo la cara bobalicona de la *Gioconda*, esa que ponemos cuando una mujer nos gusta demasiado, y me esfuerzo por cambiar la expresión.

—Qué alegría me das, Gerardo.

—Ya ves que vengo sin heridos, esta visita es para ti.

—¿Cómo estás?, ¿te sientes más útil en abastecimiento?

—No sé. Más ocupado, sí, termino tan cansado que duermo como un lirón, sin pensar, me levanto con el tiempo justo y aprovecho hasta el último minuto de sueño. En ese sentido estoy más tranquilo, ¿y tú?

—Por aquí todo está igual. El que se queda encuentra recuerdos por todos lados, quiero decir, que en cualquier momento me parece que vas a entrar al cuarto de la ropa a decirme algo, ¿sabes? A veces creo oírte hablar con algún herido, contándole anécdotas para hacerle reír.

—Perdona, no te he pedido permiso para acompañarte.

—¿Acaso lo necesitas?, ya te dije que me darías una alegría cada vez que vinieras. Fermín preguntó mucho por ti. El día que se marchó me regaló un paquete de tabaco para ti y me dijo: «Cuando Gerardo venga a verte, se lo das de mi parte», pero se lo di a un herido, pensando que no te importaría.

—Hiciste muy bien; para mí, saberlo es igual que recibir el regalo. Oye, Elena.

—Dime.

—Estoy pensando si te apetecería salir una tarde conmigo, podríamos ir a merendar o a pasear, o al cine, me encanta el cine, podemos hacer algo que te agrade, montar a caballo, o pasear por encima de la ciudad montados en una alfombra mágica o cualquier otro disparate que se nos ocurra.

La propuesta ha valido la pena, porque la agradable sonrisa, para mí cautivadora, deja ver sus bonitos dientes blancos y dos hoyitos en las mejillas enrojecidas por el pudor que tanto me gusta.

—Lo de la alfombra me encantaría, sobre todo si tuviéramos poderes para hacer algunos arreglos a los de ahí abajo, a esos que van con los fusiles. Pero sin alfombra, no sé qué decirte, tendremos que esperar al sábado, que es fiesta y mi día libre.

—¿El sábado? Espera, el sábado es 15, día de la Virgen, no sé si podré, descanso el domingo, pero quizá a partir de las siete pueda, cuando lo sepa vendré a decírtelo.

—Ésta es mi casa, Gerardo, hemos llegado. Si puedes, ven a recogerme el sábado a las siete, si no, ve al hospital a decírmelo.

—Espera un momento. No he dejado de pensar en el último día que nos vimos, sucedieron cosas que aún andan por mi cabeza.

—¿Y qué cosas son ésas?

—Tú las sabes muy bien. Por ejemplo, ninguno de los dos queríamos salir de la estrechez, entre la pared y la mesa, para estar cerca el uno del otro, digamos que estábamos cómodamente atrapados. Notaba cómo tu cuerpo, bueno, lo que quiero decir es que resulta doloroso no sentirse correspondido, te tengo un aprecio muy especial y creo que tú a mí también, necesito saberlo para no ir por camino equivocado.

—Este beso te abre el camino correcto. He de subir, ¡hasta el sábado, Gerardo!

La veo subir por la escalera sin detenerse, mientras le digo «¡adiós!» y me toco la mejilla, donde me ha besado sin esperarlo, cerca de la boca. Ha sido tan rápido que no parece real, y tan corto el trayecto que no he podido decirle todo lo que durante horas había pensado. A pesar de haber sido una conversación ligera la que hemos tenido, y menos íntima que otras veces, me marcho para casa contento sabiendo, por un tímido beso, lo que intuía. De camino, insatisfecho por tan efímero gesto, me doy cuenta de que no podía ser de otra manera, en plena calle, junto al portal de su casa, los besos sólo pueden ser así, igual que una mariposa asustada se posa fugazmente en tu frente en el mismo instante que emprende el vuelo.

Los días pasan sin poder atraparlos, con tanto trajín que no reparo en pensar, ¿acaso sea un mecanismo de defensa? Últimamente, con el avance del general Varela para unir Sevilla con Granada, parecen tener treinta y seis horas y el descanso insuficiente. Me acuerdo con frecuencia de Federico al que, excepto «hola» y «adiós», no he podido dedicarle tiempo en un par de días. Sé que Luis, por la noche, pasa largas horas hablando con él. También sé que se encuentra más animado, que toca muchísimo el piano, recita poemas y narra sus experiencias de Argentina, México y Nueva York, cautivando a las mujeres de la casa, en especial a tía Luisa, que le atiende de mil amores. Esta noche del jueves he podido subir a verlo. Está sentado junto a la ventana, recibiendo el aire de la noche, con la lámpara de pie cerca, y lee, sin percatarse de que he entrado, a Gonzalo de Berceo.

—¿Qué tal, Federico?

—Hola, Gerardo, entretenido con los *Milagros de Nuestra Señora*, que buena falta haría que por aquí hiciera algunos.

—Eso sería estupendo, veo que esta noche el sentido del humor te acompaña.

—Quiero tomármelo todo con sentido del humor, como he hecho siempre, es mejor así, para qué andar perdido en laberintos si al final sucederá lo que tenga que suceder.

—Oye, es un buen consejo, me lo voy a recetar a mí mismo. Y los *embustarios* de hoy, ¿qué han dicho?, no he podido oír nada.

—Lo de siempre. Desde Madrid, el gobierno dice que pronto las tropas restablecerán el orden, y desde Sevilla, lo contrario, que Madrid y Barcelona están a punto de rendirse. Es mejor no hacer caso, aunque ojalá los de Madrid estén en lo cierto.

Pasamos un buen rato hablando de tontunas hasta que llegó Luis, con quien lo dejé. Me recitó de memoria algunos versos de los *Milagros de Nuestra Señora*. Efectivamente lo he encontrado animado y lleno de energía contagiosa al hablarme de Cuba. Aunque de vez en cuando, la superstición, los fantasmas que oía la noche que lo trajimos a casa se pasean por su inquieta mente. A las dos de la madrugada, Pepe me despierta temiendo por la seguridad de Federico.

—Han vuelto a ir a la Huerta de San Vicente a por García Lorca. Debemos decírselo mañana. Ya se lo he dicho a Luis, no os marchéis mañana sin que hablemos con él.

—Pero cómo, ¿qué pasa?

—De momento nada, sólo que no estoy tranquilo, han hecho un registro a fondo, y eso ya no es una cosa aislada de los Roldán. Mañana hablamos.

Hoy 14 de agosto, viernes, cuando voy a la cocina para desayunar, un perfume de tabaco americano se extiende por toda la estancia. Luis y Federico comparten el ritual del primer pitillo y café en la biblioteca. Me uno a ellos, siguiendo las indicaciones que Pepe me pidió hace unas horas. Federico fuma con ansiedad, casi sin tragarse el humo. Tiene una forma curiosa de sostener el cigarrillo. Lo coge con las yemas de los dedos índice y pulgar, por el centro. La palma de la mano hacia adelante, mientras deja el resto de los dedos medio extendidos, como si fuese a hacer una pedorreta. Al verme liar, me ofrece un Lucky Strike, que golpea ligeramente contra la mesa por una punta y por otra, como lo he visto hacer en otras ocasiones. Dice que, además de prensarlo, evita que las hebras se cuelen en la boca. Lo enciendo, y acostumbrado a dar un par de buenas chupadas para que prenda bien, me da un golpe de tos acompañado de picor en toda la garganta.

—¿Cómo puedes fumar esta paja que huele mejor que sabe? —le digo, tosiendo todavía.

—Es que te tragas el humo como si quisieras que te llegara a las uñas de los pies. Chúpalo así, suavemente, tragando poquito.

—¿Quieres decir también en esa postura?

—Está de moda, lo aprendí en Nueva York. Te obliga a tener la garganta derecha y el humo, entonces, no molesta.

—Si tú lo dices, probaré con esa posturita.

—No te olvides de aspirar poquito.

—Allá voy.

Al colocar la mano como lo hace Federico, de lo cursi que resulta, me da la risa y con ella de nuevo la tos, que calmo con buenos tragos de café antes de otro intento. Los dos, Luis y él, contagiados de la risa, me miran atentos con ojos de búhos de medianoche.

—Oye, pues funciona mucho mejor. Incluso sabe menos a paja.

Federico, ajeno a la breve conversación con Pepiniqui de madrugada, para disimular la risa, se pone en pie y saca libros de una de las estanterías, que pone encima de la mesa. Dice que tiene que aprovechar el tiempo, quiere escribir un largo poema narrativo sobre hazañas heroicas que llamará «Adán». A Luis y a él se les ha ocurrido componer y dar letra a un himno por todos los caídos de la guerra, al que Federico pondrá la música. Sigue animado, lleno de proyectos. Busca por las estanterías, mientras habla ilusionado, libros, documentación que le sea de utilidad y que va dejando cuidadosamente junto a Gonzalo de Berceo, el mismo que leía anoche, que debe de haber bajado con él.

El primer airecito de la mañana amenaza pegajoso y con aliento de fuego. Anuncia, como ayer, cuarenta grados a la sombra para dentro de un rato. Por la puerta entornada asoma la blanca cabeza de Antonio que, con una especie de gruñido, dice «buenos días» y se marcha dando un portazo tras de sí cuando sale a la calle. Pepe, al que se le oye toser y bajar, no tarda en acompañarnos. Los tres continuamos el desayuno con calma y buena conversación, sin atrevernos a darle a Federico el mal rato que se ha de llevar. Él sigue hablando de proyectos y recuerdos de las tertulias del Alameda y del Imperial con el afable Lara, nuestro camarero favorito, pegado a la cafetera niquelada, que nos sigue cobrando los cafés a dos reales, a pesar de haber subido a cincuenta y cinco céntimos. Las cosas de Joaquín Amigo y de Leo, que al parecer ayer estuvieron aquí. O cuando el director de *Reflejos* quiso fastidiar con el intento de hacer una parodia de la revista *gallo*, cuyo principal artífice era Federico. Recuerdo que, a toda prisa, ellos mismos quisieron adelantarse a la crítica que pudieran hacerles los de *Reflejos* y, entusiasmados con la idea, sacaron *pavo* como protesta putrefacta al propio *gallo*, en la que López Banús, hecho un chaval, participó sin descanso y entusiasmado.

Aprovechando que de nuevo Federico rebusca libros por las estanterías, de espaldas a nosotros, Pepe, que apenas ha soltado palabra, ve el momento de abordar el delicado tema y chincha a Luis con gestos para que comience.

—Federico —dice Luis—, quizá sería mejor, verás, quiero preguntarte si has vuelto a pensar en la posibilidad de pasar a zona republicana. Lo digo porque estamos preocupados. Podríamos pasarte con toda facilidad cualquier sábado o domingo, como mañana o pasado. En esos días no hay riesgo alguno. Podemos hacerlo con absoluta garantía. Siento hablarte de esto, de verdad, pero es necesario por tu seguridad.

—Sí, he pensado en ello, Luis, y siempre estaré en deuda con todos vosotros. ¿Pero adónde podría ir de pueblo en pueblo, huyendo por esos campos? De todas formas, me retiene algo más importante. Si me marcho, temo por mis padres. Temo que les hagan pagar a ellos lo que puedan querer de mí, y no sería justo, jamás me lo perdonaría. Aquí estoy seguro. ¿A quién se le va a ocurrir sospechar de los hermanos Rosales, de vuestro padre, tan apreciado en la ciudad, de una casa tan católica como ésta? Además, estoy cerca de mi familia, puedo hablar con los míos aunque sea por teléfono, y sé que pronto estaremos juntos de nuevo, es una corazonada, Luis. Aquí estoy bien, hablando de proyectos, con cosas que hacer, gracias a los ánimos que me dais y a los mimos de vuestra tía, de la adorable Esperancita, de vuestra madre. ¿Adónde quieres que vaya?

—Escucha, Federico, puedes quedarte aquí el tiempo que desees, lo sabes perfectamente, pero debes valorar tu propia seguridad. Estoy convencido de que el riesgo que pueda correr tu familia no tiene nada que ver con donde tú estés. Quiero decir que, al no estar con ellos, da igual donde te encuentres y no creo que tomen represalias contra ellos. De todas formas, supongamos que te buscan, si no estás en tu casa, ¿qué más da que estés en Málaga, en Granada, o donde sea? La situación de tu familia, si corriera algún riesgo, sería la misma, y nosotros qué podríamos hacer, ¿decir que estás aquí? Lo que te digo es doloroso, lo sé, ojalá encontrase otra manera de explicarlo...

—¿Qué ha sucedido, sabéis algo que yo no sepa?

—Verás, Federico —dice Pepe, al tiempo que se levanta y, con las manos a la espalda, recorre dos veces el largo de la habitación para volver a sentarse junto a él. Desplaza los *Milagros de Nuestra Señora* y otros libros hacia el centro de la mesa y se acerca el cenicero.

Federico acaba de apagar un cigarrillo e, inquieto, presintiendo quizá lo que Pepe se dispone a decirle, clava los ojos en él y enciende otro pitillo. Las cucharillas, como badajos mezclando el azúcar, dejan oír el tintineo de las tazas desde el comedor donde desayunan mis padres. Federico, envuelto en el humo de su propio cigarro, sin retirarle la mirada a Pepe, vuelve a preguntar:

—Me ocultáis algo, ¿verdad?

—Debo decirte algo importante —continúa Pepe—. Ayer estuvo merodeando una patrulla por tu casa. Sería a media tarde. Después de varias vueltas rastreando los maizales, terminaron por ir a la huerta de tu tío Francisco, a la del Tamarit. Iban a por ti. Hicieron un registro a fondo buscándote. Miraron en las tinajas de agua, metieron palos, volcaron una y la rompieron, atravesaron con machetes los sacos de grano por si estabas dentro. Se apostaron incluso en la terraza y subieron a los tejados por si salías corriendo mientras registraban toda la casa. Los mandaba el capitán Rojas, el indeseable de la matanza de Casas Viejas, y se marcharon dejando patas arriba todo lo que pillaron a su alcance, libros, armarios, ropa, colchones. Ya te puedes imaginar...

—¡Ay! ¡No, no puede ser! Pobre tío Francisco. ¿Y Clotilde? Qué mal rato debieron de pasar.

—Hay más, Federico. Al cabo de hora y pico volvieron en un Buick rojo, esta vez sin Rojas.

—¿No será el Buick de los Quesada, el que les requisaron a la fuerza?... ¿El que dicen que lo lleva una escuadra negra?

—Eso me temo, que puedan ser los del Panaerillo y el ratero del Chato. Por eso estamos preocupados. Esta vez fueron directamente a tu casa, a la Huerta de San Vicente. La registraron de arriba abajo. Llevaron con ellos a José Montero, el de la tienda de pianos de Reyes Católicos, para que desarmara el tuyo, y lo desmontaron buscando una radio con la que dicen que te pones en contacto con los del Frente Popular, incluso con los rusos, los muy idiotas. Se fueron cabreadísimos al no encontrar nada, amenazando con volver. Se llevaron unas cartas o unos papeles, creo, que encontraron en tu habitación. Los que fueron la primera vez con Rojas a casa de tu tío Francisco, parece que iban en un Lincoln de los grandes. Si es así, es un dato que hay que tener en cuenta.

—Dios mío ¿qué significa eso?

—Si es ese Lincoln, significa que viene del Gobierno Civil, lo llevan los del CAFE de Valdés; el Cano, Pavés, los Peralta.

—Pepiniqui, me pierdo. ¿Quiénes son esos Cano y Pavés? ¿Qué es eso del CAFE?, ¿de qué me hablas?

—Son unos indeseables que dicen haber retomado el Comité de Acción de Falange Española, El CAFE, que era una especie de servicio secreto. Valdés y Funes llaman así a las escuadras negras que han formado, El CAFE, una banda de asesinos que ni son falangistas, ni la madre que los parió. Quiere decir que, si Rojas sigue por medio, no es una rabieta de los Roldán, como pensábamos, aunque podría asegurar que Horacio Roldán es el iniciador de todo esto, vive en la misma casa del capitán

Fernández, en la calle San Antón, cerca de la de Valdés, y Fernández es de la carroña que asesora a Valdés en el Gobierno Civil. En mi opinión, si Horacio te amenazó cuando fue a la Huerta de San Vicente, diciendo que estabas arrestado desde ese momento, ha buscado el apoyo de Fernández y éste lo ha puesto en manos de Valdés. Ésa es la situación. Lamento decirte todo esto, Federico. Me enteré anoche, muy tarde, haciéndome el tonto, escuchando a los que el vino y el coñac les desata la lengua, y me temo que lo de ayer fue un rastreo conducido o autorizado desde el Gobierno Civil. De verdad que lo siento, pero pensé que debía decírtelo.

—¡Qué horror! Mis padres con esas bestias. ¡Y qué mala sangre la de los Roldán! Nunca perdonarán que mi tía recibiera aquella herencia que dividió su finca, nunca lo olvidarán.

Federico vuelve a callar y sigue fumando con ansia, cigarrillo tras cigarrillo. Se levanta y mira a través de la ventana, como preguntándose qué bestias hay fuera, qué le aguarda tras los muros que lo ocultan. Abre la ventana y tira la colilla a la calle, no puede pensar, ni quiere que le veamos la expresión de dolor. No es necesario: su espalda, antes erguida, ahora se dobla abatida, y sus hombros, descompensados, indican que su interior se tambalea. Sin retirar la vista de la pared que tiene enfrente, sin darse la vuelta, dice:

—Luis, ¿qué le ha pasado a mi familia?

—Sabemos que están todos bien. Afortunadamente no les ha pasado nada. Como te dije antes, no creo que corran peligro. Mira, Federico, puedes quedarte aquí el tiempo que quieras, de verdad, no hay ningún problema. Extremaremos las precauciones. Pero insisto, debes pensar seriamente en pasar a la otra zona. Por favor, deja que te llevemos. Después de lo que ha contado Pepe, debes comprender que es más seguro. Hay otras razones que conviene tener en cuenta. Algunos falangistas perdemos influencia, excepto aquellos que meten hasta el culo en la mesa de Valdés y proponen las barbaries que a él o a Julio Romero no se les ocurren. Payasos de Acción Popular que se han convertido en sus matarifes. Todos ellos están en lucha abierta contra la Falange para desplazarnos en lo que puedan, y la propia Falange se divide en luchas internas. No tienen escrúpulos para ir contra quien sea, si con ello sacan algún beneficio o simplemente para complacer las intenciones del círculo de Valdés y ganarse su confianza. Debes pensarlo seriamente, Federico. Tómate el tiempo que necesites. Pero, por el amor de Dios, piénsalo.

Tras la insistencia de Luis, Federico, aún en pie, cierra la ventana delicadamente, reflejándose en los cristales. Con gesto sereno, cubre sus ojos con las manos, piensa unos instantes, con cautela hace algunos intentos de hablar y vuelve a pensar antes de decir:

—Querido... querido Luis. Tú eres hombre de acción, todos vosotros lo sois. Yo soy persona de papel y tinta. Guardo mi miedo en esta casa, leyendo, tocando el piano, para mí, para Esperancita, que le encanta y me atiende como a un hermano, para vuestra tía Luisa, que me mima y se atreve a cantar conmigo. Ellas visten mis horas vacías, hasta Basi, que antes de entrar por la mañana con el desayuno se queda boquiabierta en el quicio de la puerta un ratito, oyéndome tocar, y entonces subo alegremente el tono. En esta casa rehago los anhelos perdidos. Sus muros guardan celosamente mis miedos, y ahí afuera, mis torpes andares serían devorados por los perros de presa. ¿Adónde ir? Decidme.

»¿Quién me planchará la ropa en atardeceres de fuego, que engalanan de luto al alba cada madrugada? Luna de sombra negra que sin noche bramas, entre sueños y montes envueltos en mortajas blancas. Si lagartos de agosto hibernan a cuarenta grados en la boca y con aliento a cicuta el sol, ninfas de muerte vomita en puertas sin vivienda. Dime, ¿quién callará las hormigas que en frenesí perforan muertos para la reina asquerosamente gorda de hombre laminado?

»¡Ay! Si al sur los fusiles callaran, si el agua fuera agua bailando coplillas de rana y el yelmo sombrero de paja entre azafranes de plata. Si los baladíes borrachos de gloria no jalearan al rey del espanto que a sus lomos cabalga. Un día, no lejano. Cuando el aire no lleve semillas de venganza ni aullidos de terribles máquinas. Cuando los niños ajados, entre juegos y risas, jaraneen calles, jardines y plazas. Cuando vuelvan a orinar en la blanca tapia, iré yo, radiante, titiritero, por ciudades, campos y pueblos de otra España (14).

La sorprendente respuesta nos deja paralizados unos instantes en los que no podemos decir nada. Su fragilidad, su sensibilidad, que otros llaman cobardía, y el anhelo de sus profundas convicciones hacen que comprendamos su incapacidad para afrontar el riesgo. ¿Por qué no decirlo?, su carácter débil de niño consentido refuerza su inconsciente terquedad y va cerrándose él mismo los escasos caminos que hay. Nos miramos perplejos, sin saber qué hacer, atentos a Federico, que parece quedarse vacío, sin calcular debidamente el horror que lo acecha fuera de estas paredes, cada vez menos seguras para darle protección.

Una mañana de invierno, en Madrid, había quedado con mi tío Luis para ir a la galería de arte Theo. Como pintor, quería que me presentara a Fernando Mignoni, galerista, con quien tío Luis tenía buena amistad. Yo exponía por aquellos días del 87 en un espacio cercano al suyo, y para mí era muy importante que Mignoni visitara la exposición. Pero tuvo más interés encontrarnos con las puertas de la galería Theo cerradas.

Era un lunes, día en que museos y muchas galerías importantes cerraban. Con toda la mañana por delante y un frío que cortaba el aliento, subimos hasta la glorieta de Bilbao y entramos en el Café Comercial. Tío Pepe ya había muerto, y Luis, con quien nunca había hablado de mi desazón, era el único superviviente de los hermanos de mi padre. Con él no tenía la confianza que había alcanzado con Pepiniqui, puesto que vivía en Madrid. Nos veíamos de vez en cuando, en acontecimientos fami-

(14)   Con objeto de no confundir al lector, esta contestación de García Lorca es figurada. (N. del a.)

liares o en sus viajes relámpago por Granada, o en los míos por Madrid, igualmente fugaces. De pronto lo tenía allí delante, sentado frente a mí en una de las mesas, junto a las generosas ventanas del gran café, desde donde veíamos el ajetreo que circulaba por las aceras. Sus gestos y rasgos físicos me traían el gran parecido con tío Pepe y mi padre, eso que llamamos la sangre, la misma sangre, que corría y corre por mis venas, porque los años no pasan, se van quedando, y cuantos más amontono, más parecido me sale a ellos. Tío Luis removía el café con parsimonia, relajado, era la primera vez que disponíamos de suficiente tiempo para estar juntos, ya que después comeríamos en su casa.

Se había investigado por entonces minuciosamente el asesinato de Lorca y también publicado, con suficiente fiabilidad y rigor, algunos libros al respecto, donde, entre luces, arrojaban sombras con los datos que había ido reuniendo y que casi me amorban. Era y soy consciente de que toda persona cree que sus interpretaciones, recuerdos, análisis, etc., son los más reales. Cada cual, desde nuestra subjetividad, transforma inconscientemente las huellas del pasado propio o ajeno y, por tanto, no es de extrañar que unas opiniones diverjan de otras, sin que por ello dejen de ser ecuánimes si se construyen desde una mirada limpia. Tenía los datos recabados de tío Pepe, de mi padre, había leído con atención las biografías publicadas al respecto y tenía los años necesarios (casi cuarenta) como para seguir con fluidez la conversación que estaba a punto de abordar con tío Luis.

Le pedí abiertamente que necesitaba conocer lo más recóndito de todo lo sucedido alrededor de Federico, que al menos la familia debía saber los detalles íntimos, los más delicados, y que sólo él podía desvelármelos. No tuve que insistir. «Ha sido el acontecimiento que más me ha dolido y que más ha condicionado mi vida», comenzó diciendo. Hablamos durante toda la mañana entre cafés y alguna cerveza a partir de la una. Me confió lo sucedido, me contó cómo por unas horas y por la fragilidad de Federico no pudieron ponerlo a salvo. También supe a qué se refería

172

mi padre cuando dijo «éstos quieren que les cuente lo que no se puede contar», los secretos de la familia que prometió contarme cuando fuera mayor de edad, el grado de implicación que tuvo cada uno de ellos, los errores que cometieron los míos, la familia García Lorca, y el propio Federico. La admiración que sentía tío Luis por el genial poeta y el dolor que lo seguía acompañando después de tantos años. «Éramos demasiado jóvenes», se lamentaba. Al fin pude completar las últimas piezas del rompecabezas, tanto tiempo inacabado. Al fin. Mi desazón, al ver las coincidencias entre Luis, mi padre y tío Pepe, se calmaba a lo largo del día. Aclaré dudas encontrando el orden preciso o, al menos, el lógico. Aquel día me nacieron años, como tío Luis dice en uno de sus versos, me preñé del gusanillo de contar lo que hasta entonces sólo había sido la necesidad de saber. Algunas de las respuestas que encontré ya han sido descritas en páginas anteriores, pero volvamos al año 36 para escribir otras que ellos aún no conocen.

Visita inesperada

Federico, que aún sigue en pie, durante el silencio creado tras su insólita respuesta, se levanta y enciende un pitillo junto a la ventana. Esta vez no mira tras los cristales, dirige sus ojos interrogantes hacia nosotros, esperando una reacción. Pepe retoma la palabra diciéndole que entiende perfectamente su postura y que, si su deseo es quedarse, puede hacerlo con toda la confianza. En mi cabeza da vueltas, como algunos sostienen, que el arte se manifiesta con fuerza en momentos de zozobra; me ha impresionado tanto su respuesta que, como quien se excusa un momento para ir al retrete, subo a mi habitación y anoto inmediatamente lo que además de una reflexión, sin duda es un poema nacido de la angustia, nacido espontáneamente ante nosotros con todo el poder de la palabra. Al bajar, con el titubeo de haberlo transcrito bien y la intención de que Federico lo revise, me topo con Antonio, que ha vuelto a casa acompañado del capitán Nestares. Están entrando en la biblioteca, donde estamos desayunando. Esta vez nos miramos, contrariados, ante la visita inesperada de Nestares que, amigo de Antonio y Pepe, saluda con afecto a Federico. Desde este momento, Nestares, implacable enemigo de los republicanos, sabe dónde está García Lorca, pero nosotros no sabemos si el capitán está al tanto de los registros que ayer se hicieron en la Huerta de San Vicente, y puede delatar su paradero. «¿De qué han servido nuestras precauciones?», pienso; «el sigilo y el miedo que hemos pasado desde la mismísima noche que trajimos al poeta. ¡Maldita sea! Si Antonio nos saludó hace un rato con su gruñido, ¿cómo es posible que cometa tan estúpido error poniéndonos a todos en peligro? ¡Maldita sea! Sabía perfectamente que estábamos desayunando con Federico en la biblioteca.»

Entre las cosas que yo desconocía y tío Luis me descubrió, dándole especial importancia, estaba la mañana en que se vieron bruscamente sorprendidos por Nestares, la misma que nos viene ocupando; del susto que se llevó Luis, se quedó estupefacto. «A pesar del contratiempo —me dijo—, tu tío Pepe, con su habitual energía, condujo el momento sin aspavientos, en un clima cordial, mientras Federico, que intervino con monosílabos, se perdía junto a la ventana, preocupado, asustado, por los registros del día anterior en su huerta y la del Tamarit. Y, para colmo, la presencia de Nestares, a quien conocía y sabía de su decisiva participación en el Alzamiento, se le hacía incómoda por momentos. La conversación cambió de tono cuando el capitán, dirigiéndose a Federico, le preguntó: "¡Qué temprano hacéis visitas los poetas...!" Yo, algo precipitado, contesté por él: "Estamos trabajando juntos en un himno para los caídos de Falange y, como anoche acabamos tarde, se ha quedado aquí a dormir." Fue la estupidez que se me ocurrió decirle. "Vaya, ¿un himno para los héroes? —dijo Nestares, y añadió—: ¡Eso es estupendo, Luis, terminadlo pronto para que se enorgullezcan los nuestros!" Al ver su aceptación, le dije que Federico pondría la música y yo la letra. Qué estupidez más grande, si entonces hubiera tenido la experiencia de hoy... Me acuerdo cómo me miraba tu padre, con aquellos ojos intensos como el mar, y de su risa, que quitaba hierro a la situación, aunque a mí no me engañaba: por dentro estaba tan preocupado como los demás. Al fin, tu tío Antonio y Nestares se fueron, dejando las instrucciones que traían. Al domingo siguiente, 16 de agosto, de esa fecha sí me acuerdo, se celebró en Víznar una gran misa de campaña con fiesta incluida, por todo lo alto: era la excusa para sustituir la bandera republicana por la bicolor. Nestares fue a pedirle a Pepe que subiera a Víznar para solucionar algunos problemas surgidos entre los falangistas allí destacados y que el grupo de abastecimiento de Güéjar Sierra, a su mando, se incorporara al de Víznar para llevar lo necesario hasta el palacio de Cuzco, donde Nestares tenía el cuartel general de la zona norte. Ése fue el motivo de su visita.»

Al marcharse Antonio y Nestares, Luis, que acompaña a Federico hasta su habitación y lo ayuda a subir algunos libros, va diciéndole:

—No te preocupes, Nestares es de confianza, esta noche volveré temprano para hablar contigo...

Y al tiempo nos hace unas señas para que lo esperemos un momento; al bajar, inmediatamente comenta:

—Si a Nestares le da por decir por ahí que ha visto a Federico en casa y que estamos escribiendo un «himno para los caídos de Falange», estamos perdidos. ¿Es que no se me podía haber ocurrido cualquier otra excusa? ¡Maldita sea! ¡Qué estúpido soy! ¿Y qué le pasa a Antonio? ¡Es que es imbécil o qué!, ¿cómo se le ocurre pasar a Nestares a mi biblioteca? ¡Me va a oír...!

—No has estado demasiado hábil, Luis. De todas formas, ya está hecho, tengo suficiente confianza con Nestares para pedirle que deje la lengua quietecita. No es un desalmado, como dicen, y me debe demasiados favores.

—¿Estás seguro de que podrás arreglarlo, Pepe? ¿Te imaginas si llega a oídos de Valdés, o de Rojas, ahora que sabemos que buscan intensamente a Federico? ¿Te imaginas que se enteran de que se esconde aquí? Puede pasar cualquier cosa, Pepe, cualquier cosa.

—Sí, hombre, lo arreglaré, dentro de un rato hablaré con él, ya sabes que tengo que subir a Víznar.

—No alcanzo a comprender cómo la familia de Federico no nos avisó ayer mismo de los registros que hicieron. ¿Tan lejos estamos, leche? ¡Andando se tarda un cuarto de hora, a lo sumo!, ¿y el teléfono? Digo yo que sirve para algo, ¡joder! ¿O es que estamos rodeados de inútiles? ¿Qué piensan, eh?, que nos enteremos de las cosas por casualidad sin poder tomar precauciones, ¡vamos, de verdad que no me cabe en la cabeza, cojones!

—Cálmate, Luis. Nestares no lo delatará. Nunca ha sido chivato. Aun viéndose en apuros, los tiene bien puestos y, además, le he guardado muchas veces la espalda.

—De acuerdo, Pepe. Pero habla con él cuanto antes, no te líes primero con otra cosa. Hazlo a la primera oportunidad.

—No le des más vueltas, Luis. En peores nos hemos visto y no ha pasado nada. Ahora vámonos, que nos están esperando, déjame pensar y luego hablamos, ¿eh?

Luis, que entre dientes sigue con el cabreo, se prepara para salir mientras Pepe y yo nos marchamos juntos, en el automóvil que ha venido a recogerlo, al parque de Artillería, donde espera el camión de abastecimiento. Cuando llegamos, algo tarde, el camión está dispuesto para salir y nos instalamos en la cabina con el sargento que conduce. «En marcha —dice Pepe con voz autoritaria—; antes de tirar para Víznar, pasa por el cuartel de San Jerónimo, que tenemos que recoger unas cosas y llevarlas a Víznar.»

Durante el trayecto, mientras subimos al palacio de Cuzco, que es nuestro destino, tampoco tenemos ocasión de comentar nada. Pepe, que generalmente bromea, va callado, pensativo, casi puedo oír su preocupación, que no es la de pedirle a Nestares que guarde silencio. Él sabe perfectamente, y se lo ha dado a entender a Federico, que si en el Gobierno Civil han tomado la decisión de detener a García Lorca, nada los detendrá, eso me parece oír de su silencio, o al menos de mi pensamiento. Estamos llegando al palacio de Cuzco, cedido para cuartel de Falange en Víznar por don José Fernández-Fígares y doña Esperanza de Damas y Rodríguez-Acosta, que se ha convertido en guarnición militar para la zona norte. Desde allí, el capitán José María Nestares, en continuo contacto con el gobernador militar, dirige una cruel represión en toda la zona.

También el comandante Valdés entrega muchos prisioneros a Nestares para que sean fusilados en Víznar, donde un pequeño destacamento, que se releva cada dos días desde Granada, se encarga de la vigilancia de los condenados el escaso tiempo que permanecen (una noche, como mucho) detenidos en «La Colonia». Se trata de una casona que se utilizaba para veraneo de los chavales, y que ahora ha sido convertida en prisión, situada a las afueras del pueblo, cerca de la acequia de Aynadamar que baja de Fuente Grande. Al amanecer, los condenados son sacados de «La Colonia» y conducidos un poco más arriba, entre el barranco y Fuente Grande, aún en penumbra. Ayudados por los faros de los automóviles que enfocan a los convictos, todas las madrugadas suenan los primeros disparos, los que jamás tienen respuesta porque los muertos nunca ajustan cuentas. El palacio de Cuzco, por la importancia estratégica de Víznar con un fuerte destacamento, se ha convertido al mando de José María Nestares en un segundo Gobierno Civil del frente norte, acosado por los rojos que, apoyados por los pueblos de alrededor, forman una resistencia bien organizada y consistente.

Cuando llegamos, mi hermano Pepe pregunta inmediatamente por el capitán Nestares, que aún no ha vuelto de Granada, y aprovecha para reunirse con los falangistas allí destacados. Mientras tanto, yo me voy a colocar y ordenar el cargamento que subimos. A las dos aparece el capitán, en un Chrysler descapotable conducido por Martínez Bueso. Media hora más tarde, Pepe se las arregla para que los tres podamos comer a solas en un bar a las afueras de Víznar, donde sirven comidas. La mañana es tranquila y la temperatura, por la altura del pueblo, permite comer y hablar sin prisas.

Le contamos nuestra preocupación por la situación de Federico, sin ocultar lo que pasó ayer en la huerta del Tamarit y en la de San Vicente, cuando fueron a por él; con ello pretendemos también sacarle información. La conversación es relajada y Pepe termina diciéndole:

—Lo del himno por los caídos de Falange es una excusa que se ha inventado mi hermano Luis. Fue lo primero que le vino a la cabeza. Después pensó (ya sabes que los españoles pensamos bien pero tarde) que con la mejor intención tú podrías ir por ahí diciendo que Federico y él están haciendo el himno. Y Luis tiene razón, el Rojas y los demás tardarían un pelo en enterarse; sería fatal.

—Pepe, tú sabes...

—Espera un momento antes de que digas nada. Tengo que pedirte que guardes silencio. Tú no has visto esta mañana a García Lorca, júramelo, ¿de acuerdo?

—No te tengo que jurar nada, Pepe, ya me conoces. Sabes que no soy de esos que van pregonando la mierda de otros cuando ellos huelen peor. Una cosa es la guerra, donde hay que estar a lo que venga, y otra la caza de gente que no tiene que ver con esto. Yo también tengo aquí a mis protegidos, a Joaquín García Labella, a Paco Rubio, y a varias chicas que las tengo limpiando y haciendo camas. A una de ellas, María Luisa, un primor de criatura, un cabrón la quería violar. Como no se dejó, la subió para que la fusilaran. Tuve que hacer filigranas para que no la mataran. Mi mujer ha podido meterla en las Adoratrices y ahora está a salvo. Tengo a otros que ahora no sé cómo sacarlos... Pero hablando de lo vuestro, mira bien lo que hacéis. García Lorca está cometiendo un gran error, tendría que irse inmediatamente. Vosotros no podréis protegerlo si alguien lo encuentra. Somos muchos los que entramos en vuestra casa, y hay que ponerse en lo peor. Incluso algún amigo de confianza que lo haya visto puede decírselo a otro también muy amigo y ya tenéis la mecha encendida, Rosales, que Granada es demasiado pequeña y termina por saberse todo. Y más ahora, que los chismes vuelan junto al silbido de una bala. Además, no pensaba decir nada del himno porque hay muchos que odian a García Lorca, demasiados, lo llaman el maricón de la pajarita, vamos, para decir que está preparando un himno para la Falange...

—Pepe, Nestares tiene razón. Yo he pensado lo mismo mientras subíamos. Conviene buscar otra solución.

—Eso es así, pero déjame, Gerardo, que si no se me va. Mirad, esto es meterme un poco en lo que no me importa. Para García Lorca es muy cómodo quedarse en vuestra casa, por miedo o por lo que sea, pero sin mover el culo, comprometiéndoos a todos vosotros. Rojas lo busca porque le jode que sea de la cáscara amarga y, llegado el caso, lo acusará de comunista o de lo que se le antoje, y entre nosotros, Pepe, tu protegido tampoco es un angelito, y si Rojas está ahí, que desde lo de Casas Viejas está *cagao*, es porque Valdés y Funes están detrás. A ésos les importa un carajo que lo tengáis vosotros. Incluso se alegrarán, porque así la cosa tiene más cojones, ¿comprendes...? Si acaso, mandarán a cualquier imbécil aprovechando que no estéis, como me pasó a mí, ahora os contaré, pero tal como están las cosas, arriesgáis demasiado y...

—Venga, hombre, tampoco será tanto.

—¿Que no será tanto? Os cuento, para que sepáis de qué cojones estamos hablando.

»Yo me traje aquí a unos amigos para salvarlos de una muerte segura si los pillaban. A dos profesores y a otros dos concejales de izquierdas, José Valenzuela y Manolo Salinas, no sé si conocíais a alguno. Los tenía vestidos de falangistas y ocupados en distintas faenas, incluso los puse a enterrar muertos allí arriba. Ninguno tenía tripas para el asunto, aunque lo hacían. En fin, los puse en esa tarea para no levantar sospechas, mientras esperaba la ocasión para pasarlos con los rojos, con lo que hay por aquí, ya me diréis qué otra cosa podía hacer. Todavía no sé quién, si el Panaerillo y los suyos, que andan con «sus paseos», u otro de aquí, la Fanny, el Motrileño, o vete a saber quién, el caso es que el maldito soplón que se fue de la lengua con Valdés le fue con el cuento de que estaban aquí, y una mañana como la de hoy, que bajé temprano a Granada, Valdés mandó subir a dos coches y a culatazos metieron a los cuatro dentro. Los llevaron directamente al cementerio, y allí los frieron a tiros.

»Ese mismo día, por la tarde fui al Gobierno Civil para ver a Pepe Valdés, que ya despedía olor a coñac como una taberna de mala muerte; no me extraña que tenga el estómago como un colador. Al encararme con él, me amenazó fríamente, como si no me conociera de nada, y con la mano encima de la pistola me dijo: «Ándate con cuidadito, que te he hecho un gran favor matando a esos cuatro en vez de a ti, traidor.» Me tuve que tragar el sapo, apretar los dientes y clavarme las uñas para salvar el pellejo. De manera que ya sabéis en lo que estáis.

—Hijo de puta. ¿Te ha vuelto a chantajear?

—Mira, Pepe, a mí me da igual que un tío haga lo que quiera, siempre y cuando no coja un fusil para disparar contra nuestra causa, si lo hace voy a por él hasta sacarle las tripas, ya me conoces: por las buenas, bien, pero por las malas que no se me cruce nadie. En cambio, los del Gobierno Civil son otra cosa. Esta mañana he bajado a Granada porque quieren destituirme, he ido a ver si lo puedo parar. Están esperando que termine de organizar la fiesta del domingo para mandar a otro, el lunes no estaré aquí. Así están las cosas. Ya sabéis cómo la juega Valdés.

—¡Si lo llego a saber, voy a proponer yo a ése de gobernador...! La madre que lo parió. Pero todo tiene su tiempo, todo se andará para que ese bestia caiga.

—Pepe, tened cuidado, que esto va a cien por hora. No muevas un hilo sin estar seguro y sin contar con los que hay que contar, que te conozco.

—Descuida, que pasito a pasito los frailes salen del convento y andan el camino. Hablando de camino, tenemos que irnos, José María. Ya sabes, tú no has visto a nadie en mi casa, y ve con cuidado en lo tuyo.

Durante el viaje de vuelta, acompañados por otras dos personas además del chófer, Pepe y yo no pudimos comentar nada sobre la narración de Nestares. Incertidumbre es lo que ronda mi cabeza, y la idea de trasladar a Federico a zona republicana toma cada vez mayor consistencia; la posibilidad de que respeten nuestra casa por ser mis hermanos quienes son se desvanece si no han respetado el feudo de Nestares.

Cuando entramos por la calle Angulo, ya tarde, compruebo que en mi bolsillo sigue la poética respuesta que esta mañana dio Federico, me gustaría que la revisara y me la dedicara. Luis, que nos oye llegar, abre la puerta y con impaciencia de adolescentes, sin dejarlo hablar, le contamos lo sucedido con los amigos de Nestares y la reacción de Valdés. Luis, muy preocupado, nos cuenta que esta tarde han vuelto a ir a la Huerta del Tamarit; Federico se ha enterado al llamar a sus padres.

—Están muy asustados, y yo la verdad es que también lo estoy —dice Luis—; no sé qué hacer. De momento le he pedido a Federico que bajo ningún concepto, sea la hora que sea, se mueva del piso de arriba, y que no llame por teléfono a su casa, por si está intervenido. ¿Sabéis lo que contestó como niño que confía plenamente en sus padres?: «Luis, no te impacientes, cómo os van a desafiar: Pepiniqui es un líder al que todos quieren.»

—No le demos más vueltas. Debemos tomar la decisión por él. Hay que llevárselo, sacarlo de Granada.

—Pepe, esta mañana quedó claro que Federico no quiere moverse de Granada. Está tercamente convencido de que aquí no corre peligro, que las tropas republicanas restaurarán el orden muy pronto y tampoco quiere estar lejos de su familia por si se vengaran con ellos. Hay que pensar en otra solución sin que salga de la ciudad o de los alrededores. Tal vez con Falla, o en Fuente Vaqueros, con algún familiar suyo.

—¡No, hombre! ¡En Fuente Vaqueros, los Roldán tardarían media hora en pillarlo, qué disparate!

—Un momento. Lo pasado a Nestares cambia la situación. Cuando bajábamos de Víznar venía dándole vueltas y he pensado que podríamos intentar llevar a Federico con los primos Taboada, un par de días, hasta que podamos pasarlo al otro lado. ¿Qué os parece?

—No sé, Gerardo, está demasiado asustado para ir con alguien que no conoce. Se siente totalmente incapaz de ir a ningún sitio que no sea de su confianza.

—No es ninguna tontería lo que dice Gerardo. Antes estaba seguro de que aquí no se atreverían a venir, pero ya no lo estoy. ¡Joder, Luis! Si Federico tiene miedo, que espabile, que ya es mayorcito, ¡coño! Que después de lo que le ha pasado a Nestares no me fío de nadie. Si no puede o no quiere ir, habrá que engañarlo, ¿o tú ves otra solución?

—Está bien. Sé que tenéis razón y que hay que hacer algo.

—Algo, no: sacarlo directamente de Granada, Luis, llevarlo con los primos Taboada no merece la pena. ¿Qué podría estar allí?, ¿un día, dos?, lo más seguro es pasarlo por el frente de Motril.

—Creo que Pepe está en lo cierto.

—¡De acuerdo! De acuerdo, no me presionéis más, entended que le he dado mi palabra y me cuesta trabajo obligarlo a otra cosa. Mañana veré si podemos pasarlo el domingo.

Es el momento de contarles la acalorada conversación que tuve con Miguel, su manera de reprocharnos que protejamos a Federico. Hablando, nos damos cuenta de que Miguel sólo ha venido una vez a casa desde que está aquí Federico. Es su manera de demostrar el desacuerdo, se coge unos cabreos sordos para después soltarlos en cualquier momento, así es Miguel.

Tras un rato de discusión, nos ponemos de acuerdo en intentar que Federico llegue hasta Málaga, allí Manuel López Banús y Manolo Contreras lo recibirán con todo el cariño; es amigo de los dos y no se sentirá solo. Decidimos también no decirle nada hasta el último momento y planteárselo como un hecho. A pesar de estar de acuerdo, Luis sigue sintiéndose incómodo ante la solución y vuelve a proponer llevarlo a casa de don Manuel de Falla.

—Escucha, Luis, no le des más vueltas —le dice Pepe—, don Manuel es respetado como músico, pero no escapa a la envidia de un sector de la ciudad, y desde luego no tiene ningún peso político o influencia ante el régimen militar; llevarlo con él sería una solución transitoria, por no decir una torpeza. Si Federico está en la lista de Valdés, como parece, debe salir de Granada inmediatamente, sabes de sobra que no pararán hasta encontrarlo y sabes perfectamente que Federico apoya a la República, lo viene haciendo desde hace años, en manifiestos, en conferencias, en actos frentepopulistas, junto a María Teresa León, Rafael Alberti y otros que tú conoces mejor que yo. Aunque lo haga desde un criterio humanista, desde el partido de los pobres buenos, como dice, el caso es que todo el mundo sabe que su familia y él apoyan claramente al Frente Popular. Su amistad con Fernando de los Ríos, con Otero y con Constantino Ruiz Carnero, en fin, no le voy a dar más vueltas a las implicaciones políticas de Federico... Lo que quiero que tengas claro es que otros, por menos, han sido fusilados, como el ingeniero Santa Cruz, y perdona que te diga que Juan José Santa Cruz es más querido y conocido en Granada que García Lorca, Luis. Hay que sacarlo de la ciudad, no hay otro remedio.

Después de dos horas de darle vueltas al mismo asunto, al fin Luis acepta convencido y sin reservas el plan y decidimos dejar para mañana los detalles que hay que ultimar. El ciprés del patio ha perdido su aroma, y tal vez las sombras de la noche y el cansancio nos hacen ver esperpentos ocultos en los armarios.

El nuevo sábado amanece con la tradicional fiesta del día de la Virgen en toda España. La falta de sueño me echa a la calle, aturdido y escaso de tiempo. Al cruzar la plaza de la Trinidad, el pintor José Guerrero, vecino y amigo desde la infancia, al que no he visto venir, me saluda. Encamina sus pasos al nuevo café bar Casa Eladio, más conocido como el bar de la «Tía del Abanico».

—¿Pero es que no sabes lo que es ese sitio, Pepe?

—Me han dicho que está bien y que va gente de izquierdas.

—¿Qué dices, la Tía del Abanico? ¡Ni se te ocurra, es dinamita pura! La detuvieron los primeros días del Alzamiento, y cuando iban a fusilarla, el teniente Pelayo, aprovechando su reputación de miliciana activa, decidió utilizarla a cambio de salvarle la vida. Le montó el bar para que le haga de chivata bajo continua amenaza a ella y a su familia. Precisamente, la intención de Pelayo es que por ahí pasen los republicanos, que se reúnan, en fin, crear un clima de confianza en Casa Eladio para los de izquierdas y para todo el que no sea patriota. Ese sitio es una trampa.

—¿Estás seguro?

—¿Que si estoy seguro...? Pelayo se pasa todos los días por el bar a primera hora y la del Abanico le da nombres y apellidos de los que hacen reuniones o pasan por allí preguntando cualquier cosa sobre el frente republicano. Después los detienen y a la mayoría los fusilan, de manera que ni se te ocurra pedir un café allí, o te lo darán bien negro.

—¡Qué barbaridad!

A pesar de la prisa de mi padre, se quedaron un momento hablando en la misma plaza de la Trinidad. José Guerrero, a quien el Alzamiento había pillado en Ceuta haciendo el servicio militar, había conseguido pasar unos días en Granada bajo la excusa de una enfermedad. Hablaron de pintura. Se dieron cuenta durante la conversación de que sus gustos estéticos tras el brutal impacto de la guerra habían cambiado. «Todo esto es una gran putada», le decía Guerrero.

—Qué dolor me produce tanta intolerancia. No puedo pintar, ¿sabes...? Se me va cualquier imagen en la que pueda recrearme y me dan ganas de coger un lienzo grande, llenarlo entero descuidadamente de negro y después cruzarlo de punta a punta con un manchón rojo, vivo, tal como sale del tubo. Representar la intrusión sangrienta a la que estamos sometidos en este verano sin luz. Eso es lo que me ronda por la cabeza incesantemente, coger una gran superficie roja, vitalista, e irrumpirla violentamente con negro como la oscura ceguera de esta guerra que separa nuestras vidas de la libertad. Veo ese tipo de cuadros en un tamaño descomunal, Gerardo, de dos, de cuatro metros. Se presentan ante mí con tal fuerza, que el espacio empequeñece ante esas masas de color puro que me llaman, ¿sabes?

—Sé lo que quieres decir, Pepe, que no tiene sentido pintar paisajes que requieren tranquilidad, minuciosidad y constancia en lugar de seguir aquellos impulsos mucho más primitivos que te empujan con fuerza a otro modo de expresión espontáneo. Te refieres a la síntesis del pensamiento, donde el detalle se hace innecesario y la forma se manifiesta libre, en contraposición al brutal impacto de la guerra, descargando la frustración con espacios amarillos, histéricos, o ciegos, como el negro que envuelve nuestro interior.

—Eso es.

—Tienes que pintarlo, Guerrero, debes hacerlo para echar los monstruos fuera y alejarlos de ti. Da igual si lo entienden o no los catetos putrefactos que nos rodean. Esa necesidad que tú tienes es más que suficiente para no perder la fidelidad a nosotros mismos, debemos conservarla como tesoro inalienable.

—Me alegra oír eso, Gerardo. En todas las conversaciones que hemos tenido nunca salió el arte fuera de lo estéticamente correcto. Creí que pensabas de otra manera. Me das ánimos y me haces comprender aquello que yo mismo no terminaba de entender.

—Todo esto lo pienso porque hace unos días hablé con Federico, él me ha hecho entender que el arte debe estar libre de ataduras, salir de la dorada jaula convencional.

—¿Has hablado con García Lorca de estas cosas? Me acuerdo cuando me lo presentaste el año pasado en el Ferial; qué persona tan encantadora, es como un niño, sin complejos.

—Sí que lo es. He hablado con él largo y tendido, pero ahora tengo que irme, Pepe, te prometo pasar por tu estudio y ver esos cuadros que tienes en la cabeza, me interesan mucho.

—Me encantará, Gerardo, sobre todo si puedo pintarlos, porque me ahogo. Quiero irme de este país, ¿sabes? Quiero marcharme a Nueva York, la nueva ciudad del arte, a la América de las oportunidades, porque esta abominable Europa, con la Alemania de Hitler o la Italia de Mussolini, me oprime demasiado. He de marcharme de esta jodida ciudad como Picasso se fue de Málaga y tu hermano Luis de Granada. El sur está culturalmente podrido desde hace demasiado tiempo, Gerardo, vivimos del pasado y yo busco el futuro lejos de esta pobreza creativa.

—¿Te encuentras amenazado o en peligro? ¿Quieres irte por eso?

—No es eso, es que estoy demasiado incómodo entre la reaccionaria burguesía granadina, y perdona que te lo diga.

—No me importa, a mí tampoco me gusta estar metido en esto, me asquea tanta violencia y persecución. Pero si las tropas republicanas entraran en Granada no sé qué pasaría con mis hermanos, demasiado comprometidos con el Alzamiento, toda mi familia estaría en peligro, y le pido a Dios que esta locura acabe cuanto antes. Estoy atrapado, Pepe, no puedo dar marcha atrás, me tomarían por desertor, ¿comprendes? Vete a saber qué harían conmigo, es angustioso. Me siento tan lleno de mierda, callando día tras día, que no sé hasta cuándo podré aguantar.

—Te ha pillado en este frente y no puedes hacer otra cosa, Gerardo, a mí me pasa lo mismo y tengo que volver en unos días, ojalá me pudiera incorporar en otro sitio. Gracias por advertirme de Casa Eladio, por evitarme caer en esa ratonera.

Al despedirnos, me quedo con la sensación de que detrás de la ambición de buscar fortuna en Nueva York, quizá Guerrero esconda otra necesidad, su desasosiego es palpable y tal vez no haya querido decirme si está en peligro, ni la causa de dirigirse al café de la Tía del Abanico.

Hoy, Queipo de Llano, desde Sevilla, ha sorprendido a toda Andalucía con algo «mejor» que sus exageradas intervenciones radiofónicas. En la plaza de San Fernando, después de la tradicional procesión de la Virgen, y ante una gran concentración de gente entusiasta, se ha izado la bandera rojigualda. Es la primera vez que ondea desde que la República la sustituyó, en 1931, por la tricolor que costó la vida a Mariana Pineda. Desde el balcón del ayuntamiento, Queipo de Llano, acompañado por Franco y Millán Astray, la han ondeado con fervor entusiasta entre ovaciones y vítores patrióticos. Los tres generales, en este discurso leído por Queipo, «El príncipe de Andalucía», han sacado la piel de lobo sin ocultar que la guerra se hace contra la República.

Soldados, ciudadanos de Sevilla y de Andalucía. En este ambiente de patrio-
tismo que aquí se respira y que alienta y enfervoriza el alma, estamos reunidos
para dar satisfacción a nuestros anhelos de ver ondear oficialmente la bandera
roja y gualda, bandera gloriosa que veneraron generaciones de nuestros antepa-
sados y que se cubrió de honor en tantas actuaciones y en tan memorables gestas.
Una de las mayores torpezas que cometió la República fue modificar los sagrados
colores de la bandera nacional. Nuestro enemigo no es sólo el gobierno, con sus
ineptas marionetas que pretenden ser hombres, ni los borreguiles rojillos sin clase
manejados por sindicatos de guerrilleros. Nuestro enemigo es el sistema que per-
mite sentarse en el gobierno de España a los enemigos de la Patria y de la Iglesia,
a esa canalla marxista, a esas bestias feroces. Pero nosotros somos caballeros, nues-
tros valientes legionarios y regulares han enseñado a los rojos lo que es ser hom-
bres en las trincheras y a sus mujeres también, que han conocido por fin hombres
de verdad y no castrados milicianos (15).

Franco ha besado la bandera monárquica al grito de «¡¡Ahí la tenéis!!», y Millán Astray, invocando a la Legión: «¡¡Viva la muerte!! ¡¡¡Viva!!!
¡¡Viva la muerte!! ¡¡¡Viva!!! ¡¡¡Viva la muerte!!! ¡¡¡Viva...!!!», para terminar
cantando el *Cara al Sol*. Sólo ha faltado para el póquer de ases... el general
Varela, que avanza hacia Granada para unirla a Sevilla por carretera y
que parece que acaba de conseguirlo.

Durante todo el día no hemos parado de subir a Víznar —donde aún
me encuentro— bocadillos, mesas, sillas, lo necesario para que todo esté
a punto para la fiesta de mañana domingo en la que, siguiendo las instrucciones y el ejemplo de Sevilla, también se izará la bandera nacional.
Todo está adornado de verbena. Bombos de papel y banderitas cuelgan
por las calles esperando la mañana, y en la plaza una piña de cohetes
aumentará la bravura de la victoria. Los renovados ánimos que salen por
Radio Sevilla repitiendo el discurso de Queipo en compañía de Franco y

(15)   Fragmento del discurso pronunciado en Sevilla y publicado por Ian Gibson
en *El asesinato de García Lorca*.

Millán Astray, junto con el avance del general Varela hacia Granada, crean un ambiente propicio para que la fiesta aquí, en Víznar, comience sin esperar a mañana y sin que llegue la hora de regresar a Granada. Menos mal que he podido escabullirme un momento para asistir a la cita con Elena. Estaba guapísima y, afortunadamente, no se ha tomado a mal, como otras harían, que tuviera que irme de inmediato. Hemos hablado tan poco que no merece la pena contarlo. Sólo diré que he podido cumplir el deseo de besarla, sin la mojigatería enfermiza de la que hacen gala las granadinas. Es la única alegría que llevo.

La noche en Víznar se calienta y Nestares se une al grupo de bebedores con una botella de vino que trae bajo el brazo; me saluda con un: «¿Todo bien, Rosales? Tómate unos vinos a cuenta de mañana, aunque supongo que vendrás con tus hermanos, ¿no?» Poco apetecible resulta la invitación. Mañana prefiero un día tranquilo, escuchar música, ir al cine, desintoxicarme y recoger a Elena a la salida del hospital.

A medida que la noche avanza y el vino hace sus efectos, los bocazas cuentan anécdotas de sus huestes y de las habladurías que llegan de otras provincias. Nestares, que ayer no me causó mala impresión, irrumpe en tono jocoso mientras manda callar a todos:

—¡Escuchad!, que quiero que sepáis cómo cayó Burgos. ¡Silencio! Que os voy a contar para que os riáis un rato cómo los nuestros tomaron Burgos. ¡Joder, Pedro, cállate de una vez!

Eran las doce de la noche del glorioso 19 de julio cuando el coronel Aizpuru y el comandante Algar entraron enérgicamente en el despacho del general Batet, hasta entonces gobernador. El gobernador, militar católico pero sin verdadera madera de soldado, seguía celosamente las órdenes del gobierno que está deshonrando a España. «Debe usted situarse con sus compañeros de armas o entregarse sin resistencia», le dijeron Aizpuru y Algar. Batet, con la mano en el pecho, donde lucía la ostentosa cruz laureada que el gobierno republicano le concedió con ocasión de la revolución de octubre en Barcelona, respondió con gesto de general cabreado:

—Eso sería una cobardía. Los que llevamos esta insignia en el pecho no podemos entregarnos como cobardes.

—Piense usted, mi general, que sería ridículo que pretendiera usted oponerse a nuestro intento colectivo, ya que sólo lo seguirían una docena de holgazanes ordenanzas y nadie más.

—A pesar de eso, esta laureada me obliga a luchar o a morir, pero jamás a entregarme sin resistencia.

Fue en ese momento cuando el comandante Algar, con un manotazo sobre el hombro del general, le dijo:

—Terminemos de una vez. Queda usted detenido y preso.

Sin más explicaciones lo obligaron a entrar en sus aposentos particulares para que se quitara el uniforme. Una vez vestido de paisano, Batet oyó los acordes marciales de la banda de música que iba por las calles de Burgos, seguida de todo el vecindario, proclamando el estado de guerra, mientras era trasladado a los calabozos del cuartel de Caballería. Pero lo mejor viene ahora: el teniente coronel Gavilán se hizo cargo del Gobierno Civil en Burgos el mismo día 19; militar ciento por ciento, de los más entusiastas por la causa y de los que saben torear y rematar con la espada. No había hecho más que empezar a despachar como gobernador en la misma madrugada del 20, cuando el timbre del teléfono no paraba de sonar, ring, ring y ring, ring, ja, ja, ja. Cogió, cogió enérgicamente el aparato y...

—¡Al habla el gobernador de Burgos!

—Hola, gobernador, aquí el ministro de la Gobernación...

—¿Quién?

—El ministro. ¡Casares Quiroga, hombre! ¿Quién va a ser?

—¡Ah, ya! Muy señor mío, ¿y qué hay...?

—Quería preguntarle a usted qué tal va por ahí.

—Pues por aquí, muy bien. ¿Y ustedes?

—Pues aquí, de primera. Ya están las calles tomadas por las milicias. Hemos armado al pueblo, ¿sabe usted? Para cortar las intenciones de sublevación.

—¡Caramba, hombre, qué buena idea! Pues tenga usted cuidado, no sea que le salgan los tiros por la culata.

—¿Cómo dice?

—¡Por la culata, hombre, por la culata! ¿No sabe usted lo que es la culata?

—Claro que lo sé. Pero...

—Usted qué va a saber... ¡Usted no sabe nada de nada!

—Oiga usted, gobernador, ¿es que está ocurriendo algo por ahí?

—Nada, hombre, nada. Aquí vivimos en el mejor de los mundos, porque Burgos tiene el gobernador que necesitaba: un teniente coronel de Caballería, que ha empezado por meter en la cárcel a toda la canalla frentepopulista. Algo que pronto ocurrirá en Madrid. Conque a prevenirse, don Santiaguito, que ya sabe usted el refrán: «Cuando la barba de tu vecino veas pelar, pon la tuya a remojar.» De manera que vaya enjabonando la suya, señor ministro, y consérvese si puede. ¡Viva España! (16).

»Y colgó el aparato, dejando al famoso ministro con la boca abierta y dos palmos de narices. Anda, pon otro vino, que vamos a brindar por los cojones que hay en Burgos.

A las risotadas de Nestares le sigue un coro, que poco a poco pierde la ciega obediencia militar, y entre más vino, alguien dice:

—Mi capitán, cuente usted lo que pasó en Barcelona.

—¿Barcelona, dices? Barcelona, tierra de rojos canallas que no se les entiende, no porque hablen otro idioma, sino porque tienen un huevo en la boca. Pero incluso allí hay hombres enteros, os voy a contar lo que es un hombre de verdadero temperamento militar, como el general Goded.

Los dirigentes rojos luchaban en Barcelona con su táctica habitual, sin darle importancia a la vida de sus secuaces consiguiendo, cuando apenas habían caído unos cuatro o cinco, ocupar su puesto antes de que el moribundo suelte el fusil. La lucha es larga y el fuego durísimo durante todo el día 20, hay mucha sangre en uno

(16) Tebib Arrumi, *La Reconquista de España*, España, 1940.

y otro campo, e inesperadamente el fuego cesa sin que los nuestros sepan a qué es debido. El momento de tregua lo aprovechan algunos de los que hasta entonces habían luchado bravamente dentro de la división del general Goded, y dirigiéndose a él, le dicen:

—Mi general, es triste decirlo, pero... ¡todo está perdido, señor! Prolongar más una resistencia estéril es aumentar inútilmente el derramamiento de sangre, española al fin, en uno y otro lado.

—¿Qué quieren ustedes decir? Hablen claro.

—Mi general, ¡que ha llegado el momento de rendirse!

—Ustedes se olvidan de con quién están hablando. ¡Hablan ustedes con el general Goded, que no conoce el significado de esa palabra cobarde, «rendición»!

—Mi general, no nos olvidamos de nada; pero las circunstancias mandan —le insistían.

—Aquí no manda nadie más que yo, ni las circunstancias ni nadie; sólo mando yo. Y yo ordeno luchar hasta morir, porque a eso, y no a otra cosa, me comprometí, y se comprometieron ustedes, lo que, por lo visto, también han olvidado...

—No hemos olvidado nada, señor; pero pretender seguir esta lucha es una locura y una insensatez.

—¡Aquí no hay más insensatos que ustedes, ni más cobardes que ustedes! Todo eso debieron pensarlo antes de comprometerse; los hombres de honor no tienen más que una palabra, y nosotros la hemos dado jurando vencer o morir en la contienda. ¡Cada uno a su puesto, que esto se ha acabado! ¡Es una orden!

Ante el tono enérgico y terminante de Goded, hubo un momento de dramático silencio. El general, con las manos atrás, paseaba por el pasillo donde tenía lugar la escena, pero sus oficiales no se movían, permanecían como clavados en el suelo, a pesar de la orden rotunda de Goded. Al fin, en una de sus idas y venidas, Goded advirtió de nuevo la presencia de aquel grupo, al que se había unido el general Burriel, y parándose de nuevo, y encarándose a Burriel, le gritó:

—¿No me han oído ustedes? ¡Cada uno a su puesto y a cumplir con su deber!

»Burriel, balbuceando, se atrevió a replicar:

—Es que, mi general, ¡ya no hay nada que hacer!

—¿Qué dice usted?

—Que la división acaba de rendirse, mi general.

—¡¡¡Rendirse!!! ¿Y quién lo ha ordenado?

—Mi general, quien haya sido es lo de menos. El hecho es que dentro de unos momentos estarán aquí las fuerzas del gobierno.

—¡Las fuerzas de la mierda, dirá usted! ¡Son ustedes unos traidores y unos cobardes que no sólo infaman el uniforme que visten, sino que quieren enlodar el mío! ¡Yo me llamo Goded, y quiero morir como corresponde a mi historial y no como un cobarde, como ustedes, que no tienen un nombre de prestigio que defender y, traidores, se rinden para salvar el pellejo! ¡Ustedes habrán rendido este lugar, pero yo moriré luchando!

—Ya ni eso puede usted hacer, mi general, porque todas las fuerzas se han rendido.

El general Goded le volvió la espalda y al comprobar el gentío que subía del piso inferior gritando: «¡Viva Rusia! ¡Viva el comunismo! ¡Visca Catalunya lliure!», avanzó tres pasos, y sacando rápidamente la pistola de su funda, se puso el cañón bajo la barbilla. El clic del gatillo se oyó y luego un cric que denotaba el fallo del disparador sobre la cápsula. La pistola también había traicionado al pundonoroso general, se había encasquillado.

Rápidos, los pocos leales se echan sobre él sujetándole los brazos. Goded forcejea con toda su alma para desasirse y salvar su pistola, pero al fin le es arrebatada por una mano férrea. Goded los insulta, los golpea, incluso les ruega. De improviso, su mirada alcanza a ver a su propio hijo, que se mantiene apartado del grupo, pálido como un muerto y sin atreverse a tomar partido por su padre o por los que tratan de librarlo de una muerte segura. El hijo de Goded tiene su propia pistola en la mano. Y el general Goded le grita desesperadamente:

—¡Manolo, dame tu pistola! ¡No dejes que tu padre se vea deshonrado! ¡Dame esa pistola! ¡Ayúdame, hijo!

Su hijo extiende el brazo por encima de las cabezas, haciendo llegar el arma *a manos de su angustiado y heroico padre. En tal momento, a las seis de la tarde, entraban en avalancha las turbas rojas que, apuntando con sus fusiles a todos, les ordenan ponerse en grupo de cara a la pared para desarmarlos. La mayoría obedecen. Solamente Goded, su hijo y hasta tres o cuatro oficiales leales permanecen imperturbables, con los brazos cruzados ante la horda sanguinaria, que no se atreven a repetir la orden, ni a disparar sus armas, sobrecogidos por aquel pequeño grupo de hombres valerosos, de militares con honor. Y el general, que ya se encañonaba con el arma de su hijo, con un rápido movimiento disparó contra la canalla comunista y hasta tres certeros disparos pudo hacer antes de que aquella chusma lo abatiera. Murió como él deseaba, luchando hasta el último momento, dando ejemplo de valentía y pundonor a todos los que estaban allí presentes y gritando con su último aliento: «¡Arriba España (17)!».*

Durante la noche, que se alargaba interminablemente, no faltaron los chistes patrióticos y anécdotas locales como el encuentro entre Valdés y la Zapatera que terminó fusilada antes de que pasara la media hora, como ya hemos comentado, o la de otra chica que, detenida como enlace del Albayzín, quiso tirarse por una ventana del Gobierno Civil que da al jardín botánico. Mientras la sujetaban, llegó Valdés diciendo: «Dejadla, ojalá tengamos suerte y se dé con la piedra más grande, ¡dejadla que se tire, he dicho! Que se abra la cabeza ella sola y así no tendremos que desperdiciar una bala.» O la paliza que Julio Romero Funes, el jefe de policía que asesora a Nestares, le dio a un diputado antes de entregarlo a las escuadras negras cuando dijo: «A mí no me pueden detener. Tengo inmunidad parlamentaria.» Cada cual quiere contar la barbaridad más gorda y cuentan cómo un día, cuando los de la escuadra del Panaerillo bebían vino con una bala dentro de la copa, con la que decían que habían dado muerte a un rojo, Julio Romero Funes les dijo: «Vosotros presumís

(17)   Ídem.

de hombres pero nunca habéis ahorcado a nadie, matar con una pistola es muy fácil y eso que estáis haciendo, beber con la bala llena de sangre del asqueroso rojo que habéis matado, es una guarrería.» Aquella misma noche se llevaron a un «condenado» al paseo del Salón y en los jardines del río lo fueron llevando de árbol en árbol y poniéndole la soga una y otra vez al cuello, tensándola hasta que el desdichado se sostenía de puntillas. «Esta rama no aguantará, vayamos a otra», le decían. El pobre detenido suplicaba que lo mataran de una vez, hasta que, sin fuerzas y por miedo, se arrastraba por el suelo. Los cuatro asesinos volvieron a ponerle la soga y se colgaron del otro extremo para hacer contrapeso hasta que murió.

Por momentos me voy poniendo enfermo ante estas caras jubilosas de barbarie, y digo en voz alta para que todos me oigan: «¡Estáis enfermos cuando reís ante un episodio tan injusto y espeluznante! Sois tan bárbaros y cobardes como los asesinos del pobre ahorcado y no aguanto que sigáis contando quién es más hombre por su violencia abominable. ¡Al hombre se le mide por el desarrollo del pensamiento, no por su capacidad de destrucción!» Ante mis palabras se produce un momento de desconcierto y un murmullo corre de boca en boca que, de inmediato, se exalta contra mí; son las cuatro de la madrugada y la bebida ha hecho sus efectos. Afortunadamente, Nestares, que se mantiene sobrio, viene a mi lado y pone orden enérgicamente diciendo: «¡Una cosa es la guerra y otra la venganza! Un cristiano no puede hacer esas fechorías sin ser castigado por Dios. Aquí no tolero esas cosas. ¡¡Se acabó la juerga, todo el mundo adentro!!» Con su intervención, el capitán ha evitado que un nutrido grupo de fanáticos se me eche encima. Por fin vamos camino de Granada, lejos de la euforia de *patridiotas*. El alcohol del sargento que conduce propicia que la camioneta se salga de la carretera y pise una de las minas instaladas a lo largo del camino, una «ratonera», así las llamamos, porque muchos de los nuestros caen en ellas. Por fortuna, al estallar sólo alcanza a reventar una de las ruedas de atrás. Las peripecias para cambiarla, sin luz, sin candil, con las tuercas oxidadas y con el vino por aliado, hacen que llegue a casa con las primeras luces del domingo y muerto de frío. Cierro los postigos para evitar que la luz me despierte dentro de un rato y caigo en la cama completamente rendido; ni siquiera lío el cigarrillo que acostumbro a fumar antes de dormir.

Se llevan a Federico

Por la mañana hago un esfuerzo por levantarme y desayunar con mis hermanos antes de que se marchen. La casa guarda silencio y las campanas repican a misa, como todos los domingos. El abeto del patio huele a resina y menta, anunciando un día tranquilo: hoy descanso. Al bajar a la cocina, aún restregándome los ojos de sueño, encuentro a Pepe.

—¡Buenos días! Vaya carita que traes esta mañana. De juerga, ¿no?

—Pues sí que debo de tenerla. Llegué anoche a las... bueno, anoche... mejor será decir hace un rato, y no de la juerga que tú piensas. ¿Y Luis?

—Se ha marchado para Víznar, quiere dejarse ver, y bajar pronto para ir al frente de Motril a ver si puede encontrar a Enrique Martín y resolver el asunto de Federico.

—¿Es que ayer no pudo ver a Enrique?

—Como era fiesta, no lo encontró, por eso quiere volver hoy, le dijeron que estará esta tarde. Si no hay ningún problema, mañana pasaremos a Federico. De manera que puedes seguir durmiendo, hoy no hay nada que hacer.

—¿Y los Taboada, qué han dicho?

—Por un día no merece la pena correr riesgos y sacarlo de aquí. Además, para qué vamos a darle dos malos ratos a Federico, sabiendo cómo se pone.

—Entonces me vuelvo a la cama, a ver si me despabilo.

—Oye, ¿vas a subir a Víznar?

—No me apetece nada, ¿y tú?

—Sólo a la misa. Después iré a Güéjar Sierra, que aquel frente no hace tregua ni los domingos.

—¿Vendrás para comer?

—No creo, entre el follón de Víznar, me refiero a la sustitución de Nestares, y Güéjar Sierra, me espera un día de campeonato.

—¿Le dan el largo a Nestares?

—Ayer tuvimos una reunión y parece que esta noche es la última que pasa al frente de Víznar.

—Bueno, Pepe, me voy a la cama un rato, hasta luego.

El trajín de los platos, los refunfuños de Basi y, sobre todo, Federico aferrado al piano que interpreta los «Nocturnos» de Chopin como su único consuelo, me despiertan sin saber muy bien si es mediodía o media tarde. El reloj marca las doce, compruebo que anda y le doy cuerda. Mientras me desperezo, el piano invade toda la casa con el profundo *Andante* contagiándome de la oscura amargura que sale de las manos de Federico. Al afeitarme y lavarme, justo desde arriba (el piano está situado encima de este cuarto de baño), las notas siguen sonando con desesperada melancolía, arrastrándome a la tristeza. Con la taza de café en la mano, dos paquetes de Lucky en el bolsillo que le encargó a Benedicto, Bene, el aprendiz de la tienda, y el periódico, subo a ver a Federico que, absorto en el piano, tengo que poner la mano sobre su hombro para que note mi presencia.

—Ah, ¿eres tú, Gerardo? No te he oído entrar.

—Te traigo cigarrillos y el periódico. Eso que tocas es precioso, pero muy triste, no deberías sentirte así.

—Ni siquiera sé lo que estoy tocando, quiero decir que me viene sin pensar.

—Ya estamos como el otro día, a saber qué tienes en la cabeza...

—Gerardo, tu hermano Pepe tiene razón, me buscan para detenerme. He dado demasiadas muestras antifascistas para los tiempos que corren. Contigo puedo hablar de estas cosas, eres liberal, como tu padre, con Luis y con Pepe también podría, pero no quiero herirlos. Mi nombre estaría en las listas de la Asociación de los Amigos de la Unión Soviética, cuando los de las JONS violaron las oficinas de la sede y se llevaron todos los documentos.

—Pero de eso hace mucho tiempo, ¿no?

—Lo importante no es el tiempo, lo hicieron con toda impunidad bajo el gobierno de la derecha para tener información de sus posibles enemigos, ¿comprendes? Lo hicieron en julio del 33, cuando ganaron las derechas. Pero hay muchas más cosas. Yo firmé con un grupo de intelectuales una carta dirigida al gobierno en contra de la detención de Azaña cuando lo acusaron de haber participado en el levantamiento del Estat Català. He leído, y mi firma figura la primera en el manifiesto de los intelectuales con el Frente Popular que se publicó, en *Mundo Obrero*, el pasado mes de febrero cerrando campaña electoral. En abril, *La Voz de Madrid* publicó una entrevista que me hizo Felipe Morales, en la que dije abiertamente estar del lado de los pobres y eso se interpreta, claro está, como estar con los obreros. Le dije que trabajaba en una comedia en la que se escapan las páginas; que la verdad de la comedia es un problema religioso y economicosocial, en un mundo dividido por el hambre que asola a los pueblos. «Yo lo he visto», le dije. Van dos hombres por la orilla de un río. Uno es rico, otro es pobre. Uno lleva la barriga llena, y el otro pone sucio el aire con sus bostezos. Y el rico dice: «¡Oh, qué barca más linda se ve por el agua! Mire, mire usted el lirio que florece en la orilla.» Y el pobre reza: «Tengo hambre, no veo nada; tengo hambre, mucha hambre.» Fue el ejemplo que le puse y añadí: «El día que el hambre desaparezca en el mundo va a producirse la explosión natural más grande jamás conocida por la humanidad. Nunca jamás se podrán figurar los hombres la alegría que estallará el día de la gran revolución. ¿Verdad que te estoy hablando en socialista puro?», terminé diciéndole (18).

(18)   Basado en la entrevista publicada en *La Voz de Madrid* el 7 de abril de 1936 en la sección «Conversaciones Literarias».
Sobre el pretendido apoliticismo de García Lorca, remito al lector al libro de Ian Gibson *El asesinato de García Lorca.*

—Pero hombre, deja de pensar en esas cosas, no me extraña que tocaras con esa tristeza.

—Hay más, Gerardo, hay más. Ayudo con una cuota a Socorro Rojo Internacional y he participado con Alberti, Eduardo Ortega y Gasset, con Álvarez del Valle y otros para estimular con un saludo a los trabajadores el 1 de mayo. Firmé el manifiesto de la Unión Universal por la Paz y protesté por el encarcelamiento de Carlos Preste, el líder comunista brasileño detenido por el dictador Getulio Vargas en un acto organizado por Socorro Rojo Internacional.

—Todo eso lo sabemos, Federico, deja de atormentarte, ya encontraremos una solución.

—Cómo vamos a encontrar una solución, ¿acaso podemos deshacer las letras escritas, las fotografías impresas?, ¿borrar la memoria reaccionaria que se alza con saludo fascista por las calles?

—No toda España es igual. La barbarie en la que estamos sumidos pronto acabará, ten fe.

—Me acuerdo cuando mi madre le dijo a Pablo Suero, un periodista argentino amigo mío: «Si no ganamos los del Frente Popular, ya podemos despedirnos de España, nos echarán si es que no nos matan», eso le dijo mi madre. Yo no soy de ningún partido, Gerardo, soy amigo de todo hombre bueno, incapaz de hacer daño, como le dije a Alejandro Prats cuando me entrevistó en *El Sol*. «Yo sé poco, yo apenas sé», me acuerdo de estos versos de Pablo Neruda, pero en este mundo yo siempre soy y seré partidario de los pobres. Yo siempre seré partidario de los que no tienen nada y hasta la tranquilidad de la nada se les niega. Nosotros, me refiero a los hombres de significación intelectual y educados en el ambiente de las clases que podríamos llamar acomodadas, estamos llamados al sacrificio. Aceptémoslo. En el mundo ya no luchan fuerzas humanas, sino telúricas. A mí me ponen en una balanza el resultado de esta lucha: aquí, tu dolor y tu sacrificio, y aquí la justicia para todos, aún con la angustia del tránsito hacia un futuro que se presiente, pero que se desconoce, y descargo el puño con toda mi fuerza en este último platillo. Todo esto ha sido publicado.

—Y ese tipo de declaraciones te preocupa; no hay ninguna significación política, la Iglesia lleva diciendo lo mismo durante siglos, «es más difícil que un rico entre en el reino de los cielos que un camello pase por el ojo de una aguja». Estás agobiado, eso es todo, verás como no pasa nada.

—Sé que quieres animarme, pero estoy muy asustado por todas las veces que han registrado la Huerta buscándome, si es que entre mis padres y vosotros no me habéis ocultado otros allanamientos. Cualquier día sucederá algo terrible.

—Ayer me encontré con Pepe Guerrero, el pintor amigo mío que te presenté.

—Ah, sí, recuerdo que me lo presentaste en el Corpus y que estuvimos toda la noche juntos, lo he visto otras veces, es muy tímido.

—Me dio recuerdos para ti, y le hablé de la conversación que tuvimos sobre pintura, sobre el arte fuera de los convencionalismos putrefactos. Siente la necesidad de pintar a mano abierta y quiere irse a Nueva York.

—Allí le cambiará el mundo. Madrid a su lado es un pueblo, y Granada, una aldea, pero la miseria anda por las calles con niños encadenados a su nacimiento pobre, barrios del tamaño de Granada profundamente deprimidos sin futuro ni esperanza. No sé, Gerardo, si es una buena ciudad para un hombre sensible. Buenos Aires lo lleva en el nombre, o París, la ciudad de la luz, la luz de intelectualidad, pero Nueva York...

De pronto Federico aporrea el piano y dice: «¡No quiero pensar en Nueva York!» A pesar de mis esfuerzos por intentar sacar temas de conversación, no consigo hacerlo salir del abatimiento, me siento incómodo al no poder decirle nada de los planes que hemos preparado para él, he sido un estúpido hablándole de Nueva York sabiendo que le impresionó profundamente y tampoco es el momento de enseñarle el poema que llevo en el bolsillo para que lo corrija. Le pido que toque el piano, donde parece que se refugia, algún alegreto de los que hay en el atril, cosa que hace retomando a su tocayo Chopin.

Al ratito oigo a mi madre decirle a Esperanza:

—Avisa a Gerardo, que baje para comer.

Cuando Esperancita entra, no hacen falta palabras, entre Esperanza y yo casi nunca hacen falta palabras. En esta ocasión, un beso para Federico y un gesto para mí son suficientes para transmitirme que los ánimos están tensos. Pienso en quedarme a comer con Federico, pero entiendo que necesita estar solo, que, como a todos, a veces el pellejo nos estorba. Después de un breve paso por el baño, mientras oigo sonar el precioso alegreto que Federico toca ahora tímidamente, bajo al comedor, donde mis padres esperan sentados.

—Ahora que ya está el señorito, desaparece Esperanza —dice Basi, gruñendo.

—Ha subido la comida a doña Luisa y al señorito Federico. Tú sirve, que en seguida baja. Y deja de gruñir, por el amor de Dios —contesta mi madre. Luego se queja de que los domingos no son lo que eran—: Cuatro somos a la mesa después de tantos hijos. Las cartas de María no llegan, amontonadas seguramente en Madrid o sabe Dios dónde. Jamás las leeré. Y tú, Gerardo, te levantas tarde y subes a ver a Federico sin ir a misa en un día como hoy, un domingo.

—Mamá, no se es menos católico por faltar un día a misa, estoy cansado, llegué muy tarde después de una noche de perros.

—Todo lo justificáis con el deber y el frente, sin comprender lo largas que son las horas, las noches, hasta que volvéis a casa. Miguel hace días que no viene, tengo que saber por Gracita que está bien.

—Miguel no viene desde que Federico está aquí —me quejo.

Sin escucharme, mi madre continúa:

—Si al menos os acordarais de que existe el teléfono, podría dormir más tranquila, sin la angustia de levantarme para ver quién falta, o de estar mirando continuamente el reloj, como anoche, que llegaste a las siete menos veinte.

—¿Cómo lo sabes?

—¿Que cómo lo sé? Pues porque soy tu madre, parece mentira que os paséis las noches con los amigos mientras vuestro padre y yo estamos en vilo.

—No llegué a esa hora por lo que estás pensando, mamá. Y tienes razón en que podríamos llamar por teléfono, es verdad que no cuesta trabajo, pero ayer no pude, estaba en Víznar. Qué más hubiera querido yo que estar en Granada a las siete, pero de la tarde, y en la cama a una hora normal, aunque no voy a justificarme porque hay otros días que sí podría haber llamado.

—Vosotros entendéis por una hora normal de estar en la cama a las dos o las tres de la madrugada, pero anoche te dieron las siete menos veinte. Como comprenderás, estaba preocupada.

—Se pinchó una rueda al bajar de Víznar y no podíamos cambiarla.

Poco a poco, mi padre, dándole la razón, hablando de la inquietud que tiene que soportar mamá por nuestra culpa, en la que yo no había reparado antes, calma un poco la situación. A pesar de ello, mi madre no deja de censurar durante toda la comida nuestra actitud, que por una razón u otra le impide dormir algo más tranquila la mayor parte de las noches. Al mirar el reloj le recuerda a papá que a las cuatro y media ha quedado con un representante en el hotel Victoria. Apresuradamente, mi padre se pone la corbata, que mantiene con el nudo hecho, coge la chaqueta y se despide con un «hasta luego».

Mi madre arremete de nuevo, cosa que no suele hacer:

—Vosotros creéis que con las sirenas todos los días sonando y los bombardeos puedo estar tranquila. Mira hoy, ninguno de tus hermanos ha venido a comer, eso que es domingo, ayer día de la Virgen, tampoco.

Ni Esperancita se libra de esta nueva carga. Para no oír monsergas y recordando el encuentro que tuve ayer con Pepe Guerrero, salgo con la intención de ir a visitarlo a los pocos minutos de marcharse mi padre. Al llegar a su casa nadie abre la puerta. Las ventanas están cerradas a cal y canto y las persianas completamente bajadas. No cabe duda, no hay nadie. Sin vacilar, me dirijo a la torre de la catedral donde tiene su estudio, por si lo encuentro allí. Somos de la misma edad y conservamos la amistad y el cariño desde el colegio. Hace tiempo que no voy a su estudio y recuerdo el olor a óleo y aguarrás que lo envuelve, las apasionadas y ricas conversaciones que hemos mantenido otras veces. Estoy de suerte, al subir la escalinata de la torre oigo la música que sale de su taller, una zarzuela de Moreno Torroba, y percibo el inconfundible olor a pintura fresca. Lo encuentro enfangado en dos grandes lienzos, brocha de encalar en mano y las manos llenas de pintura.

—¡Hombre, Gerardo, qué agradable verte por aquí! ¡Pasa! No te quedes ahí.

—Es que estoy viendo eso desde lejos.

—Pero pasa, pasa. Mira qué texturas, mira qué inmensa barbaridad. ¡Me siento nuevo! Ven, mira este que está acabado, ¿qué me dices?

Las reflexiones de ayer se han transformado en imágenes sin rostro de donde emanan gritos. Nunca he visto nada igual. Mi primera impresión, por lo inusual, además de sorprenderme me produce rechazo, y trato de acomodarme a esos lamentos vestidos de color antes de contestarle.

Con verdadera vehemencia, Guerrero me explica su nuevo hallazgo, mientras mi vista y su voz se pierden por el paisaje de los viejos tejados que rodean la torre de la catedral. Los lienzos me sobrecogen de tal manera que necesito el horizonte de terrazas donde la ropa tendida se achicharra al sol de las cinco de la tarde. Tengo sensaciones encontradas, espeluznantes, que me impiden prestar atención al entusiasmo de Pepe Guerrero. A mi espalda siento un tirón irresistible por volver a ver el cuadro terminado. No soy yo quien lo mira, es el cuadro el que me mira a mí. Al verlo de nuevo, lo comprendo.

—Es una descarga —le digo—, un desgarro, un vómito contra la crueldad.

Luego, como hablando para mí mismo, le comento a Guerrero las fanfarronadas de las que fui testigo anoche quejándome del cariz que toma esta abominable guerra. Todo lo que está sucediendo me permite interpretar el cuadro como denuncia de mis experiencias.

—Es un grito derramado, Gerardo, por donde expulso la impotencia. Pero tú puedes ver otra cosa, darle el significado de tus vivencias, y un tercero podría interpretarlo de otra forma. Ésa es su grandeza. Este otro despide menos fuerza pero más inquietud. He tenido que desahogarme primero, descargar la rabia para poder llegar con mayor sutileza a la razón que ahora plasmo encima de la primera capa turbulenta. Esta enorme superficie roja representa la sangre derramada; la pequeña zona blanca, la libertad acorralada, y esta negra, incisiva, aguda como el dolor, la barbarie fascista que nos viste del color del luto. He de decirte que me diste un buen empujón para pintar lo que estás viendo; ayer mismo preparé los lienzos y desde esta mañana estoy pintando, me alegro de que seas el primero a quien se lo enseño.

—Me atraen muchísimo, invitan a despertar sentimientos dormidos. La primera sensación ha sido de rechazo. Al no estar acostumbrado a la estética que me presentas, su novedad me impedía verlos. Pero qué demonios, la estética es una moda variable, un concepto aprendido, ¿acaso todo en la vida es bello? ¡Pues no! Haces divinamente en investigar otras fuentes para el arte. ¡A la mierda las fronteras estéticas, al infierno con ellas y con el inmovilismo!

—Exactamente, sin fronteras ni modas ni estilos. Es el único camino para que el arte viva y, lo más importante, que viva dentro del que lo realiza prescindiendo de los caminos marcados.

—Pepe, ayer me pareció verte preocupado. Sabes que te aprecio y quiero que sepas que si necesitas ayuda, en fin, que si necesitas una mano, puedes contar conmigo.

—Si te refieres a si estoy en peligro, no es eso, de verdad, no me apetece nada volver a Ceuta pero lo haré, no tengo alternativa. Ayer me refería a una inquietud artística, irme a América es un sueño para más adelante. Pero ya que sacas el tema, Gerardo, tened cuidado. Sé lo que habéis hecho por López Banús, lo sabe alguna gente. Lo mío es que estoy cabreado, asqueado por lo que pasa. Ésta no es mi ciudad, no la reconozco.

—¿Cómo es que sabes lo de López Banús y que lo sabe mucha gente?

—No he dicho mucha, he dicho alguna gente; mi madre me lo contó. En Granada nos conocemos casi todos, por eso digo que vayáis con cuidado.

—¿Y cómo se enteró tu madre?

—Es amiga de los padres.

—¡Caramba! Aquí la gente se entera de todo en un santiamén. Este pañuelo de ciudad es *pa* cagarse con la capa puesta.

De nuevo me asaltan oscuros presentimientos con la sensación de haber vivido con anterioridad este momento. Aun sabiendo que no es así, me incomodan enormemente y pienso que quizá los he soñado. Para alejarlos y ante la presencia de los cuadros, me entran ganas de pintar. Nunca me he atrevido porque siempre fui torpe para el dibujo, pero ante mí se abre una puerta que no necesita de oficio sino de temperamento, de rabia. De manera que, ni corto ni perezoso, le pido a Pepe unos trozos de tabla que andan por ahí y pinto mis primeros churros, porque son churros lo que sale de mis manos. Pepe me anima diciendo que tengo un extraordinario sentido del color y de la composición, pero cuanto más insisto, más churros van saliendo. Lo que sí experimento, entre cigarrillos y pintura, es una relajación que me evade del mundo exterior. Las horas pasan sin darnos cuenta, y a medida que mis manos llenas de pintura se encienden de color, el horizonte de tejados y terrazas se apaga lentamente.

—¡Gerardo!, ¿lo dejamos?

—Espera un momento, que voy a darle un chorreón de aguarrás para que se mezcle. ¡Mira, mira cómo cambia! Parece un dragón soltando fue-

208

go. Ahora le doy por aquí y le salen las patas, ¿qué te decía, ves una pata? Verás la otra, ya está, así. Por aquí, anda, precioso, hazle caso a papaíto; eso es, éste sale bien, Pepe, ya verás. Mira qué verdes salen, ¡qué verdes!

—Es verdad, ése está mucho mejor. Pero venga, lávate las manos y vamos, que no se ve ni de cantar.

—¿Y dónde vamos a estar mejor, Pepe?

—Donde tú quieras, pero vamos.

—Joder, qué prisas te han entrado.

—¿Prisas? Ahora verás lo que es bajar la escalera a tientas, ¿o se te ha olvidado que estamos como las cigüeñas, en la torre de la catedral?

—¿Es que no tienes velas?

—Menos cachondeíto que, aun con velas, ya verás qué odisea.

Efectivamente, los escalones irregulares y desgastados y la poca luz parpadeante que sólo ilumina hacia arriba (si es que se puede decir que una vela solitaria ilumine) hacen la bajada tortuosa, interminable. Vamos pegaditos a la pared para evitar, con los traspiés que vamos dando, caer en el abismo que se hunde hasta el suelo a pocos centímetros, justo a nuestro lado (porque decir extremo sería un enorme espacio para la empinada escalera sin barandilla). Aún nos falta el último tramo, cuando las sirenas, con sobrecogedor aullido, avisan del inmediato bombardeo de la aviación que se acerca. A Pepe, que va delante, se le cae la vela del sobresalto, y ésta se precipita hasta el suelo; menos mal que por suerte sigue encendida, amenazando con apagarse en cualquier momento; a tientas, completamente a oscuras, al menos vemos hasta dónde tenemos que llegar. Una vez abajo, abrimos la vieja puerta de la torre por la que ahora entra el último aliento de luz del atardecer, y decidimos quedarnos allí, como lugar seguro, hasta que los aviones se alejen. Pasados diez minutos sin oír ninguna bomba ni aviones volando, decidimos salir. Seguramente la aviación republicana, como tantas veces, tiene otro destino. Pepe Guerrero sugiere que vayamos al Centro Artístico, en donde dan un corto de Charlot con tertulia.

—Yo no puedo, Pepe, quiero recoger a una amiga en el hospital Militar que hoy sale a las diez.

—Conque a una amiga, ¿no?

—Bueno, a lo mejor la cosa va más lejos de la simple amistad.

—¿Ésas tenemos, pillín? De todas formas, podemos ir perfectamente, la película acaba a las nueve y media, yo me quedo a la tertulia y tú te vas de Romeo.

Después del cine, espero en la puerta del hospital hasta que sale Concha y me dice que Elena se marchó tras aullar las sirenas. Acompaño un poco a Concha y, de vuelta a casa, algo más animado después del contratiempo de no haber visto a Elena, me recreo en la tarde que he pasado con Guerrero, una de las mejores que recuerdo. Aún tengo en el bolsillo, sorprendido de guardarlo como un secreto, sin proponérmelo, el poema de Federico. Son las diez y media, buena hora para verlo y que lo revise, si no está tan agobiado como esta mañana; le gustará que se lo lleve.

Cuando llego, el portón está cerrado, la cancela con llave y la luz del zaguán sólo con la lámpara pequeña que lo deja en penumbra durante toda la noche; a estas horas la casa nunca está así. Conforme entro, mi madre y Esperanza me abordan en el patio con las caras descompuestas: nerviosas, no saben qué decir. Intuyo que algo pasa. Mi padre también se acerca, cabizbajo, sin decir nada.

—¿Qué sucede, por qué me miráis así?

Es mi madre la que da la terrible noticia:

—¡¡Se han llevado a Federico!! ¡Tienes que encontrar a Pepe y a Luis, ahora mismo!

—¿Pero cómo que se lo han llevado?, ¿adónde?

—¡Lo han detenido! Miguel lo ha acompañado al Gobierno Civil.

—¿Miguel? ¿Mi hermano Miguel...? ¿Al Gobierno Civil? ¡Santo Dios! ¡Maldita sea! ¿Es que ni Pepe ni Luis han llegado?

—Sólo encontramos a Miguel, que estaba en el cuartel de Falange.

—¿Cómo ha sido?, ¿quién se lo ha llevado?

—Ramón Ruiz Alonso.

—¿Ruiz Alonso? ¡Lo que faltaba...!

—Vinieron más de cien hombres a por Federico, ocupaban toda la calle, incluso subieron a los tejados, tenían tomada toda la manzana, no hemos podido hacer nada, Gerardo, tu hermano Miguel vino descompuesto al ver tanto despliegue.

—¿Cómo? ¿Cien hombres? ¿No sería una veintena, como mucho?

—No, eran muchos más —dice Esperancita—, yo los vi por los tejados apuntando con los fusiles. Había más de cien, los había por todos lados.

—Sí, una barbaridad de gente. ¡Pero ahora no te entretengas y busca a tus hermanos, busca a Pepe, por Dios! ¡Ay! Gerardo, también han matado a Manolo, ¡qué desgracia en esa familia!

—¿A Fernández-Montesinos?

—Sí, al marido de Conchita.

—¡Pobre Federico! Qué bestialidad.

—Encuentra a Pepe, por lo que más quieras, no te entretengas.

Sin saber bien dónde buscarlos, me pongo la camisa azul y los correajes. Abro la puerta con rabia, decidido a encontrarlos estén donde estén. En mi ofuscación, apenas noto la presencia de mi padre, que cierra rápidamente, con coraje.

—¡De aquí no sale nadie!

—¡Pero papá...!

—¡Tú no vas a ninguna parte! Escucha: no sabemos las represalias que pueden tomar. Han acordonado la casa, ¿comprendes? Eso quiere decir que no es cosa de unos cuantos de la CEDA ni de las carajadas que monta ese Ruiz Alonso, que por mucho que lo pretenda no tiene mando para eso. Traía una orden de detención del Gobierno Civil y eso quiere decir que Valdés y Romero Funes están detrás, y he de decirte a ti y a vosotras que pueden acusarnos de traición a cualquiera de esta casa, y tú, precisamente, eres el menos indicado para salir solo, el más vulnerable por estar menos comprometido con la maldita rebelión.

—¡Habrá que hacer algo!, ¿no? ¿O me voy a quedar de brazos cruzados?

—Pues sí, exactamente eso es lo que vas a hacer, quedarte de brazos cruzados, al menos hasta que venga alguno de tus hermanos. ¿Adónde vas a buscarlos, eh? ¿En el frente, en Víznar? ¿Cómo vas a ir hasta allí? Lo primero es pensar con calma, hijo, ya se han cometido bastantes errores.

—Puedo ir al cuartel de Falange o...

—Miguel está allí, si van tus hermanos, él avisará. De aquí no sale nadie, Gerardo, creo que te lo digo bien claro.

Con la enérgica y a la vez sosegada postura de mi padre, el nerviosismo disminuye y la preocupación aumenta. Esperancita, horrorizada, se tapa la boca con las manos para que no la oigamos sollozar. Mi madre parece consumirse de impotencia sin saber qué hacer o decir y tía Luisa permanece sentada, con su vestido de lunarcillos negros y blancos, meneando continuamente la cabeza, como si de pronto le hubiese dado un ataque de parkinson. La casa, cerrada a cal y canto, como una fortaleza, se llena de angustia mientras los segundos se hacen interminables minutos sin que nadie llegue. El silencio se pega a las paredes del patio, donde seguimos expectantes. Sólo se oye un sordo suspiro desde la cocina. Es Basi, sentada en su silla de anea, quien con la regularidad del que tiene hipo, no deja de lamentarse. «¡Ay qué susto, pobre señorito!» Por la calle se acerca un auto que aumenta la espesa inquietud que nos envuelve y pasa de largo sin detenerse. Al momento vuelve a pasar otro que parece querer engullirse la calle, lo cual me tranquiliza, no creo que sea una vigilancia. Entonces pregunto:

—¿Cómo ha sido?

—Debes cenar algo.

—No tengo hambre, mamá.

—¿Quieres un ponche?

—Quiero café con leche.

—Basi, tráele un ponche a Gerardo con dos huevos y un poco de café.
De nuevo repito:

—¿Cómo ha sido?

—Al poco de irte tú, llamaron a la puerta, serían las cinco, estábamos
tomando chocolate y galletas aquí mismo, detrás del biombo. Yo estaba
levantada para correr un poco el toldo, y volvió a sonar la campanilla.
Tardé un instante en atar la cuerda del toldo para ir a abrir, y ya estaban
llamando otra vez, dando con la mano en la verja, con prisas; vi que venían vestidos con el mono de Falange y el brazalete. Abrí, preocupada,
pensando que había pasado algo, y antes de soltar la puerta ya se metieron dentro.

»—Soy el diputado Ruiz Alonso, señora.

»—Buenas tardes, ¿qué desea?

»—Verá, señora, nos mandan para...

»—Pasen, por favor, estamos tomando unas pastas y chocolate, ¿ustedes quieren?

—¿Y le dijiste que si querían merendar?

—Pues sí. Yo no sabía qué querían, los atendí como a todos vuestros
amigos, creí que quizá os había pasado algo. En seguida se acercó el otro,
que dijo ser Luis García Alix, los dos llevaban el emblema falangista bien
visible encima del mono.

»—Acabamos de comer, pero si tiene café.

»—Claro que sí, siéntense.

—¿Y se sentaron?

—Se sentaron.

—¡Qué cara más dura!

—Se miraban entre ellos tomando el café; miento, Ruiz Alonso tomó
chocolate. Sin atreverse a hablar, como temerosos, decían cosas de compromiso: «Qué casa más hermosa, qué fresquito se está aquí», y todo eso.
Volvió a sonar la campanilla y tu hermana se levantó. Al abrir, se oyó pre-

guntar por Ruiz Alonso, que salió rápidamente. Esperancita, corriendo, me dice al oído: «Mamá, han venido veinte o treinta soldados.»

—¿Tú ves?, veinte o treinta milicianos, eso es más razonable, aunque muchos son.

—¿Quieres dejarme que te cuente...? Me levanté y entorné el portón de entrada para que no pasara nadie más. Había un automóvil con el motor arrancado y alguien esperando al volante. La calle estaba llena de soldados armados, de un lado al otro. Entonces sospeché a lo que venían y la gravedad de la situación, y le pregunté a Ruiz Alonso para salir de dudas.

»—Dígame, ¿qué les trae por aquí?

»—Queremos ver a García Lorca.

»—¿Ver...? Pero el señor García Lorca no vive aquí.

»—Mire, señora... Sabemos bien dónde vive y quién lo esconde. Venimos a por él, así que no me haga perder el tiempo.

»Entonces me levanté y le dije:

»—¿Usted sabe en casa de quién está? Esta casa es el centro de Falange Española, y ahora mismo no hay ninguno de mis hijos, ni de aquí sale nadie. De manera que ya se puede ir por donde ha venido.

»—Mire, doña Esperanza, yo soy un buen creyente como ustedes, y de Acción Católica. Tengo orden de llevarme a ese poeta para un mero interrogatorio. No le va a pasar nada, somos personas de bien. ¡Y tengo que llevármelo, le guste o no, de modo que no complique usted el asunto, señora, que al que esconde a un rojo también se le detiene! ¿No sabe usted que estamos en guerra?

»—¡Le he dicho que aquí no vive el señor García Lorca y que pueden marcharse o esperar fuera hasta que llegue alguno de mis hijos!

»Entonces Ruiz Alonso comenzó a subir la voz y a insistir, terco como una mula, en que tenía orden de llevarse a Federico. Pensé que registrarían la casa (hombres no les faltaban) hasta encontrarlo y matarlo aquí mismo o al sacarlo a la calle. Hay que protegerlo de alguna forma, me decía a mí misma, alguien tiene que acompañarlo. Y le contesté en su mismo tono:

»—¡¡¿Pero usted sabe con quién está hablando y en casa de quién está?!! ¡¡Esta casa es prácticamente el cuartel general de Falange y hasta que no venga alguno de mis hijos de aquí no sale nadie!!, ¿cómo quiere que se lo diga? ¡¡Ahora mismo los llamo por teléfono y cuando estén aquí se lo explica usted a ellos!! ¡Esperanza —le dije a tu hermana—, llama inmediatamente al Gobierno Civil, a los cuarteles de Falange, a tu padre, insiste hasta encontrarlos! Ustedes se esperan hasta que llegue alguno de ellos y mientras tomen otro café o merienden, que es lo que íbamos a hacer nosotras.

»—Mire, para que vea que sólo es una cosa rutinaria y que contra ustedes no hay nada, lo voy a aceptar por ser la casa que es, pero si en diez minutos no ha llegado ninguno de sus hijos, registraremos habitación por habitación. Y no me haga perder la paciencia, que ese maldito poeta hace más daño con sus escritos y su voz que otros con los fusiles.

»—¿Con qué poema hace daño, con cuál de ellos?

»—Dejémoslo, señora, y esperemos esos diez minutos.

»—No, dígame, ¿con qué poema ha hecho daño García Lorca? Es usted quien lo dice, lo recordará supongo, o al menos sabrá el nombre.

»—Ahora no es momento de poemas. Pero está bien, merendemos mientras viene su marido o alguno de sus hijos.

—¿Y merendaron?

—¡Vaya si merendaron, se inflaron a galletas y chocolate! Pero bueno... eso calmó la situación y ganamos tiempo hasta encontrar a Miguel en el cuartel de San Jerónimo. No pudimos encontrar a Pepe o a Luis, sólo a tu hermano Miguel.

—Y Federico, ¿se enteraba?

—Ya sabes que desde arriba se oye todo lo del patio cuando se habla alto. De todas formas, Esperancita subió a decírselo.

—Sí, subí a decírselo y...

—¿Qué te dijo?

—Estaba sentado al piano, con las manos apoyadas sobre las teclas. Me dijo:

»—Ya sé a qué viene mi divina carcelera, he oído lo de la orden de detención. Os estoy metiendo en un compromiso por no hacer caso a tus hermanos.

»—No te preocupes, Federico, en cuanto venga Pepe esto se arregla —le dije.

»—Tenía que haberles hecho caso a tus hermanos, Esperanza. Pepiniqui, Gerardo y Luis temían que pasara esto. Debo entregarme para no empeñaros más.

»—Tú de aquí no te mueves hasta ver qué pasa y te quedas sentadito —le contesté, porque se ponía de pie—. Estamos buscando a Pepe, a Luis, a todos, de manera que quietecito, ¿eh?

»Cerré la puerta y bajé. Se lo tomó con entereza, aunque estaba descompuesto.

—Cualquiera lo estaría, imagínate. Y Miguel, ¿tardó mucho en venir? ¿Qué pasó cuando llegó?

—Al bajar tu hermana de ver a Federico, se dio cuenta de que en los tejados y por toda la calle, dando la vuelta a la manzana, entre Guardia de Asalto, milicianos y falangistas habían venido más de cien.

—¡Qué bestialidad!

—Miguel llegó en unos minutos y, al ver el despliegue militar que acordonaba la zona, se dio cuenta de que no podía hacer nada por las bravas. Eran muchísimos y se ocultaban al verlo. «La diplomacia es la única arma posible», me dijo al entrar. Después, cogiéndonos del hombro, hizo un corro con nosotras y volvió a decir: «No tengo cojones para enfrentarme a ellos, a tantos fusiles, podrían matarnos a todos. Debemos entregar a Federico e intentar arreglarlo en el Gobierno Civil, no veo otra salida.» Entonces, Ruiz Alonso, levantando la voz, dijo:

»—¡Rosales, déjate de secretos, que aquí no hay nada que hablar, traemos una orden de detención contra Federico García Lorca y tienes que entregarlo por las buenas, o registramos la casa hasta dar con él!

»—¿A ver dónde está esa orden, Ramón?

»—¡Pues claro que hay orden y denuncia! ¿Quieres verla?

»—Naturalmente. ¿O acaso crees que puedes llevarte de mi casa a un invitado de mi hermano si no está todo en regla? ¡Claro que quiero verla, y saber de qué se le acusa!

»—Aquí la tienes, con todo en regla, sello del Gobierno Civil, y la firma correspondiente. ¡Ese poeta ha hecho más daño con la pluma que otros con las pistolas! Lo sé bien porque soy linotipista. Además, es marxista, enlace de los rusos, amigo del Socorro Rojo, secretario de Fernando de los Ríos, masón. ¡Todo lo pone ahí! ¡¡Lee y mira de lo que se le acusa!! De eso que te digo y de mil cosas más.

»Ruiz Alonso, sin soltar los papeles, le enseñaba a tu hermano la última página en la que figuraba, al parecer, el sello del Gobierno Civil y la firma de Valdés o Velasco, no estaba claro el garabato, y unos párrafos escritos a máquina en los que pudo leer para que lo oyéramos:

En consecuencia a las investigaciones pertinentes, que en beneficio de la Patria son necesarias, y por todo lo expuesto: el sujeto al que nos referimos, don Federico García Lorca, ha de ser conducido a las dependencias del Gobierno Civil para las oportunas y aclaratorias preguntas a las que ha de someterse el denunciado.

¡Arriba España!

Granada, 16 de agosto de 1936

»—¡Ya la has leído!, ¿no? —dijo Ruiz Alonso tirando del papel—. Tu madre dice que García Lorca no está aquí, y tú, ¿qué dices?

»Miguel titubeó, estaba acorralado. Habían entrado seis o siete, y nosotras muertas de miedo. En ese momento entraron dos más, en gesto amenazante, y dejaron la cancela abierta; en el zaguán esperaban otros tantos, cada vez más impacientes.

»—Bueno... pues sí, sí está, como invitado y amigo de la familia. Y a mí no me consta nada de eso que pone en la denuncia, como persona es intachable. Yo hablaré con él, pero estáis cometiendo un atropello en mi casa que os pesará. Subiré a por él y os acompañaré al Gobierno Civil, allí arreglaremos este asunto, y quedáis advertidos, os lo digo sólo una vez: al que se le ocurra ponerle una mano encima, se las verá conmigo.

»No podíamos hacer otra cosa, Gerardo.

Mi madre sigue contando cómo Federico, antes de bajar la escalera, rezó como un torero antes de salir al ruedo, con tía Luisa, ante la imagen de la Virgen que hay arriba. Bajaba despacio, con la mano en la barandilla, peldaño tras peldaño, en camisa, la chaqueta azul al brazo y con la corbata sin ajustar. Bien abiertos los ojos, desencajados. Los otros lo miraban, chulescos, viendo cumplida la detención. Federico se acercaba con solemne gesto de preocupación y la cabeza erguida, escondiendo con dignidad el miedo que sentía, el pánico que cualquiera hubiera sentido, sabiendo, como él sabe, lo que significa ser conducido al Gobierno Civil. Sabiendo, como sabe, que hace sólo unas horas, esta madrugada, el marido de su hermana Concha, Manuel Fernández-Montesinos, por quien tan preocupado estaba, ha sido fusilado; a pesar de ello, bajaba entre solemne y desafiante, encarándose a sus enemigos.

—Ya en el patio, Federico rompió su silencio, dando la única muestra de angustia. Con voz entrecortada nos dijo:

»—No me despido de vosotras porque no quiero que penséis que no volveremos a vernos.

»Salieron calle abajo, hasta la esquina de las Tablas, donde los esperaba Juan Luis Trescastro, en su Oakland descapotable. Miguel y Federico se alejaron, codo a codo, acompañados a un lado por el ex diputado y al otro por Federico Martín Lagos. Un pelotón armado los rodeaba mientras el resto de los de Asalto, en dirección contraria, se dirigieron hacia la placeta de los Lobos. Así ha sido —concluye mi madre.

Martín Lagos es tan vecino nuestro que la terraza de esta casa y la suya comparten tapia. La espléndida tarde que he pasado con José Guerrero queda muy lejos. Reparo en el siniestro nombre de la placeta de los Lobos; lobos hambrientos de triunfo son los que han venido a violar esta casa en la que muchos nos hemos jugado la vida junto a los que nos traicionan ahora. La impaciencia por que lleguen Luis y Pepe me hierve, sin prestar atención al resto de los comentarios que se hacen. La indignación y la impotencia me invaden, mientras lo sucedido desde que empezó la guerra se amontona avivando el recuerdo, y con él, el dolor y la indignación me cortan el pecho.

El Gobierno Civil

Miguel, después de acompañar a Federico al Gobierno Civil, volvió a casa sobre las seis y media. Contó, según mi madre, que no podía localizar ni a Pepe ni a Luis porque estaban en el frente, pero que había dejado encargo a varios amigos para que los avisaran y se pusieran en contacto con nosotros, aquí, o con él, en el cuartel de San Jerónimo, donde sigue de retén. Dijo también que cuando llegaron al Gobierno Civil, a la entrada, uno de los de guardia insultó a Federico, e hizo ademán de golpearlo con la culata del fusil, animando a otros a que también le lanzaran groserías. Ante el crispamiento, Miguel y Martín cogieron a Federico en volandas y se abrieron paso entre una aglomeración de curiosos, que soltaban palabras humillantes contra el pobre Federico, hasta que pudieron subir a la sala donde está el despacho del gobernador, sigue contando mi madre.

—Valdés no estaba y los atendió el teniente coronel Velasco, al que Miguel casi le ordenó: «A este hombre no se le maltrata. Su detención es un error que aclararemos cuando venga el gobernador.» Italobalbo, individuo así apodado por su parecido con el dirigente fascista italiano, esbirro del jefe de policía Julio Romero Funes y sujeto despreciable por sus crueles interrogatorios, registró a Federico y le quitó lo único que consideró de riesgo: una caja de cerillas. Después del registro, el teniente coronel Velasco se llevó a Federico a una celda cercana a su despacho prometiendo que no le pasaría nada. Miguel, que pudo quedarse un momento con Federico, trató de tranquilizarlo y le dijo:

»—Luego vengo a verte y te traigo lo que necesites. Esto se arreglará pronto, ya verás.

»—Sólo necesito tabaco. Agradezco que trates de darme ánimos, pero ahora no te entretengas y busca a tu hermano Pepe, cuéntale lo que está pasando. A Luis también, pero sobre todo a Pepiniqui; trae a Pepe, que tiene influencia y conoce a Valdés. Búscalos, por favor. Eso es lo que te vuelvo a pedir.

»—Te prometo que pronto los encontraré, no te preocupes.

»—Miguel, ya no me siento angustiado, estoy preocupado, abatido tal vez, pero dispuesto a afrontar lo que venga. Mis declaraciones, si alguien me interroga, son una lucha por causas justas, cualquier creyente las entenderá. Quiero que sepas, que sepáis todos vosotros, que soy consciente del riesgo que corréis al ayudarme.

»—Venga, Federico, deja eso, ya verás, en cuanto venga Valdés, Pepe te sacará de aquí. Voy a subirte el tabaco.

»—Deja el tabaco, ya tengo; busca a tu hermano Pepe, no te entretengas, búscalo hasta dar con él.

—Papá ha mandado a Bene al Gobierno Civil para que le lleve un paquete de tabaco, dos bocadillos y una manta —añade Esperanza.

Un nuevo coche entra en la calle y se detiene en la puerta. Todos nos ponemos en pie temiendo cualquier cosa, incluso que sea alguna de las escuadras negras, pendientes del más mínimo ruido, de cualquier voz, de lo que sea que pueda darnos una pista de lo que sucede ahí fuera. Pero lo único que oímos con claridad es el sollozo intermitente de Basi.

—¡Ay, Dios mío, qué susto! ¿Quién será ahora?

El tiempo se detiene, como se detenía en la infancia al quedarme solo en la oscuridad, y te estremece como aguijón clavado en la espalda. El olor a leche hervida llega de la cocina al patio, y cuando papá en voz baja indica que vayamos todos adentro, una llave hurga la cerradura. Es Luis, que entra sorprendido al vernos de pie.

—¿Qué hacéis todos aquí de pie?

—¡Han detenido a Federico, Luis, se lo han llevado de casa! —me apresuro a decirle.

—¡¡Dios Santo!! ¿Cuándo, quién, adónde se lo han llevado?

—No se ha podido evitar, hijo —se adelanta mi padre a contestar—. Se lo llevó Ruiz Alonso sobre las seis. Vino acompañado por más de cien hombres entre los de Asalto, soldados... y algunos de vuestros amiguitos falangistas, o al menos los que entraron aquí presumían de serlo. Tu madre intentó localizaros por teléfono, impidiendo que se lo llevaran en una situación muy tensa, sólo encontró a Miguel, y cuando llegó vio que no podía hacer nada, cubrían toda la calle con los fusiles montados, dispuestos a cualquier barbaridad si se oponía resistencia.

—¡¿Miguel?!

—Sí, cuando llegó a casa se quedó aterrado de ver tanto militar, los había en tejados, terrazas, toda la calle estaba acordonada desde la placeta de los Lobos a la calle de las Tablas. Lo único que pudo hacer tu hermano fue acompañarlo hasta el Gobierno Civil para evitar que lo maltrataran o algo peor, e intentar arreglarlo allí.

—¡Dios mío! ¡Qué terrible error! ¿Y Pepe, dónde está, y Miguel?

—De Pepe no sabemos nada, creemos que anda en los pueblos de la vega inspeccionando los puestos de avance, y Miguel está de retén en el cuartel de San Jerónimo.

—¿Cómo demonios se habrán enterado de dónde estaba? ¡Malditos sean...!

—Cuando tu madre me avisó, vine en seguida, llamé a la Huerta de San Vicente para hablar con don Federico y darle la mala noticia. Allí me dijeron, sería el casero, que esta mañana se habían ido a casa de Conchita. No sé si sabrás que a su marido lo han fusilado esta mañana.

—Lo sé, papá.

—Como estaban en la calle San Antón, pensé que sería mejor ir personalmente a decírselo, de manera que fui. Están destrozados. Esta mañana, lo de su yerno, y después, la detención de Federico, es terrible. Don Federico se quedó aturdido, el pobre está angustiado y juntos hemos ido al bufete de Manuel Pérez Serrabona para que nos asesorara y para ver qué se puede hacer. Me contó en el camino que ayer tarde de nuevo fue a su casa, a la Huerta de San Vicente, el capitán Rojas, sobre las cuatro de la tarde: no le gustó nada la visita. Al rato se presentó una escuadra al mando de Francisco Díaz Esteve, al parecer con una orden de detención. Destrozaron violentamente cuanto se les puso por delante, los amenazaron y los golpearon para que les dijeran dónde se escondía Federico. Don Federico piensa que han fusilado a Fernández-Montesinos esta madrugada como venganza a la resistencia que ofrecieron.

—¡Qué barbaridad! ¡Qué horror! —exclama Luis.

Esperancita coge lo primero que tiene a mano, una servilleta, para limpiarse las lágrimas y la nariz. Mi madre y tía Luisa tienen los ojos enrojecidos, lloran en silencio mientras mi padre continúa explicando:

—Díaz Esteve y los otros, viendo que no conseguían sacarles palabra, decidieron llevarse a don Federico. Cuando lo estaban metiendo en el automóvil y golpeándolo en la espalda presionaron a Concha diciéndole: «Tú serás la responsable de lo que le suceda a tu padre y al canalla de tu marido.» Eso sucedió ayer por la tarde, Luis. Concha balbuceaba, temblando. Hasta que les dijo que Federico no había salido de Granada, que estaba en casa de unos amigos falangistas, que su hermano no había hecho nada. Se volvieron hacia ella con las culatas de los fusiles a la altura de su cara y del pecho:

»—¡¡¿Dónde coño dices que está tu hermanito?!!

»—En Granada... no ha salido de Granada, ¡dejen a mi padre, asesinos!

»—No sabes bien hasta qué punto somos asesinos. ¡¡¿Dónde está el maricón de tu hermano?!! Dínoslo o aquí mismo daremos cuenta de tu padre y así no tendremos que llevar más mierda en el coche.

»—Está con un amigo poeta —dijo llorando, que apenas se le entendía—, con unos amigos, con los Rosales.

»—¿Con los Rosales has dicho, con los falangistas?

»—¡Sí! Está con los Rosales, eso he dicho, con los Rosales falangistas, ¡soltad a mi padre!

»Así se han enterado, Luis, Conchita se culpa de todo, está totalmente destrozada. ¡Dios Santo!, en qué situación tan desesperante se han visto.

—¡¡Maldita sea la madre que parió a ese Rojas y a Paco Díaz!! ¡Me temía que pudiera pasar algo así! Elegir entre tu padre o tu hermano. ¡Pero hay algo que no puedo comprender! Si eso pasó ayer por la tarde, ¿cómo cojones no nos avisaron?

—Están destrozados, Luis.

—¿Destrozados, papá? ¡Por muy destrozados que estuvieran han tenido veinticuatro horas para pensar y un teléfono! ¡Tiempo más que suficiente para llevarse a Federico! ¿Qué actitud tienen los García Lorca ante la vida?, ¿contemplativa? ¡Acaso no saben la situación de peligro en la que han puesto a Federico y de paso a nosotros! ¡¡Por todos los diablos, se lo han llevado de esta casa!!

—Luis, ¡cálmate! Todos aceptamos el riesgo desde el primer hombre que vino a esta casa pidiendo protección.

—¡Ya lo sé, papá! Es que me llevan los demonios porque recuerdo con claridad que les advertí, por activa y por pasiva, la noche que lo trajimos: «Si vienen buscando a Federico, bajo ningún concepto deben decir dónde está, digan que se fue a zona roja», ¡a zona roja!, se lo repetí a ellos y a Concha se lo recalqué. Si hubieran dicho eso quizá ni siquiera hubieran intentado llevarse al padre. Pero fíjate, no los culpo por eso, no los culpo porque se les escapara decir dónde estaba. Comprendo que, con tanta presión, cualquiera diga lo que no debe. De verdad, lo comprendo. ¡Lo que me enfurece, por intolerable, es que hayan dejado pasar veinticuatro horas sabiendo que vendrían a por Federico! ¡Un largo y fundamental día sin decir palabra, esperando vete a saber qué, de brazos cruzados! ¡¡Cojones!! ¡¡Hay que tener tripas para eso!!

—No podemos volver el tiempo atrás, Luis. Cálmate, por favor. Tienes razón, me acuerdo perfectamente de cómo le insististe a Concha, pero ahora hay que intentar sacar a Federico del Gobierno Civil, sacarlo cuanto antes. No sólo por él, sino por nosotros mismos. Hay que anular esas denuncias, si no, vamos a tener serios problemas por protegerlo, nos acusarán bajo estado de guerra de traición, según el último bando.

—Está bien, Gerardo, es que no me entra en la cabeza, ya estaba cabreado porque el otro día, cuando registraron también la Huerta del Tamarit, si es que no han ido más veces, tampoco avisaron; tuvo que enterarse Pepe por casualidad. Esto no son juegos o compromisos para andar con estúpidas cortesías de no llamar para no molestar. ¡Aquí hay vidas en juego, joder! Estoy cabreado porque vengo del frente de Motril precisamente de arreglarlo todo para poder pasarlo mañana lunes, ¿comprendéis? Mañana, que aún no ha llegado, es demasiado tarde.

—Venga Luis, lo importante ahora es reaccionar.

—Desde luego, me voy para el Gobierno Civil.

—Y yo voy contigo.

—No vayáis solos, que os acompañe alguien de confianza.

—¿Por qué, papá? ¡Podemos ir solos!

—No debéis ir solos, Luis, la detención de Federico no es un error. Es un plan bien organizado, lo sé. Aquí se está tramando algo, algo contra vosotros, muchos se habrán alegrado de encontrar a Federico en esta casa y lo van a aprovechar en su beneficio. Llamad a alguien que os arrope, que ya tenemos suficientes problemas.

—¿Qué insinúas?

—No insinúo. Estoy seguro. Os saldrán enemigos en vuestra querida Falange que querrán desplazaros, barreros del mapa. ¡No vayáis solos, que a estas horas más de uno estará pidiendo vuestra cabeza, Luis, no cometas estupideces!

—¡Vale! ¡No insistas! Ahora mismo llamo a Cecilio Cirre, a Serrano, a Leopoldo Martínez, a todo el que pueda.

Mientras Luis llama por teléfono, aparece Pepe con Cecilio Cirre, el *Pequeño Príncipe*, se ha enterado por él, y juntos, los cuatro, nos marchamos en busca de Valdés. Cerca del Gobierno Civil nos salen al paso Serrano, Casas, Clavarana, Leopoldo Martínez y Pepe Sánchez, que nos esperan tras las llamadas de teléfono. Luis sigue encendido. Pepe, en apariencia más tranquilo, se muestra callado, pensativo.

—¿Cómo ha sido? —preguntan, inquietos, al vernos.

—Gracias a todos por venir. Han hecho un despliegue de fuerzas tremendo, con más de cien hombres. Ninguno de nosotros estábamos y, bueno... ya sabéis, se han llevado a Federico sin que podamos hacer nada.

—¿A qué coño tanta gente, Pepe, qué pensaban, que os ibais a liar a tiros? ¡Están como cabras!

—¿Cabras?, no, cabrones. Ir a nuestra casa, que tanto le ha dado al Alzamiento, son unos auténticos cabrones.

Los amigos de mis hermanos, algunos conocidos de Federico, van insinuando el motivo de acompañarnos. No los mueve rescatar a un rojo, a un republicano de la cáscara amarga, según la denuncia, de las garras de Valdés o de los interrogatorios de Italobalbo, comentan; los mueve el aprecio que le tienen a Federico, de viejos tiempos, y otras muchas razones: la camaradería con mis hermanos, el que uno de la CEDA haya ido a detener a Federico a una casa de Falange, el deseo de enfrentarse a Valdés, un sector de la Falange que repudia las violentas tácticas del Gobierno Civil y el haber perdido a amigos que no han podido salvar. Cuentan un hecho que refleja bien los sentimientos que los motivan a acompañarnos esta noche: no es la primera vez que algún falangista o patriota ha ido a ver a Valdés para pedirle que libere a un amigo detenido. A la entrada del despacho, el comandante tiene una caja donde hay que dejar dinero cada vez que se intercede por algún detenido. En una ocasión, Cecilio Cirre le pidió que sacara de la lista de la muerte a un amigo suyo, y Valdés le dijo:

—De los quince que hay en esta lista, a los diez que están señalados con la cruz, entre ellos tu amigo, los fusilaremos esta madrugada; si quieres que salve al que dices, primero deja cien pesetas en la caja para la causa y después ponle la cruz a uno de los cinco que no la tiene o dime el nombre de otro traidor que tú sepas.

—Yo no puedo denunciar a nadie, Valdés, y a los que quedan sin cruz también los conozco.

—A ti lo que te faltan son cojones, yo tengo que ganar una guerra. Si en Granada entra la canalla marxista, todos vosotros estáis perdidos, no sabéis agradecerme lo que hago, siempre pidiendo como monjas. ¡Tacha a uno, Cirre, o vete con tus quejas a otra parte!

Cirre tuvo que marcharse, incapaz de sentenciar a otro para salvar a su amigo y comenta:

—Rojas es otro sinvergüenza. Esta misma tarde, sin que yo le preguntara nada, me dijo que no había nada contra García Lorca.

Cuando llegamos a las puertas del Gobierno Civil, Pepe, que ha permanecido callado, sale de su silencio y dice:

—No le deis más vueltas y subamos a ver a Valdés.

Todos van armados, excepto yo, dispuestos a ayudarnos a rescatar a Federico y a dejar limpia la hoja de los hermanos Rosales. Con decisión entramos en el patio del edificio, mientras Pepe comenta:

—Esperemos llegar antes de que caiga en manos del Italobalbo; ése tortura a los detenidos hasta hacerles decir que mataron a Jesucristo.

Con paso firme, nos dirigimos a la escalera que sube a las salas del Gobierno Civil y al despacho del gobernador.

—¡Alto! ¿Adónde vais?

—Soy Luis Rosales Camacho, jefe de escuadra del sector de Motril y vengo a ver al gobernador por un asunto de extrema urgencia.

—¡¿Y vosotros?!

—Él es el camarada Cecilio Cirre, también jefe de escuadra, y los demás, falangistas.

—Eso ya lo veo. Esperad a que llame al cabo de guardia, y eso porque os conozco.

Pepe, que se mantiene detrás de mí, se acerca haciéndose ver y, enérgicamente, voz en grito, le dice:

—¡¡¡Pero a qué cabo de guardia vas a llamar!!! ¿Es que no sabes quién soy, o se nos va a poner problemas para entrar en el edificio que tomamos?

—¡No te he visto, Pepiniqui! ¡Subid!

Tengo la incómoda sensación de haber vivido con anterioridad esta situación. Últimamente me pasa esto, es como un sueño ya lejano que vuelve para anticiparse a su final; inútil esfuerzo el mío de intentar recomponerlo. Al terminar de subir la escalera, la voz alta y clara de Luis, nada más entrar en la enorme sala que conduce al despacho de Valdés, choca con el murmullo de los presentes, que se muestran sorprendidos ante nuestra irrupción.

—¡¡Qué estúpido ha ido a mi casa a llevarse a mi huésped!! —grita mientras seguimos abriéndonos paso entre militares y civiles que llenan el gran salón.

Luis vuelve a repetir la pregunta y el teniente coronel Velasco, de la Guardia Civil, sale del despacho del gobernador.

—¡¿Qué cojones son esas voces?!

—¡¡Venimos a ver al comandante Valdés!!

—¡No está, no vendrá en toda la noche! ¿Qué queréis para entrar aquí de esa manera?

—¡Queremos saber quién se ha llevado de nuestra casa, casa de falangistas que lo dan todo por España, a nuestro invitado Federico García Lorca y de qué se le acusa!

—¿Pero es que no sabes cuál es el procedimiento? ¡Primero rellena un informe de lo sucedido y después ya veremos! Si no lo haces, y en silencio, ya os podéis ir por donde habéis venido. ¿Quién es este que grita, Pepiniqui? Es tu hermano Luis, el poeta, ¿verdad?

Pepe pierde la paciencia y con la seguridad que le da haber nombrado a Valdés gobernador civil de Granada, y de haberlo refugiado en su piso de la calle San Isidro en varias ocasiones, le grita a Velasco:

—¡¡Pues claro que es mi hermano, y ya está bien!! ¡No sé a qué viene tanto parte y tanto informe! ¿Desde cuándo hacéis informes por aquí? ¡No me hagas reír, porque eres tú el que no se entera, Velasco! ¡A mi casa no se puede ir a detener, así, sin más, a un invitado! ¿Comprendes? ¿No te acuerdas lo que tuve que hacer contigo cuando te temblaba el pulso el 20 de julio, cuando no sabías de qué lado ponerte? ¿Quieres que te ponga otra vez la pistola en el pecho? ¿Eso es lo que quieres, o crees que nos vamos a ir por las buenas? De manera que hermano, sí, mi hermano Luis hará una declaración oficial de viva voz ahora mismo, que alguno de los tuyos tome nota si quiere y puedes darte por contento.

—Pepe, por favor, hacedlo por los trámites reglamentarios, que en cuanto venga el gobernador se la daré personalmente.

—Yo, aunque no esté por aquí lamiendo el culo de alguien, no necesito intermediarios, y menos a ti. Venimos a por García Lorca y nos lo vamos a llevar.

—No importa, Pepe, la escribo y la digo de viva voz ahora mismo, trae ese papel: Hoy, 16 de agosto de 1936, hacia las cinco de la tarde se ha presentado en mi casa, calle Angulo, 1, un tal Ruiz Alonso y se ha llevado detenido, sin que se sepa motivo concreto y con denuncia dudosa, a nuestro huésped el poeta don Federico García Lorca. Han violado nuestro domicilio, han insultado a mi familia, personas honradas de conducta intachable a la causa de España, y han prodigado engaños y amenazas. Firmada en Granada, Luis Rosales Camacho. ¡Aquí la tienes, Velasco! Cumplido el trámite. Y ahora, sin rodeos, pregunto otra vez: ¡¡¿Quién es ese imbécil de Ruiz Alonso que de mi casa, de casa de unos falangistas, se ha llevado a nuestro invitado?!! ¡¡¿Está aquí ese tal Ruiz Alonso, escondiéndose como una rata?!! ¡¡¡A ver, que salga el tal Ruiz Alonso y dé la cara!!!

—¡Yo soy Ruiz Alonso!, el que ha ido, bajo mi única responsabilidad, a por ese marxista que escondías en tu «falangista casa». ¿Qué clase de falangistas son los que esconden a mari... maricones, a la escoria marxista enemiga de Espa...?

—¡¡¡Repite eso otra vez si tienes cojones!!! ¡¡Repítelo, que no sabes con quién estás hablando, y cuádrate cuando te dirija la palabra!! ¡¡Ahora repite eso, canalla!! ¿Qué piensas, que te estás llenando de gloria ante la historia? ¡¡Imbécil!! ¡¡¡Te voy a inflar la cara como abras la boca!!!

La sala, abarrotada de gente, guarda silencio sepulcral. Cuando Luis está a punto de abalanzarse sobre él, Cecilio Cirre se anticipa y zarandea a Ruiz Alonso, al tiempo que le arranca el escudo de Falange del mono y evita un enfrentamiento mayor, diciéndole:

—¡¡Cuádrate ante tus superiores y vete, que después hablaremos contigo y de tu comportamiento!!

—Yo he cumplido órdenes —balbucea Ruiz Alonso.

—¡¡He dicho que te cuadres y te vayas, que después veremos si has actuado bajo tu responsabilidad, como has dicho, o cumpliendo órdenes, como dices ahora!! ¡¡¡Quítate de nuestra vista!!!

Luis, que sigue encendido, le pide a Velasco que le entregue inmediatamente a Federico.

—¡¡Eso lo tendréis que hablar mañana con Valdés, esta noche no se puede hacer nada!!

La situación se crispa por momentos. Mi instinto me dice que oculta algo, que hay que cambiar de táctica. Entonces digo:

—¡Enséñanos los supuestos cargos, si es que existen, contra García Lorca para poder preparar su defensa, soy su abogado!

Sin saber qué decir, Velasco calla el tiempo suficiente para permitir que oigamos que alguien habla tras la puerta del despacho del gobernador. Pepe reconoce la voz de Valdés; no aguanta más mentiras, y de un empujón aparta a Velasco, diciendo: «¡Conque no está Valdés, ¿eh?!» Se dirige, pistola en mano, hacia la custodiada puerta, empuja a dos guardias que intentan cerrarle el paso, de una patada hace saltar la cerradura y los demás lo seguimos sin titubeos.

Ya dentro, de tres zancadas llega hasta Valdés, que permanece sentado tras una mesa llena de papeles, ceniceros repletos de colillas, botellas, un tarro de bicarbonato, vasos, un crucifijo, y una bandera bicolor mal doblada que oculta algo en la revuelta mesa. Con el comandante Valdés están los hombres duros, los que confeccionan las listas de la muerte: Julio Romero Funes, los hermanos Jiménez de Parga y José Díaz Pla que, aunque no pertenece al círculo férreo, despacha como jefe local de Falange. Todos sorprendidos, enmudecen ante el avance de Pepiniqui, que no les ha dado tiempo de reaccionar. Con coraje, monta el arma y pone su pistola a dos dedos de la sien del gobernador. Puede oírse el zumbido de las moscas que aletean alrededor de la luz. Valdés aprieta los brazos contra el sillón y lo mira fijamente con la boca entreabierta, que le apesta a coñac, mostrando más mellas que dientes. Su famélico rostro no hace ningún gesto ni mohín, observa paralítico mientras mantiene el aplomo, o tal vez la insensatez. El brazo de Pepe no tiembla y su voz es firme como la mano que sujeta el arma.

—¡¡¡Mi casa no se rodea, y mucho menos por la CEDA!!! Voy a pegarle un tiro a quien lo haya ordenado. ¡De sobra sabes que conmigo no se juega y mucho menos si mi familia está de por medio!

—No seas loco, Rosales, y quita esa pistola de ahí.

—¡¡Aquí no hay más locos que vosotros, con la puta represión que lleváis, y lo único que puedo quitarte, igual que te lo di, es el mando!! ¡¡No voy a consentir que violéis mi casa!!

—Haz lo que quieras. Pero las cosas han cambiado. ¿Quién coño crees que controla todo esto? ¿Tú, por muchos seguidores que tengas en Falange? ¡Yo tengo que ganar una guerra y no hago distinciones!

—¡¡Pero qué coño estás diciendo!! ¡¡Habéis insultado a mi familia, ordenado la detención de un amigo que se hospedaba en mi casa!! ¡¡Sois un hatajo de chulos que sembráis el odio incluso entre los nuestros!!

—No sigas por ahí, Pepiniqui, y piensa bien lo que dices.

—¡¡Ya está bien de palabras!! ¡¡Dadnos a Federico y dejaré pasar esto!! Porque has sido tú el que ha dado la orden de detenerlo, ¡¡¿verdad?!!

—Yo no he dado ninguna orden, Pepiniqui. Se han presentado denuncias y mi obligación como gobernador es investigarlas.

—No me mientas..., ¿crees que soy imbécil? ¿Desde cuándo va una

232

compañía para detener a alguien? ¡Fueron más de cien hombres a mi casa, si es que son hombres para ir tantos! ¿Y quieres que me trague que las órdenes no han salido de aquí? ¿Quién ha sido? Tú, Funes, ¿quién cojones ha sido? ¡¡Maldita sea, Valdés!!

—Pues sí, he sido yo, y ¿qué querías que hiciera si tengo esas denuncias? Para eso estoy aquí, para darle curso a cualquier acusación que se presente y detener al sospechoso esté donde esté. ¿Cómo quieres que te lo diga, Pepiniqui? ¡Estamos en guerra y esto es el Gobierno Civil, no un convento de la caridad!

—¡¡A mí me vas a contar ahora cómo llegan las denuncias aquí!! ¿Estás *chalao* o se te ha subido lo de gobernador a la cabeza? ¡¡O me das ahora mismo a Federico, o te juro que salís con los pies por delante!!

—¡No seas loco, cojones! Llévate, si quieres, a los que han ido a tu casa y les pegáis cuatro tiros. Yo le di instrucciones a Sánchez Rubio para que le dijera a Rojas y a Paco Díaz Esteve que hablaran contigo o con tu hermano Luis. ¡Les aconsejé que lo hicieran de otra manera!

—¿De otra manera, dices? Me podías haber llamado tú y solucionarlo entre nosotros. ¡¡Así que no me cuentes cuentos y suelta a García Lorca o te pesará!!

Valdés, impertérrito, parece haberse habituado a estar encañonado. Enciende un cigarrillo y de uno de los cajones saca unos folios, que separa dejando unas copias entremetidas bajo la bandera, y le entrega a Pepe la denuncia. Pepiniqui respira profundamente y ve que por ese camino no conseguirá nada, desmonta el arma y la guarda entre el correaje dejándola, eso sí, bien visible. Luis también retira la mano de su pistola, que no ha llegado a sacar. La fortísima tensión cede, pudiendo llenar los pulmones hasta ahora encogidos. Cirre y yo seguimos ante la puerta impidiendo el paso. Nuestros amigos (Serrano, Clavarana, Leopoldo Martínez y Pepe Sánchez) continúan atentos, vigilando a los siniestros acompañantes de Valdés. Luis se acerca para recoger la denuncia contra Federico que Pepe ha rechazado, pero Valdés, frío como el hielo, la retira e intenta ponerse en pie, cuando Pepiniqui lo empuja contra el sillón para mantenerlo sentado y le repite:

—Me he jugado la vida tomando este edificio, ¿y piensas que voy a consentir que cometáis atropellos en mi casa?, ¿que os llevéis a quien os salga del forro agraviando a mi madre y yendo a hurtadillas sabiendo que no estábamos? ¡¿Qué cojones está pasando aquí, Valdés?!

—Pepiniqui, si no fuera por estas denuncias, dejaría que te llevaras a ese poeta, pero mira lo que dicen de una vez y no perdamos el tiempo.

—¡Me importan cuatro mierdas lo que digan! Ese poeta, como tú dices, es Federico García Lorca, el más vivo y extraordinario escritor que tiene España. Sin afiliación a ningún partido ni sindicato y completamente inofensivo. Es una equivocación descomunal mantenerlo detenido, una insensatez política. No tienes ni idea de a quién has detenido, se lo reconoce en toda España, en América, en Francia, en Nueva York, y no puedes detenerlo porque alguien lo acuse inventándose historias o le tenga tirria. ¿Dónde están las pruebas, Valdés, dónde están esas malditas pruebas? ¡Te digo que García Lorca es inocente!

—Todo eso está muy bien, y siento que haya tenido que ser en tu casa, pero no te puedo entregar esta noche al poeta, ¡maldita sea! ¡Mañana estudiaré las denuncias y lo interrogaré personalmente! Entretanto, te doy mi palabra de que no le pasará nada. Si lo que dicen esos papeles no es cierto, te prometo que mañana te lo podrás llevar.

Valdés hace un nuevo intento de levantarse y Pepe insiste, empujándolo para mantenerlo sentado.

—¡¡Joder, que no te muevas de ahí, y ya está bien de cuentos chinos!! ¡¡Tú puedes pasar por alto los malditos papeles!! Estás convirtiendo esto en una lucha de poder entre tú y yo.

—Tómatelo como quieras, pero no puedo dejarlo en libertad sin más, por muy famoso que digas que es.

—¡Digo que es famoso porque es cierto, y también digo que estás cometiendo un tremendo error!

—Con o sin error, el asunto ha llegado a Sevilla, ¡¿comprendes?! Y mira de una puta vez lo que dicen esas acusaciones, ¡coño, míralas! Una firmada por Ruiz Alonso y tomada por Velasco, otra por Rojas. Te voy a contar lo que dicen, verás: que es espía de los rusos, secretario de nuestro ilustre enemigo Fernando de los Ríos, que contacta con los rojos por radio, que es maricón, que ha escrito propaganda marxista contra la Iglesia, contra la Guardia Civil. ¿Sigo o tienes suficiente?

—Todo eso son mentiras. ¡¡Quiero pruebas, Valdés!!

—Ya veo que no te das por vencido. ¡Pues se le acusa también de colaborar con su cuñado, el alcalde socialista! De pertenecer al Frente Popular, a Socorro Rojo, de firmar manifiestos en favor de anarquistas y marxistas. ¡Aún hay más! Mira aquí en la última página, mira lo que dice: «Los hermanos Rosales han dado cobijo a un comunista enemigo de España ocultándolo en su domicilio, incumpliendo los reglamentos y los bandos que prohíben ocultar o ayudar a cualquier sospechoso o elemento subversivo. Se hace constar para que se inicien las averiguaciones oportunas contra la familia Rosales.» En fin, ya ves la situación, espero que te des cuenta. El asunto no está en mis manos, todo esto ha salido en un despacho para Sevilla.

—¡Sabes perfectamente que son acusaciones falsas del mierda del obrero amaestrado, y si no lo sabes te lo digo yo! ¡Ruiz Alonso vendería a su madre para desprestigiar a Falange! El muy canalla arremete contra García Lorca para vestirse de su importancia. El muy cabrón me la tiene *guardá* desde que se vino de Madrid y José Antonio dijo que nada de las mil pesetas. ¡¡Tú sabes que es un rencoroso y que es por aquello!!

—Una cosa no tiene que ver con la otra, Pepiniqui. Llévate a Ruiz Alonso y le pegas cuatro tiros, le revientas los sesos si quieres, y mañana volvemos a hablar de tu poeta.

—Eso lo haces tú, que te gusta, yo no mato a nadie porque sí. A ti lo de asesino se te da muy bien, pero a mí no. Lo que aquí pasa es que a él y a otros les viene muy bien acusar a cualquiera que esté en mi casa para subir escalones; parece mentira que no quieras reconocer cómo funcionan las mentiras en Granada. El error político que estás cometiendo con García Lorca te salpicará a ti, que en definitiva eres el responsable, mancharás al ejército y a Falange.

—¡Te equivocas, Rosales! La denuncia de Ruiz Alonso la tengo hace días, no tenía que ver con vosotros hasta que supimos que el poeta estaba en tu casa, ¡y ya me estás tocando los cojones! No quería enseñarte otras cosas para que pudieras dormir esta noche, pero te las voy a enseñar, y las pruebas, como tú quieres.

—¿Qué insinúas, qué quieres decir?

—¿Que si también es una mierda lo que dice Rojas?

—¿A qué coño me vienes con el sanguinario de Rojas?

—Será lo que tú quieras, pero el tesorero provincial de Falange, que es tu hermano Antonio, le cantó. ¡Lee esto, hombre, que yo no sé cómo arreglar vuestro asunto!

Pepe sí lee esta vez en voz alta, y se viene abajo. Todos nos quedamos petrificados ante lo que oímos. El intento de hacerle ver a Valdés que Federico es un gran poeta, que se trata de un error político, se pierde como gota de agua en plena tormenta.

Otras dos acusaciones, informes más que denuncias, se han puesto sobre la mesa: la del capitán Rojas, fechada hoy mismo, en la que se hace referencia a nuestro hermano Antonio, y una nota de nuestro vecino Jesús Casas Fernández, donde cita que Federico García Lorca se esconde en nuestra casa. La seguridad y el arrojo de todos nosotros se esfuman como engullidos por la chistera de un mago. Pepe, con las manos atrás, va y vuelve dos o tres veces de la mesa a la ventana. Y yo, acercándome a Valdés, al que jamás he hablado, le pido ver los nuevos documentos. Sonríe, irónico, y pone sobre mi mano dos folios. El informe firmado por el capitán Rojas dice:

Durante el registro que se llevó a cabo ayer tarde en la Huerta de San Vicente, domicilio del denunciado Federico García Lorca, se encontraron importantes documentos que revelan su condición marxista y la de estar en contacto con grupos enemigos de la Patria. Ya que el acusado no se encontraba en el edificio, ni tampoco en los adyacentes, preguntamos a sus familiares por su paradero hasta que lo revelaron. Resultando, por las declaraciones de la viuda de don Manuel Fernández-Montesinos, que Dios tenga en su gloria, estar oculto en la calle Angulo, 1, domicilio de don Miguel Rosales Vallecillos. Siendo sus hijos, los hermanos Rosales, falangistas, quisimos asegurarnos de la información recibida, por lo que buscamos y preguntamos esta mañana a don Antonio Rosales Camacho, tesorero provincial de Falange, quien confirmó el mencionado escondite y reveló que el sospechoso «es un mariconcillo de mierda y un comunista que no para de hacer daño con sus escritos», que no entiende cómo puede estar protegido en su casa, y que él no es responsable.

A mano pone: «Pasar a Ramoncito.» No hay duda de que han hablado con Antonio, «mariconcillo de mierda» es una de sus expresiones favoritas. El otro folio es una simple nota a tinta, de firma ilegible, que podría ser de Jesús Casas, en la que dice:

El poeta rojo que buscáis está en la calle Angulo, 1, en casa de otro poeta que va vestido de falangista. Aquí te dejo el recorte de El Sol con la entrevista de la que te hablé y este otro, del 3 de abril, de Mundo Obrero, *donde en la foto puedes ver al maricón de la pajarita. ¡Viva España!*

P. D. Ya ves, Pepe, qué falangistas tienes por ahí. ¡A por ellos!

Esta nota sin fecha tiene toda la pinta de haberla dejado en ausencia de José Valdés a lo largo de hoy y los recortes de periódico a los que hace referencia deben de ser, sin duda, la entrevista de Bagaría publicada en *El Sol* el 10 del pasado junio, donde Federico califica a la burguesía granadina como la peor de España, y el de *Mundo Obrero*, el del acto de apoyo al líder comunista brasileño Luis Carlos Prestes, donde Federico participó con un recital de poesía. El informe del capitán Rojas no deja dudas de dos cosas: que Federico ha sido delatado por Concha, como contó don Federico a papá, y que nuestro hermano Antonio se ha ido de la lengua. Insistir, en estas condiciones, resultaría inútil.

Si no conociera a Pepe, diría que aún mantiene su seguridad. Apoyando las dos manos y con los brazos extendidos sobre la mesa, mira fijamente a Valdés, durante unos segundos, hasta hacerle bajar la mirada, y le grita:

—¡¿Dónde tienes a Federico?!!

—Está ahí, en una celda del pasillo.

—¡Quiero verlo!

—Está bien, pero tú solo.

La situación ha dado la vuelta, los antes impávidos no muestran asombro, sino agresividad y dureza. Uno de los Jiménez de Parga, al salir del despacho, dice: «¡No sé por qué os empeñáis en correr peligro por defender a un maricón!» Nadie saca el arma, pero los dedos acarician las pistolas para saltar a la más mínima. Cecilio, consciente de la situación, nos abre el paso tratando de evitar cualquier incidente. Pepe se detiene para ver a Federico y me coge del brazo para que lo acompañe hasta la celda, mientras los demás, seguidos por una especie de escolta de expulsión, comienzan a bajar la escalera. Desde la puerta de la celda —no me han dejado entrar— puedo ver de refilón a Federico y oír:

—¡Pepe, qué alegría verte! Sabía que estabais aquí. He reconocido la voz de Luis. Podemos irnos ya, ¿verdad?

—Te sacaré de aquí mañana temprano, Federico, te lo juro.

—Pero ¿es necesario que pase aquí la noche?

—Será sólo ésta, ya lo verás, hay unos trámites que cumplir. Te traigo tabaco, toma, antes de que te lo acabes habré vuelto a por ti.

—Le he prometido a Dios no fumar hasta que esto se aclare.

—De todas formas, te lo dejo, te hará la noche más corta, mañana tendrás tiempo de no fumar. Todo va por buen camino. Valdés me ha prometido que mañana hablará contigo. Yo estaré aquí para entonces y después te podrás venir.

—¿Y si no fuera así, qué será de mí?

—Tengo mis recursos. No te preocupes. ¿Necesitas algo?

—Tu madre me mandó con el joven falangista, con Bene, de benefactor, café, comida, tabaco y manta, pero lo que necesito, Pepiniqui, es que me saques de aquí.

—Mañana, te lo prometo.

Mi hermano se despide de él con una sonrisa en los labios, para darle confianza, y un «hasta pronto», antes de que Federico descubra que se encuentra abatido, partido de dolor.

«Le pellizqué la cara cariñosamente en la mejilla —recordaba tío Pepe—. Quería quitarle importancia, que no se sintiera angustiado, y él me dijo entonces que tenía la sensación de sentirse como un personaje de sus propios dramas.» «Ya ves, Pepiniqui, la casual fatalidad, yo, protagonista de un drama que podía haber escrito, aquí encerrado.» «Traté de sonreírle para darle ánimos al despedirme.» A tío Pepe, después de tantos años, cuando me lo contó, se le quebró la voz y se le humedecieron los ojos, perdidos en las dos noches, la que vivíamos en ese momento y la que él recordaba. «Me despedí de él —volvió a decir—, encendiendo un cigarrillo, antes de que Federico notara que el corazón se me había partido de dolor por él y de miedo por nosotros.»

Traicionados

Ya en la calle, Pepe no se da por vencido. Hasta hoy ha visto al comandante como un compañero, casi como un subordinado dentro de Falange, y de ninguna de las maneras quiere admitir que todo esté perdido.

—Estos cabrones no saben qué hacer para proclamarse héroes de patria chica —comenta entre dientes, y continúa—: ¡Me ha mentido! Queipo no puede estar enterado, no se manda un despacho por algo así, el teléfono con Sevilla sigue sin comunicación y Valdés no tiene radio, sólo la tienen en el Gobierno Militar. ¡Eso es, el Gobierno Militar! ¡Cómo no se me había ocurrido antes! ¡Iré a ver a González Espinosa, él es la máxima autoridad en Granada y nunca me ha negado nada! Antonio González Espinosa, que sustituyó hace unos días como Gobernador Militar a Basilio León Mestre, es la nueva puerta que se abre.

—¿A estas horas, Pepe? ¡Son más de las doce de la noche! —le digo.

—No, mañana a primera hora. Con la cabeza en su sitio y la sangre fría. Conseguiré de González Espinosa una orden de libertad para Federico. Es la única solución que se me ocurre. Valdés se la tendrá que tragar.

—No creo que González Espinosa lo haga, sería ponerse a Valdés en contra, desautorizarlo —interviene Luis—. Aunque vale la pena intentarlo, ¿quién sabe? ¡Maldita sea! ¡Por unas horas, todo estaba arreglado para pasarlo mañana!

—¡Pasarlo mañana, dices! Teníamos que haberlo pasado hace días, quisiera él o no, ¡por cojones, que es como se resuelven las cosas cuando se atrancan! Pero desde luego, Antonio González Espinosa es la única posibilidad que tenemos. ¿Tú qué piensas, Cecilio, que tan bien lo conoces?

—Estoy de acuerdo. Si alguien puede hacer algo, ése es González Espinosa. Tengo que decirte, de todas formas, Pepe, bueno, a tódos vosotros, que veo el asunto muy mal. Tú sabes que por menos han puesto a mucha gente contra las tapias del cementerio. Creo que hay pocas esperanzas. Lo digo para que no os sintáis responsables: habéis hecho más de lo que haría cualquiera, fue Federico quien tomó la decisión de venirse y quedarse en Granada, de manera que, equivocado o no, a él afectan sus decisiones. Debéis tener en cuenta el peligro que corréis vosotros, ésos ya habrán empezado a tramar algo, aunque entiendo que tenéis que seguir adelante, de manera que mañana os acompaño al Gobierno Militar.

—De eso nada. Voy yo solo. Y calmado, lo de esta noche... en fin, es mejor que vaya solo, como en las venganzas, tranquilo y frío.

—Pepe, escucha, Valdés os ha amenazado ahí dentro; si vas acompañado, correrás menos riesgos. Cuando ése pone la maquinaria en marcha, ya sabes que no lo para ni Dios.

—Cecilio tiene razón, nosotros también vamos; si esta noche no hubiéramos ido, os habrían cosido a balazos.

—He dicho que iré yo solo. No necesito a nadie; de todas formas, gracias.

—Pepe, no se trata de demostrar cojones, piensa que...

—¡Eso es lo que estoy haciendo, pensar! Lo de esta noche ha sido un error. Valdés ha violentado mi casa, y yo, su fuero. He forzado tanto la situación, que si había alguna posibilidad de que nos entregara a Federico, cosa que dudo, la he abortado.

—¡A Valdés no se le puede ir con buenas palabras, Pepe! Has hecho lo que tenías que hacer.

—No me refiero a buenas palabras, Cecilio. Estrategia es el asunto, pillarlo a solas, de tú a tú, con toda la mala leche, pero sin que te hierva la sangre. Mañana no voy a cometer el mismo error, iré solo. Ahora marchaos a casa.

—Está bien, como quieras. Si algo sucede o me necesitáis, sea la hora que sea, me llamáis, ¿de acuerdo?

—Muy bien. Id tranquilos, y que Dios os guarde.

De regreso a casa, comentamos hasta qué punto nuestro hermano Antonio, cada vez más radical, influenciado o no por sus amigos, algunos de ellos despreciables miembros de las escuadras negras, ha metido la pata y hasta dónde. O con quiénes se habrá ido de la lengua. Pepe trata de explicar que sus complejos, por ser albino, lo llevan a querer ser aceptado en el grupo de la jerarquía falangista sin medir las consecuencias. Cree, de todas formas, que le han tendido una trampa. Aun así, en estos momentos, siento por él tal rabia y desprecio que su presencia me resultaría insoportable.

Mientras andamos, en mi memoria sigue la fugaz imagen de Federico en su celda, la que he podido ver al entrar Pepe. Sólo dispone de una silla y una mesa, y sobre ésta, cuartillas, pluma y tintero, como hacen con los detenidos por si deciden redactar una declaración. No hay más, excepto los dos bocadillos intactos y el termo de café que se le mandó con Bene. En el rincón y junto a la ventana, sobre las mantas, estaba sentado con la cabeza inclinada, las rodillas dobladas a la altura del pecho y los brazos apoyados en ellas. No sé qué clase de atroces pensamientos pasarán por su mente en este momento, ni sé por qué me vienen a la memoria los estremecedores cuadros de Pepe Guerrero.

Al llegar a casa, nuestros padres, Esperancita y tía Luisa nos están esperando, ansiosos por saber qué ha pasado. Lo primero que hace Pepe es comprobar si hay línea telefónica con Sevilla; la hay, Orgaz ha restablecido la línea. Contamos todo lo sucedido con detalle y nos ponemos a analizar las posibles soluciones en familia. Papá dice, como Pepe, que hay que conseguir la protección para Federico del general Antonio González Espinosa cuanto antes.

También teme que nuestra familia corra un serio peligro. Nos cuenta que esta misma tarde, aprovechando la reiterada petición del Alzamiento de requerir joyas para la causa y el ejército, ha donado en el periódico *Ideal* varios relojes de oro, pulseras, collares, sortijas y medallas, como apoyo a la cúpula militar granadina, para intentar suavizar la situación en la que

243

podamos encontrarnos de aquí en adelante; está realmente preocupado.

De momento no les hemos dicho lo más espinoso, la referencia que el capitán Rojas hace de Antonio en su parte. No tiene sentido callarlo por más tiempo ni dejar cabos sueltos. Tiene que saberlo. Y soy yo quien lo informa. La reacción de mi padre se produce al instante.

—¡¡Antonio!! ¡Baja inmediatamente! ¿No me oyes? ¡¡Digo que bajes ahora mismo!!

Pálido, Antonio, que llegó hace un rato, se asoma desde el piso de arriba, haciéndose el dormido.

—¿Qué pasa?

—¡¡Que bajes de una vez!!

—¿Es que no se puede dormir en esta casa?

—¡O bajas o tendré que subir yo!

Con desgana y expresión de niño ofuscado, Antonio baja lentamente la escalera, haciéndose esperar y comentando:

—Mañana tengo que levantarme temprano.

—Déjate de aspavientos y dime: ¿qué has hablado con ese capitán Rojas?

—¿A qué te refieres?

—Mira, no estamos para adivinanzas. Tus hermanos vienen de ver a Valdés y les ha enseñado un parte de Rojas. ¡¡En ese parte pone que tú le has dicho dónde estaba Federico!!

Estamos impacientes por saber cómo ha sido. Mi padre, enfadado, refleja un gesto severo esperando la respuesta. Nos mantenemos de pie, atentos a Antonio, que, esquivo, mira al suelo y de vez en cuando a mi madre, buscando su apoyo. Nadie interrumpe, nadie dice nada.

—Pues... verás, esta mañana yo iba a... bueno, no, yo estaba y ha sido él el que iba buscándome a mí, el que cuando yo, en fin, el que...

—¡¡Antonio, no me cabrees!! ¡¡Esto es muy serio!! Toda la familia está en peligro, de manera que más vale que digas lo que ha pasado y cómo ha sido. Necesitamos saber los detalles, la hora, con quién, cómo. ¿Está

244

claro? Tenemos que encontrar una justificación creíble. ¡No es momento de hacer el imbécil! ¡¿Lo entiendes de una vez?!

Tío Luis recordaba de aquella noche que hacía mucho tiempo que no veía a su padre tan enojado y preocupado. «Nosotros nos considerábamos formados y responsables de nuestros actos —me decía—, pero la verdad es que se nos escapaba de las manos poder salvar a Federico. La única esperanza estaba en la visita que tu tío Pepe proponía al gobernador militar, en la que, excepto él, los demás recelábamos de la eficacia. Alguien tenía que tomar las riendas, y las tomó tu abuelo; se sentía traicionado, todos nos sentíamos mal por la deslealtad de Antonio, pero cuanto más serio era el problema, tu abuelo más lo analizaba y lo explicaba, convencido de que sólo el diálogo y la absoluta sinceridad podrían dar luz a la oscura situación en la que nos encontrábamos. Tu padre heredó de él esa calma para las situaciones tensas. Para ellos era fundamental el diálogo, la convicción de la palabra.» «Lo sé, tío Luis.» «Aquella noche, tu abuelo nos pidió que nos sentáramos en el patio y, tras insistir en lo delicada que era la situación, forzó a tu tío Antonio a contar lo sucedido.»

—Fue Rojas —dijo al fin sin titubeos— el que se acercó a mí esta mañana, antes de subir a Víznar, y me dijo:

»—Sé dónde está ese Lorca, ¿te gustaría saberlo a ti, Rosales, y vamos a por él? —eso me dijo.

»—¿Dónde? —le pregunté yo.

»—¿De verdad no lo sabes? ¡Qué curioso! Claro, como ves poco, a lo mejor no lo has visto. ¡Los albinos nunca veis nada, aunque lo tengáis delante! ¡Sobre todo en verano, con tanto sol que os deslumbra! ¡Tampoco lo habrás oído tocar el piano!, eso que se oye en toda la calle Angulo, ¿verdad?

»¿Qué querías que hiciera? Él lo sabía, ya lo sabía, ¿qué querías que le dijera...? Pues le dije que sí lo sabía, ¿qué otra cosa le podía decir?

—¿Y qué mas?

—¡Pues ya te he dicho que Rojas lo sabía, qué podía hacer! ¡Ya conocéis a Rojas, ése no te habla, te interroga! ¿No os dais cuenta de que ya lo sabían?

—¡A mí no me des voces, y sigue contando!

—No hay más que contar.

—Aah... no hay más que contar y ya está, ¡todos tan contentos! Le dijiste que estaba aquí porque él lo sabía. Y no se te ocurrió pensar que si te lo preguntaba es porque tenía dudas, ¿verdad? Y lo de «mariconcillo comunista que mata con la pluma», ¿no es una de tus frases favoritas para Federico y Alberti? ¿No es así, o crees que acabamos de caernos de un guindo?

—Le dije eso para quitarle hierro al asunto, para que no nos fueran a acusar. Es lo que se me ocurrió.

—Es lo que se te ocurrió para quitarle hierro y, sin embargo, despreciándolo, lo protegemos. Qué alarde de lógica más coherente. Mientras tus hermanos se juegan la vida por salvarlo, tú vas y le dices a Rojas que Federico es un mariconcillo de mierda y que no tienes que ver en el tema, qué bonito ejemplo familiar mientras tus hermanos dan la cara por él.

—¡Es que es cosa de ellos, y no mía!

—¡¡¡¿Cómo...?!!! ¡Déjalo! No me vas a enredar buscándome las cosquillas, y dime: ¿cómo es que no entiendes que Lorca esté en tu casa y que tú no eres responsable, cómo has podido decir algo así? ¿Te das cuenta de que has acusado a tus hermanos, a todos nosotros?

—¡Fueron ellos los que lo trajeron a mi casa, yo no tengo nada que ver!

—¡Claro que lo trajeron tus hermanos! Pero no a tu casa, sino a la mía, con mi consentimiento y el de tu madre, y dime: ¿dónde se te acercó, según tú, esta mañana Rojas, y a qué hora?

—En Artillería, antes de subir a la misa de Víznar.

Nuestro padre se pone en pie y, andando de un lado para otro, replica:

—¿Y te fuiste a Víznar como si nada? ¿No se te ocurrió venir a decir lo que estaba pasando, ni siquiera dar un telefonazo? Te subiste tan tranquilo y allí tampoco le dijiste nada a tu hermano Pepe, ni a Luis. ¡Hala! A oír la santa misa castrense, como si nada. ¡Por las barbas de Cristo! Toda mi vida defendiendo el liberalismo, convencido de la necesidad de separar los poderes fácticos, como la Iglesia y el ejército, del Estado, y tú a misa con ellos. He tratado de inculcaros a todos vosotros el liberalismo, la amistad, el respeto, la integridad, la honestidad, y tú, fanático de tres al cuarto, aunque Rojas lo supiera, te vas a vitorear a militares dejando a tu familia en una situación de peligro. ¡Vamos, hombre! Para que aquí, en este mismo patio y ante tu madre, que tiene más arrojo que tú, aunque esté delicada, detengan a Federico. Dios sabrá lo que le espera al pobre en manos de esos bestias que tienes por amigos. No sé por qué, pero si has sido capaz de hacer esto, empiezo a creer que puedes haber hecho otras cosas mucho peores, Antonio, y no quiero ni imaginármelas. No te conozco, de verdad, hijo, ya no te conozco.

Antonio, montado en cólera, salta de su asiento y le contesta:

—¡¡¿No me conoces?!! ¡¡Vosotros los liberales creéis, pero estáis pasados de moda, parecéis anticlericales, parecéis del XVIII!! ¡Es el momento de acabar con todo eso por el bien de España! ¡Parece mentira que tú, siendo católico e hijo de un cura de Guadix, digas eso!

¡Plaf! ¡Plaf! Dos tremendos bofetones, uno a cada lado, es la única respuesta de mi padre. Tenemos que sujetar a Antonio, que le levanta la mano para responder.

—¡Estás *chalao*, hombre...! ¡Sube a tu habitación antes de que yo te arree otros dos! —le dice Pepe.

—¡Marchaos todos! ¡A dormir! —grita mi padre, fuera de sí—. Mañana a las ocho hablaré con vosotros tres.

—¡Papá...!

—¡Tú también, Pepe...!

—Sólo quería decirte que siento todo esto.

—Estoy demasiado enfadado y no quiero decir algo de lo que pueda arrepentirme después. ¡No quiero hablar de falangistas, ni de coroneles, ni de la maldita guerra que os traéis! Ningún gobierno sostenido por el ejército, los terratenientes y la Iglesia puede beneficiar a un país. Habéis desatado una guerra infame, ignominiosa y canalla. ¡Todos vosotros! Ni el orden ni la paz vienen por vuestra locura juvenil... Una locura que acaba de poner en peligro de muerte a vuestro amigo Federico. Sois tan jóvenes todos; empezasteis todo esto desde una idea romántica, pero estáis cayendo en el espanto dirigido por Franco, aniquilar es su obsesión, y la de Queipo, la de exterminar, como lo oí decir por la radio: «Cada vez que escucho la palabra cultura, saco la pistola»; son unos payasos fascistas. Y así van las cosas, aunque muchos aún no quieran admitirlo.

»Yo me eduqué con jesuitas que daban la espalda a la historia, no enseñaban las ciencias físicas ni las matemáticas, en medicina no se podía rozar la teoría luterana sobre la circulación de la sangre, y en astronomía, el sistema de Copérnico seguía siendo cosa de la Inquisición. No puedo decir que me educaran, me domesticaron en la monotonía de las costumbres, en la tradición, no en la cultura, la cultura es la consecuencia del pensamiento, nunca al revés. Y con ellos, el razonamiento, el análisis no era posible, estaba prohibido, castigado. Eso es lo que he tratado de enseñaros, no que ayudéis a eliminarlo.

»Recuerdo que el catecismo decía: «¿Qué es lo que enseña el liberalismo? Que el Estado es independiente de la Iglesia.» E inmediatamente añadía en contraposición: «El Estado debe estar sometido a la Iglesia en cuerpo y alma, en lo temporal y en lo eterno.» Decía en otra pregunta: «¿Qué clase de pecado es el liberalismo? Un pecado gravísimo, porque consiste en una acumulación de herejías condenadas por la Iglesia. ¿Qué clase de pecado comete el que vota a un candidato liberal? Pecado mortal.» Yo estudié con ese catecismo, por tanto, ser liberal era ir directamente al infierno, y eso me hizo pensar que no podía ser así, que Dios no podía aprobarlo.

»Soy católico convencido y sé que Dios no me castigará por ser liberal. Es la lucha política de la Iglesia por acaparar la enseñanza y la educación para castrar la mente humana desde la infancia, impartiendo una rígida intransigencia lo que no puedo compartir. Porque es la negación del saber, de la cultura, y las pocas disciplinas que imparten lo hacen como lo hicieron conmigo, con castigos corporales y vejaciones de todo tipo. Su enorme poder económico, sus redes, impiden las verdaderas reformas que necesita este país, y los militares, a los que con tanto ahínco apoyáis, «cristianos también», con sus grandes dosis de disciplina donde lo individual es castigado, tampoco innovarán las estructuras necesarias; más bien todo lo contrario. No quiero decir más cosas, de manera que, por favor, hasta mañana a las ocho, que todo esto lo veremos de otra forma y hablaremos con la cabeza despejada. Venga, acostaos y hasta mañana.

Subimos cada uno a nuestro dormitorio, donde lío el último cigarrillo. Por mi cabeza pasa la revelación de Antonio, cuando mi padre le ha dado los dos bofetones. Yo no sé nada de que el abuelo fuera del clero, como ha dicho, era demasiado pequeño cuando él murió. Me contaron las cosas propias; que era bromista, que ayudó a papá a poner la tienda, en fin, lo normal, pero no sabía que era sacerdote en Guadix. Pepe está en el dormitorio de Luis y voy a verlos.

—Sé que no es el momento, pero no puedo aguantar la curiosidad, ¿vosotros sabíais que el abuelo era cura?

—Obispo de Guadix —dice Luis.

—Yo creo que era sacerdote —opina Pepe—, pero a papá no le gusta hablar de ello, de manera que tampoco lo sabemos con seguridad.

—Hombre, no da lo mismo, un obispo es un obispo y un cura es un cura.

—¿Estáis de cachondeo, Luis?

—Qué va, en absoluto. Cómo vamos a estar de cachondeo esta noche. Estamos hablando completamente en serio. Pero da igual, sacerdote u obispo, lo entiendo perfectamente, estamos hablando de 1870, más o menos. Una época en la que estaba permitido, abiertamente, que el clero tuviera su ama de llaves. Es más, los nobles, los burgueses, los de clase media, en general, sólo dejaban confesarse a sus mujeres con los sacerdotes que tenían barragana. Fue después cuando empezaron a llamarlas «amas de llaves», incluso hoy queda alguno que la tiene; si son jóvenes, las llaman sobrinas y procuran pasearlas poco, pero entonces, en tiempos del abuelo, incluso estaba bien visto y era una garantía para que las mujeres pudieran contarles sus intimidades.

—Vaya, vaya, de manera que es verdad. Lo que faltaba hoy, por lo menos la historia de nuestros ascendientes tiene su picante. Ya entiendo por qué no hay primos Rosales, lo de hijo único de papá y muchas cosas que me hacen conocerlo mejor.

—Ya ves qué sorpresas esconde la vida en la propia familia, Gerardo. Pero ahora se acabó, que mañana amanece en seguida y hay que estar frescos para la que nos espera.

—Una cosa más, Pepe.

—Dime.

—Le has puesto muchos cojones enfrentándote a Valdés.

—No ha servido de nada, estaba furioso y me sigo comiendo por dentro. Ahora, a descansar y hasta mañana.

Aquella noche, Pepiniqui, alerta a cualquier ruido, oyó cómo su padre recorría la casa a oscuras, de puesto en puesto a intervalos regulares, como centinela en las tinieblas. A las cinco de la mañana se levantó y salió a decirle: «Papá, acuéstate y duerme tranquilo, no va a pasar nada.» Él tampoco dormía. «Cuando volví a mi habitación —me contaba tío Pepe una tarde en la calle de la Colcha—, me planteé por primera vez si todo aquello de la Nueva Patria merecía la pena, si los ideales por los que luchaba y la Falange que deseaba se mantenían vivos en mis camaradas, en todos nosotros, o por el contrario el entramado de intereses que nos envolvía nos alejaba irremisiblemente. Estábamos asustados por la reacción que pudiera tener Valdés, sentía que en cualquier momento nos podían poner las zarpas encima. Y me decía a mí mismo, durante las horas de angustia e insomnio, esperando el amanecer: "Pepe, esa Falange que sueñas se desvanece ante tus ojos, pero ahora duerme, que mañana te necesito."»

Última huella de Federico

«Me puse en pie a las siete y media, sobrino —seguía recordando tío Pepe— sin hacer ruido. Después de afeitarme y meter la cabeza bajo el grifo, para alejar el sueño de la noche anterior, entré al gabinete pequeño. Luis y Gerardo, quiero decir tu padre y tío Luis, estaban en marcha, se les oía en sus habitaciones, y mi padre ya esperaba tomando café recién servido por Basi.»

—Buenos días, papá. ¿Has podido dormir?

—Algo, ¿y tú?

—Un par de cabezadas, pero estoy bien.

—Vosotros os recuperáis pronto, sois jóvenes. Pepe, tú conoces bien los entresijos de Valdés y de los que lo rodean. Estoy preocupado por Luis y por Gerardo. ¿Crees que pueden venir a por ellos?

—No lo sé. Desde que empezó la guerra apenas tengo contacto con Valdés y con los que andan por su despacho. Sólo Díaz Pla es de fiar, o al menos lo era, estaba allí anoche y podría contarme qué pasó cuando nos fuimos, los comentarios que seguro se hicieron a nuestras espaldas. Lo veré dentro de un rato. ¿Por qué estás preocupado por Gerardo?

—Es un presentimiento. Quizá al ser el más joven y al no estar afiliado como vosotros sea más vulnerable. Además, se le nota que va a contracorriente. Si esos miserables quisieran darnos un escarmiento, lo harían por el sitio más fácil.

—Ya lo sé. ¡Maldita sea todo esto! Sin embargo, a mí me preocupa más Luis, se ha implicado de verdad.

—Yo he pensado en la nota de Jesús Casas. ¿Cómo ha podido saber de que Federico estaba aquí?

—No lo sé. Ése nunca ha pisado esta casa. Es de Acción Popular, un amigote de Ruiz Alonso, la nota se la dejaría ayer mismo a Valdés. Yo qué sé, papá, quizá lo ha visto desde la terraza, o lo ha oído tocar el piano, ya da igual. A Federico lo buscaban desde hace días y no han parado hasta dar con él, son como perros de presa, cuando huelen un rastro no cejan en su empeño, y esta ciudad es muy pequeña.

—¿Qué piensas de lo que ha pasado con tu hermano Antonio?

—Pues que después de que Concha les dijo dónde estaba, quisieron asegurarse antes de venir. Por eso han ido a por Antonio. Saben cómo es y que si le aprietas le sale la solidaridad salvaje. La verdad es que Rojas da miedo cuando pregunta, pone a la gente contra las cuerdas en un interrogatorio sin remisión y Antonio es una víctima fácil.

—Ya... Pero no decir nada y subirse a Víznar...

—No te extrañe que Rojas no le quitara el ojo de encima durante todo el día, que lo vigilara atentamente. Hace las cosas así, no se le escapa una, aunque desde luego Antonio tenía que haber encontrado la manera de avisar.

—Bueno, dejemos eso, que me pone enfermo.

—Lo han planeado, papá. Habrían mandado a Ruiz Alonso con cuatro o cinco hombres si esta casa fuera otra. Pero no. Han necesitado asegurarse para no meter la pata, y tiempo, mucho tiempo, un día en organizarse y traer una tropa, aun sabiendo que no estábamos, para evitar enfrentarse con nosotros. Es posible que hayan presionado a Antonio para saber si tú o Gerardo estaríais aquí, a los demás nos tienen controlados. Está claro que ha sido una operación de Valdés y Julio Romero. Son los que pueden montar ese follón. De todas formas, aunque hubiéramos estado aquí, ¿qué podríamos haber hecho?, ¿convertir esto en un fortín, liarnos a tiros? Lo han calculado todo.

—Es posible que estés en lo cierto. También yo creo eso. Aunque la lógica en una guerra escapa a la razón.

«Fue entonces —sigue recordando tío Pepe— cuando Luis y tu padre se unieron a nosotros. Tu abuelo tomó la palabra con la voz reflexiva que guardaba para las ocasiones vitales. Esa voz, de la que sabíamos perfectamente que aceptaba el diálogo pero que jamás cejaría, aunque pasaran interminables horas, si el mensaje no era perfectamente comprendido.»

—Voy a ir a la tienda solamente para abrir y cerrar. El resto del día estaré en casa, con vuestra madre, pendiente de lo que pueda suceder. Quiero que me tengáis informado de todo. Procurad seguir con vuestras cosas, quiero decir, como si nada hubiera pasado. Con naturalidad a todos los efectos. Debéis decir, cuando salga el tema, que Federico estaba aquí pasando unos días, revisando algunos poemas con Luis, realizando un trabajo conjunto, incluso conviene decir que volvía algunas tardes a su casa. No admitáis en ningún momento que se escondía, ¿está claro?

»Luis, antes de ir a algún sitio te pasas por casa de Miguel y le dices que venga, tengo que hablar con él cuanto antes. Más cosas: se acabó lo de traer a alguien a casa para ocultarlo, aunque sea por una hora. Y nada de pasar a zona republicana a nadie, se trate de quien se trate, ¿entendido? Estarán pendientes de lo que hacéis para poneros la mano encima. Antes de pasar a otro asunto quiero que todos, y digo «todos», tengáis claro que pueden detener a cualquiera de la familia. No me fío un pelo de lo que pueda pasar por la cabeza del traidor de Valdés, de manera que venid a casa temprano. No facilitéis el camino a sus esbirros. ¿Alguna duda?

—Papá, estás demasiado preocupado. Si estuvieran pensando algo de eso, lo habrían hecho ya. Con nosotros no se atreven.

—¡Dios te oiga, Luis! Pero no estés tan seguro. Otra cosa, Pepe, he pensado detenidamente en lo de ir a ver al gobernador militar. Debes ir sin pérdida de tiempo, háblale claro, sin alterarte. Si él intercede a favor, puedes conseguir dos cosas: sacar a Federico, que ojalá lo consigas, y la otra, si tuviéramos la suerte de liberar a Federico, a la vez cambiarían las sospechas sobre nosotros.

—Desde luego. Es lo que pienso hacer.

Tío Pepe evocaba aquella mañana en que mi padre y él se marcharon con paso firme y confianza a pesar del lógico miedo que llevaban encima. De manera que nos fuimos juntos para ver a González Espinosa y tu tío Luis a buscar a Miguel, como estaba previsto —me decía—. Tu padre, durante el camino al Gobierno Militar, seguía dándole vueltas al descubrimiento del clero, no salía de su asombro, de repente se había encontrado nieto de la Iglesia —bromeó tío Pepe—. La verdad es que, aunque inoportuno, me relajó el no ir pensando cómo enfocarle a González Espinosa el espinoso asunto de Federico. Recuerdo que, muy serio, tu padre me dijo algo así:

—Lo del obispo me hace comprender la afición que tiene papá por la historia, la posición que mantiene ante la Iglesia, como estructura de poder, quizá como rechazo, a pesar de ser tan creyente y de habernos inculcado a nosotros la fe católica. Qué cosas..., de manera que somos descendientes del clero; sé cómo funcionaba la Iglesia en el XVIII y en el XIX, de su poder, de los grandes bienes intemporales en inmensas fincas terrenales, hasta que pasaron a manos de los foreros y de pocos foristas después de la primera guerra carlista, de sus prohibidas libertades, pero nunca imaginé que fuéramos descendientes de las santas debilidades.

Estaba sorprendido, aunque yo no le prestaba el interés que él ponía. Cuando llegamos al Gobierno Militar, a las puertas del Albayzín, entramos sin dificultad. Subí yo solo para ver al gobernador, mientras tu padre esperaba en el patio de armas con otros conocidos.

—¿Rosales? ¿Qué te trae por aquí?

—Necesito tu ayuda para un asunto delicado.

—Siéntate, dime.

—Se trata de García Lorca.

—Hum, sí... Sé que lo han detenido en tu casa. Es un asunto muy feo, Pepiniqui. Qué pena. He leído alguna cosa suya, lo de: «Yo me la llevé al río creyendo que era mozuela, pero tenía marido.» Y aquello de los cuatro corpiños. No me acuerdo bien, pero me encanta. Y bueno, dime.

—Verás... García Lorca ha ido mucho estos últimos días por mi casa. Es amigo de mi hermano Luis, que también es poeta. Están haciendo un trabajo juntos, y claro, algunos días se tienen que ver muy tarde, cuando Luis viene del frente. Incluso se ha quedado a dormir algunas noches, tú ya sabes cómo es mi casa, que siempre hay alguno durmiendo por allí. El caso es que ayer por la tarde un tal Ruiz Alonso se lo llevó, sabes quien te digo, ¿no? Un ex diputado de la CEDA.

—Sí, hombre, cómo no voy a saberlo, el «obrero amaestrado».

—Eso es. Pues fue con un regimiento, como si fueran a tomar Santa Fe, y lo detuvo. Les dio un susto de muerte a mi madre y a mi hermana, que estaban solas. García Lorca es un hombre metido en sus libros y sus poemas, no en la política. Es incapaz de hacer daño. No viene a cuento que se lo lleven, y además de mi casa, sin otro motivo que hacer una machada ante Valdés o ante cualquiera que al tal Ruiz Alonso se le ponga por delante. Entre unos y otros nos han puesto en entredicho y tú sabes que Ruiz Alonso siempre ha querido fastidiar a Falange. Desde el principio ha querido jodernos: cuando salió al balcón del Gobierno Civil, el día que lo tomamos, que quería formar un pelotón con gente de la CEDA; con la avanzadilla del Albayzín, y ahora forma el Batallón Pérez del Pulgar para hacer de pistoleros, como cuando estaba en las JONS. Eso no se puede consentir, Antonio.

—Entiendo, ¿y qué quieres que haga yo?

—Anoche hablé con Pepe Valdés. Le expliqué que es un grandísimo

257

error detener a un personaje como García Lorca, pero no quiso escucharme. Tuvimos una discusión tremenda.

—¿Qué es lo que dijo Valdés?

—Decir, no dijo mucho. Me gritó. Se puso un poco chulo. Dio excusas y vueltas, dice que hay unas denuncias y que no me lo puede entregar. Que me lleve si quiero a Ruiz Alonso y le pegue dos tiros, ya sabes cómo es.

—¿Quieres que lo llame?

—Quiero que me des una orden de libertad para García Lorca. No puedo consentir que se lleven a nadie de mi casa. ¡Compréndelo!, y además, ya se le ha hecho bastante daño a esa familia. Ayer se fusiló a Fernández-Montesinos, que estaba casado con una hermana de García Lorca.

—Sí, el alcalde... Lo que me pides es muy delicado, Pepiniqui.

—¿Crees que no lo sé? ¡Tengo que salvar también a los míos! Y es un error descomunal detener a un poeta tan famoso como García Lorca, a un católico. Mucha gente se nos echará encima. Es una persona que no se merece estar en manos de los del Gobierno Civil. Tú estás por encima de Valdés, de todos ellos. Por eso vengo a verte. Eres el único que puede detener esto, no te arrepentirás, ni me lo puedes negar. Por favor, Antonio, da la orden para que suelten a García Lorca.

González Espinosa se quedó callado, titubeaba sin saber qué hacer. Lo estaba pensando, sólo tenía que empujarlo un poco para conseguir sacar a Federico.

—Tienes que darme esa orden, Antonio, antes de que sea demasiado tarde —le dije.

Me miró fijamente y se decidió:

—Está bien. Haré un oficio para que te la den. Pásate esta tarde.

—¿Esta tarde? Eso es demasiado tiempo, Antonio. Si lo interroga el bestia de Italobalbo, García Lorca terminará diciendo que es comunista, o lo que sea, el mismísimo diablo, lo que al otro le apetezca que diga. Tú eres un buen cristiano. No eres como ellos. Dame la orden ahora mismo y yo haré el resto.

—¡Hombre, hay que redactarla!

—Pues redactémosla en un periquete. Puedes escribir algo así: «Enterado de la detención del poeta don Federico García Lorca en el día de ayer, y teniendo constancia de su inofensiva actitud política y no conociéndosele actuaciones que vayan en contra de los intereses de España —o mejor—, de los nuevos intereses de España, ordeno: la inmediata libertad del detenido, subsanando el error del que ha sido víctima. Asimismo ordeno: que se me envíen las acusaciones que se le imputan, para su posterior estudio, por si alguna de ellas hubiera que tenerla en cuenta en futuras diligencias.» Esto último te cubre la espalda. ¿Qué te parece?

—Eres un canalla... Aunque sería mejor que «enterado», «informado de la detención», y quitar lo de «inmediata libertad», prefiero que diga «sea puesto en libertad». ¡¡Cabo!!

—A sus órdenes mi general.

—Pasa a máquina lo que te dicte el señor Rosales.

—Sí, señor.

Una vez escrita, de un tirón saqué la orden de la máquina de escribir y la sellé, no había tiempo que perder, se la extendí a González Espinosa para el último trámite, su firma, la firma del general y comandante en jefe de la provincia. Con ella en las manos, lee y duda. Por fin, moja la plumilla en el tintero y estampa la rúbrica imprescindible. Con cuidado, mientras sigue dudando, sopla y presiona el secante sobre su firma. «Esta firma vale nada menos que una vida, la de Federico», pensaba en aquel momento.

—Pepe, esto lo hago sólo porque eres tú. Vete a ver a Valdés. Que me llame por teléfono si tiene alguna duda y con esto quedamos en paz.

—Ahora soy yo el que tiene la deuda contigo, Antonio.

No perdí tiempo en despedidas, tu padre me seguía esperando, impaciente, en el mismo sitio, en el patio de armas. Salimos flechados en busca de Valdés, antes de que pudiera ir a inspeccionar cualquier zona del frente y desapareciera del Gobierno Civil. Eran las nueve y diez de la mañana. La orden de libertad para Federico hizo que recobráramos la seguridad. Al llegar al Gobierno Civil le pedí a mi hermano Gerardo que esperara en la calle, quiero decir a tu padre, era más seguro para él y quería ver solo a Valdés. Subí a zancadas la escalera, camino de su despacho. Y allí estaba, de pie, hablando con Julio Romero Funes en la puerta. Entonces le dije:

—¡Entremos a tu despacho, Pepe!

—¡Te dije que vinieras, pero no tan temprano, Pepiniqui! De todas formas, llegas tarde.

—No vengo a hablar. Vengo a llevarme a García Lorca. Traigo una orden de libertad de González Espinosa, de manera que dámelo y terminemos con este asunto.

—A mí lo que diga González Espinosa me importa un rábano. De todas formas, no me has entendido bien, Rosales, ese poeta, tu protegido, no está aquí, se lo han llevado de madrugada a Víznar. Ya sabes qué significa ese viaje.

—¡No me digas eso! ¡No mientas y entrégame a Federico! ¡Cumple con la orden de un superior y dámelo ahora mismo si no quieres tener problemas!

—Pepiniqui, estás complicando mucho las cosas. Si crees que miento, pasa a la habitación donde estaba el amiguito de tu hermano Luis, allí no queda más que olor a escoria.

Corrí de una habitación a otra buscando a Federico. En la celda sólo quedaban un montón de colillas, un papel arrugado en la ventana y atravesado por la plumilla despuntada, no ponía nada, dos cajetillas de tabaco vacías, y en el rincón, sus últimas huellas sobre la manta.

—¡Anoche me prometiste que no le pasaría nada, eres un canalla, un hijo de puta!

—¡Ten mucho cuidado con lo que dices y ocúpate de proteger a tu hermanito Luis, si es que puedes, porque ahora le toca a él!

Por su tono y su gesto comprendí que la amenaza contra Luis iba completamente en serio. Lo conocía bien. Sentí ganas de estrangularlo allí mismo, no sé cómo me contuve. Valdés era un asesino capaz de matar a su madre en nombre de España, la vida de un cristiano le importaba cuatro leches. De pronto, al acordarme de que tu padre seguía abajo, un escalofrío me recorrió el cuerpo y me fui a buscarlo, jurándome matar a Valdés en cuanto tuviera ocasión.

—Estos cabrones han matado a Federico, Gerardo, y ahora quieren a Luis.

—¡Santo Dios! ¡Qué hijo de puta! Maldito sea cien veces.

—Tenemos que avisar a Luis. No hay un minuto que perder.

La cara descompuesta de mi hermano Pepe, su mano sobre mi hombro, sin comentarios, compartiendo el dolor y el miedo hace la distancia interminable mientras caminamos, mirando al suelo como quien cuenta los adoquines que faltan hasta casa. Llegamos en pocos minutos. Luis aún no se ha ido y mi padre habla con él y con Miguel. Al vernos, los tres notan en nuestra cara que algo ha pasado, y damos la noticia de la casi segura muerte de Federico y de los planes que en el Gobierno Civil tienen para nosotros.

—Valdés es una hiena, Luis —añade Pepe—, ahora va a por ti, y va en serio. Es una maldita hiena que no se detendrá.

—Eso me temía —contesta mi padre.

Pepe se engancha al teléfono hasta poder hablar con Víznar. Nestares no está, ha sido relevado como comandante en jefe de la zona norte a las ocho de la mañana. La impotencia es absoluta, no se puede hacer nada. Hace horas que han tenido lugar las ejecuciones en el barranco de Víznar; cuatro, esta madrugada. En La Colonia no hay presos. Han matado a Federico.

Inmediatamente, junto a nuestro padre, empezamos a pensar qué podemos hacer. Decidimos buscar apoyo entre los altos cargos. Sin dilación, Pepe se va para volver a ver a Antonio González Espinosa, al alcalde y a otros cargos militares. Luis y yo nos dirigimos a los despachos de Falange, situados en la Gran Vía, para hablar con los jefes de la organización. El primer encuentro que tenemos es con Antonio Robles. La entrevista con la primera autoridad falangista es desastrosa. Antonio Robles, excitado y nervioso, le dice a Luis: «Sé que has protegido a ese rojo de García Lorca con el cuento de que es un poeta importante, ¿qué quieres que haga yo ahora, que te proteja a ti? Lo que tienes que hacer, Luis, es quitarte la camisa azul, estás desprestigiando a Falange Española.» Comprendemos que el jefe provincial quiere evitar que se fusile a uno de los suyos vestido de falangista, eso sería un deshonor para todos ellos. Sin más diálogo, salimos de su despacho.

La segunda visita que hacemos, sin demasiado entusiasmo, sólo para no romper el orden jerárquico, es al jefe de Milicias, el capitán Rojas, quien se mofa de Federico y aprovecha para restregarnos el soplo que, según él, le hizo ayer nuestro hermano Antonio. Con actitud de desprecio, Rojas sale al balcón de su despacho y, con gesto arrogante y teatral, señalando a Luis con el dedo, dice: «Jesucristo, tú y yo hemos estado perseguidos, camarada. ¡Pero la verdad prevalecerá en favor de la justicia!» Luis, viendo que de su estúpida actitud no conseguirá ningún apoyo, se dirige a la salida y contesta, mientras nos marchamos, dejándolo con la palabra en la boca: «¡Siempre me he comportado dentro de las normas más estrictas de nuestra organización, no como otros!»

Con poca esperanza, ya que anoche estaba presente y no intervino cuando tuvimos el enfrentamiento con Valdés, visitamos a José Díaz Pla, el jefe local de Falange. Nos recibe, afable, pidiéndonos cortésmente que entremos en su despacho y tomemos asiento. Es el primer hombre que encontramos, entre las jerarquías falangistas, que está dispuesto a interceder. Ya más relajados, Díaz Pla, abogado de profesión, en tono coloquial advierte:

—Luis, tu situación es muy grave. Anoche, cuando os fuisteis, Valdés, muy preocupado y nervioso, mucho más de lo que aparentó ante vosotros, llamó a Queipo de Llano y le preguntó, por si cometía un error como le dijo Pepiniqui, qué hacer con García Lorca. Queipo ordenó que se le fusilara. Valdés insistió contándole lo que había pasado, que aquí le habíamos confirmado que García Lorca efectivamente era un poeta internacional, le insistí yo después de que os marchasteis, le contó que vosotros estabais detrás y que vuestros hermanos Antonio y Pepe son «camisas viejas», que todos vosotros sois falangistas y que Pepiniqui tiene mucho apoyo y seguidores dentro de Falange.

»—Mi general, no me fío de la reacción que puedan tener los Rosales —le dijo Valdés.

»Le contó todo, que vinisteis con Cirre, en fin todo, estaba asustado. Queipo le contestó:

»—No importa quién sea ese poeta; a ése, café, dale mucho café, y de los Rosales no te preocupes, detén a uno o a dos de la familia, y verás qué suaves se quedan.

»De manera, Luis, que de este despacho no te marchas hasta que hagamos un escrito para salir de ésta y lo firmes, explicando las circunstancias en las que has intervenido con García Lorca. Valdés va a por ti, Luis. Siento decírtelo así. Ese escrito hay que mandarlo a todas las autoridades civiles, militares y a los dirigentes de Falange; naturalmente, lo enfocaremos para sacarte de este embrollo.

—Yo puedo ayudaros, he pensado en ello. Tengo una declaración exculpatoria en la cabeza, la estoy viendo.

—Toda colaboración es buena, Gerardo.

La manifestación de José Díaz Pla indica su disposición a tener en cuenta todos los factores posibles que puedan beneficiar a Luis, de manera que nos ponemos manos a la obra. Durante las ausencias en las que Díaz Pla tiene que atender otros asuntos, yo sigo desde mi corta experiencia dándole forma para vestir la mentira con leal y pundonoroso traje.

Cuando la cansina hora del calor se echa encima, tenemos la declaración perfilada y Díaz Pla manda subir a su despacho unos bocadillos que calmen los estómagos vacíos, interrupción que aprovechamos para llamar a casa y decir que no nos esperen para almorzar. Sin dejar de repasar y de comentar el borrador, con continuas discrepancias de Luis mientras comemos, a las tres y media de la tarde todo está listo para sacar doce copias y llevarlas a sus destinos. Dejamos en blanco el espacio a quien corresponda cada copia y la fecha, para ponerla a mano, de la primera vez que fueron a violentar la Huerta de San Vicente. Finalmente, el escrito queda del siguiente modo:

Camarada ....

Doy para tu conocimiento información exacta de mi conducta en relación con la detención de Federico García Lorca.

En fecha ...., una escuadra de Falange al mando del jefe de Milicias practicó un registro en casa del detenido con resultado infructuoso. Este día le fue comunicado por nuestro jefe, el capitán Rojas, que no existía acusación alguna contra él.

Al día siguiente y por elementos distintos, se practicó otro registro en dicha casa para capturar al antiguo arquitecto de Granada, Alfredo Rodríguez Orgaz. El resultado fue también infructuoso.

A los dos días, varios individuos armados irrumpieron en el domicilio del detenido, con la finalidad de aprehender a uno de sus colonos. En este registro se procedió con bastante violencia.

Habida información sobre el caso en la comisaría, se puso en libertad al acusado.

Teniendo en cuenta que los que practicaron el segundo y tercer registro no habían presentado la orden necesaria para practicarlos, la insistencia en las molestias, y con la única finalidad de que no pudiera ser violentado por personas que no tuvieran autoridad para ello, lo albergué en mi casa a partir del último registro, en que había sido golpeado, hasta el día de su detención, dejando orden en su domicilio para que, si había nuevos requerimientos, indicasen el lugar en que se encontraba para ponerlo inmediatamente a disposición de la justicia.

En apoyo de mi actitud, digo:

1.º Que no había en aquel momento ninguna clase de requerimiento oficial contra el detenido.

2.º *Que nuestro jefe de Milicias, en el primer registro y dados sus resultados, lo había puesto en libertad.*

3.º *Que dado el carácter literario de mi relación con el detenido, nunca supe que pudiera ser enemigo para la causa que defiendo.*

4.º *Que mi obligación como autoridad era defender al detenido contra cualquier clase de atropello o incorrección.*

5.º *Que mi obligación como autoridad era tener al detenido a disposición de la justicia cuando ésta procediera contra él.*

6.º *Que no contento con esto y comprendiendo que si no había orden de detención el primer día, pudo haberla después, pregunté por medio del camarada jefe de sector Cecilio Cirre al camarada jefe de Milicias Manuel Rojas si había alguna clase de denuncia u orden de detención contra él, con la única finalidad de ponerlo a disposición de la autoridad competente.*

7.º *Que me fue comunicado dos horas antes de la detención de García Lorca que no había nada contra él, por nuestro jefe de Milicias, por mediación de Cecilio Cirre.*

8.º *Que durante el tiempo que estuvo en mi casa, no solamente no estuvo oculto, sino que, de modo bien ostensible, lo han visto y conversado con él cuantos falangistas han pasado por allí: Nestares, Cirre, Serrano, Casas, Reyes y muchísimos más.*

9.º *Que cumpliendo mis órdenes, al primer requerimiento se puso al detenido a disposición de la justicia.*

10.º *Que he podido saber, después de practicada la detención, que un día antes la escuadra al mando de Francisco Díaz Esteve se personó con orden de prenderlo en su domicilio, sito en los callejones de Gracia, y allí se le notificó, cumpliendo mis órdenes, que estaba en mi casa.*

11.º *Que el mismo día le fue dada orden al jefe de esta escuadra por el camarada Sánchez Rubio para que se me presentara con la intención de que yo pusiera al detenido a disposición de la autoridad.*

12.º *Que dicho jefe no cumplió esta orden por la cual yo no pude saber que se procedía contra el preso.*

Creo que he cumplido siempre con celo en la defensa de mi Religión, mi Bandera y mi Patria.

Mis escritos, mi palabra y mi conducta han respondido, responden y responderán en todo momento de ello.

Tengo que contestar urgentemente ahora de una imputación calumniosa y pido se exijan las responsabilidades derivadas de la conducta observada por quien o quienes hayan ordenado se rodease mi domicilio con fuerza armada, realizando con ello un intolerable atropello, y una notoria vejación hacia mi casa, mi familia y el crédito de mi nombre.

Dejo el cargo que ostento a tu disposición en tanto no tenga un certificado de legalidad de mi conducta.

¡¡¡Arriba España (19)!!!

LUIS ROSALES

—Buena colaboración, Gerardo. A mí se me habrían escapado algunas cosas. Esto ya está listo, Luis. En un momento lo pasamos a máquina y lo firmas.

—Vosotros miráis esto de otra manera, como abogados, pero yo no puedo firmar eso. ¿Cómo voy a decir que pregunté con la finalidad de poner a Federico a disposición de la autoridad, y que se le entregó cumpliendo mis órdenes? Ya os dije antes que esto es infumable.

—Luis, es el documento que hay que presentar. Tu hermano ha tenido habilidad para suavizarlo sin que pierda contundencia, yo lo habría hecho más duro. Tienes que entender que ahora se trata de salvar tu vida. Ya te he dicho que el asunto es muy grave, te estoy asesorando como abogado y como camarada. Debes firmarlo.

—Pero no se ajusta a la realidad, ¿cómo voy a quedar yo una vez pasado todo esto? Hay que moldear algunas cosas. Tal como está es un disparate.

—No se trata de cómo quedes, Luis, se trata de salvar el pellejo. Has

(19)   Declaración exculpatoria de Luis Rosales, publicada con anterioridad por Ian Gibson y Eduardo Molina Fajardo en sus respectivas investigaciones. Archivos de FE.

venido a que te asesore, a que interceda, ¿no? Pues ése es mi consejo. ¿O crees que los juicios o las situaciones como ésta se ganan con la verdad? La verdad en general es muy molesta y en una defensa se convierte en un enemigo terrible. Para ti, en estas circunstancias, es mortal.

—Las cosas funcionan así, Luis, debes hacerle caso a José Díaz. Sé lo afectado que te sientes por lo de Federico y has hecho todo lo que estaba en tus manos, no le des más vueltas. Aunque el escrito te parezca una barbaridad, has de aceptarlo.

—¡Tiene cojones! Lo que uno tiene que hacer. ¡Está bien, joder! Vosotros sois los abogados, firmaré esa ensalada de mentiras, que, por otro lado, no creo que sirva para nada.

Una vez sacadas las doce copias, en lo que empleamos un buen rato (la máquina sólo admite dos copias con claridad), le dejamos cuatro a Díaz Pla para que las haga llegar a los mandos de Falange y a Valdés; las demás las llevamos a todos los cargos públicos y militares seleccionados: Diputación, ayuntamiento, Gobierno Militar, parque de Artillería, etc.

El resto de la tarde, abatido por los precipitados sucesos y sin ganas de nada, trato de refugiarme en la lectura. Mi madre aún no sabe nada de la suerte de Federico ni de la delicada situación de Luis, de manera que en su presencia eludimos lo que en estos momentos nos tiene irremisiblemente asustados. Mis hermanos Pepe y Luis, desde casa, siguen intentando encontrar apoyo. En especial, localizar a Narciso Perales, que siente un gran aprecio por Luis desde que tomaron Radio Granada juntos. Perales es el fundador de las JONS, Palma de Plata concedida por José Antonio al valor en Aznalcóllar, hombre de gran influencia en Falange por su destacadísima actuación, enlace nacional entre Granada y Sevilla; puede ser un buen apoyo, pero no hay forma de localizarlo.

La mañana del 18 de agosto se despierta jubilosa a la espera de que el general Varela, que ha terminado de unir Granada y Sevilla por carretera, entre en la ciudad. Con el general, que será recibido con todos los honores el mismo día que se cumple un mes del Alzamiento, probablemente llegue el jerarca Narciso Perales.

Como si de un día normal se tratase, nos incorporamos a las obligaciones habituales, pensando que lo mejor es dar la cara, procurando no ir solos y siguiendo las instrucciones de nuestro padre. A las diez, Luis, Miguel y yo nos encontramos en el cuartel de Falange. Al momento llega el capitán Rojas, quien como jefe falangista ha recibido la declaración firmada por Luis. Después de usar el teléfono, conversación que sostiene en voz baja, reacciona brutalmente diciéndole a Luis, mientras le arranca la insignia falangista y los galones:

—El escrito que me has mandado tiene mucha gracia, lo más gracioso de todo es: «Dejo el cargo que ostento a tu disposición en tanto no tenga un certificado de legalidad de mi conducta.» ¡¿Qué conducta quieres que aprobemos, la de esconder a un marxista de mierda?! ¡¡Desde este instante quedas expulsado de Falange!!

Sin dar tiempo a que Luis reaccione, e intuyendo que la llamada telefónica de Rojas ha sido al jefe provincial pidiéndole confirmación para expulsar a Luis, Miguel y yo lo cogemos del brazo y salimos del cuartel sin dejarlo que diga nada. Lo acompañamos hasta casa. La actuación de Rojas vuelve a no dejar dudas. Todos sabemos que no conviene detener y fusilar a un falangista: primero hay que degradarlo, expulsarlo, después detenerlo, acusarlo de traición y fusilarlo sin manchar el honor de Falange.

Entre las soluciones que de nuevo barajamos en cónclave familiar, se encuentra la de huir de Granada, la de pasar a Luis a zona republicana, ¿pero por dónde, para que se encuentre a salvo? Vivimos la misma situación de angustia por la que recientemente han pasado otros amigos sin ver, como ellos, el camino que hay que seguir. Mi padre, con su carácter comercial, propone donar al Alzamiento veinticinco mil pesetas para intentar salvar la vida de Luis, una multa, en definitiva.

—Eso es muchísimo dinero, papá.

—Así es, pero no es más que dinero al fin y al cabo, y abre más puertas de las que imagináis.

—Pero es una barbaridad para no tener ninguna seguridad, papá. Es mejor que me vaya.

—Eso es lo peor que podrías hacer, Luis. Buscarán a otra víctima entre nosotros, y no podemos huir todos, al menos por ahora.

La conversación entre mi padre y Luis me hace ver que Federico estaba en lo cierto. En este momento lo veo claro: cuando se acecha a una familia, de nada sirve que uno de ellos escape, eso es lo que temía Federico, y les digo:

—Estamos en la misma situación que la familia de García Lorca y hay que resolverlo de manera distinta. La propuesta de papá, depende de cómo y con quién se negocie, puede dar resultado. Estoy seguro.

—¿Qué sugieres?

—La verdad, no lo sé. Quizá si se plantea como una sanción pueda funcionar, en muchos casos jurídicos es eficaz como sustitución de la pena.

—¿Cómo? ¿Quieres decir una multa, Gerardo?

—Así es. Veréis, se le puede plantear a González Espinosa, puede servir de intermediario con Valdés y los suyos, Díaz Pla también puede ser un buen interlocutor con los mandos de Falange. Los dos han sido receptivos y nos han ayudado, creo que se puede confiar en ellos, y a los dos les puede interesar proponer una solución así para reafirmar su liderazgo, sobre todo a González Espinosa. Todo el mundo sabe a estas horas, o se enterarán, que su orden de libertad para Federico no ha servido de nada y eso, digamos, tiene que incomodarlo. Tampoco hay que perder de vista que están sin una gorda, y como dice papá, el dinero abre puertas.

La idea encaja bien en la familia y en los intermediarios elegidos, a los que Luis y Pepe se encargan de visitar. Pero a pesar de los esfuerzos realizados por González Espinosa y Díaz Pla, no resulta fácil negociarla. Los días pasan como caen las hojas de otoño, sin que estemos seguros de poder salvar la vida de Luis. Al contrario, nuevas amenazas surgen en torno a Pepe y a Cecilio Cirre, que han decidido solicitar la baja en Falange por medio de una comunicación al jefe provincial, el 22 de agosto, como respuesta a las acusaciones que se les vienen haciendo. Pasados tres días más y aconsejados entre otros por Narciso Perales, Pepe y Cecilio mandan un nuevo escrito solicitando dejar sin efecto el anterior:

Por la presente te suplicamos los camaradas José Rosales Camacho y Cecilio Cirre Jiménez, dejes sin efecto nuestra carta fechada el 22 del corriente mes en la que se pedía que fuéramos dados de baja en esta organización.

Granada, 25 de agosto de 1936.

CECILIO CIRRE Y JOSÉ ROSALES (20)

Dos días después, el jueves 27, José Díaz Pla le enseña a Pepe, extraoficialmente, un conducto oficial de Falange fechado en el mismo día, para que Pepiniqui tome las medidas oportunas ante la gravedad que están alcanzando las acusaciones que se vierten contra él. El escrito dice así:

FALANGE ESPAÑOLA Y DE LAS JONS
Procédase a la detención del jefe de sector José Rosales Camacho, y que sea conducido al cuartel de Milicias para responder de los cargos que sobre él pesan con motivo de su actuación en dicho cuartel en un tono disconforme con la disciplina de nuestra organización.

¡¡Arriba España!!
Granada, 27 de agosto de 1936.

EL JEFE PROVINCIAL (21)

(20)   Carta de Cecilio Cirre y José Rosales, publicada anteriormente por E. Molina Fajardo en su libro *Los últimos días de García Lorca* (Plaza & Janés).
(21)   Documento enviado a José Rosales por el jefe provincial de Falange. Ha sido publicado en el libro de E. Molina Fajardo *Los últimos días de García Lorca*.

Los esfuerzos que Narciso Perales ha realizado desde su regreso ante Valdés, Rojas y las más altas jerarquías falangistas, a favor de mis hermanos, también parecen inútiles. Hoy mismo, 27 de agosto, a las nueve y media de la noche, conscientes del extremo asedio en el que se encuentran mis hermanos, de nuevo en consejo de familia, se ha tomado la decisión de que tanto Luis como Pepe salgan de Granada, no podemos arriesgarnos después de la orden de detención cursada contra Pepe. Todos asumimos los riesgos que ello comporta. En plenos preparativos para su inmediata evasión durante la noche, la aldaba golpea la puerta con tres toques secos. Antonio, que parece salir de su sonámbula conducta, pregunta antes de abrir. Es el abogado José Díaz Pla.

Mi madre, a la que desde hace unos días no se le pudo ocultar el acoso al que estamos sometidos, le ofrece asiento y té. El rostro del jefe local de Falange despide cierta satisfacción al explicar el motivo de su visita.

—Ha habido suerte —nos dice—. Mucha suerte, gracias a la insistencia de Narciso Perales, no solamente ante los mandos locales, sino también con los de Sevilla. Valdés por fin accede a imponer la multa, aunque la ha subido a cincuenta mil pesetas.

—Esa cantidad es imposible de asumir, ¡es un robo a mano armada!

—No te falta razón, Luis, es una burrada. Valdés está desbarrando, dice que como ofrecisteis veinticinco mil por ti, quiere otras tantas por Pepiniqui, no hay forma de convencerlos de otra cosa. Si aceptáis, seréis restituidos en vuestros cargos y ha prometido que os dejará a todos en paz.

—¿Qué pretenden, que les toque la lotería de Navidad a nuestra costa? Dile a esa hiena insaciable, y a Antonio Robles también, que la mitad y va que arde.

—Escucha, Pepiniqui. He intentado por todos los medios que sean razonables, pero no ceden un ápice. No lo pongáis más difícil, por favor. Valdés quiere dar un buen escarmiento y está obsesionado con este asunto; es urgente que lo resolvamos, está dispuesto a todo. A los demás, que eran más fáciles de convencer, los lleva a rastras como a peleles y ahora

271

todos quieren una cantidad como garantía, algo que haga el daño suficiente. De verdad que no sé qué hacer, Pepe, lo he intentado todo.

—El dinero es lo de menos en esta situación. El problema es que no dispongo de él, es una cantidad monstruosa, pero quizá en un par de días pueda conseguirlo.

—¡Papá! ¿Te has vuelto loco? Ahora mismo nos vamos y no se les da ni una perra.

—No me he vuelto loco. Los militares acostumbran a no admitir interferencias en su mando y aprovechan para hacernos ver a todos que estamos en sus manos en una sublevación militar. De manera que si ése es el precio por mis hijos, lo acepto, aunque tenga que pagar un crédito durante el resto de mi vida. Para mí valéis mucho más. Dígales que cuenten con el dinero.

—Lo siento, don Miguel, no he podido hacer otra cosa, aun así, si Narciso Perales no hubiese defendido el patriotismo de sus hijos y defendido también la figura de García Lorca, este acuerdo no habría sido posible.

—Le agradezco su interés, señor Díaz. Consígame cuarenta y ocho horas para ingresar el dinero, aunque si puedo lo haré antes. Pero no hemos llegado a ningún acuerdo: sencillamente recibo una imposición que acato de mala gana.

Nuestro padre acompaña hasta el zaguán a Díaz Pla y nos reúne de nuevo en la sala grande de abajo, donde últimamente parece que nos encontramos más protegidos que en el patio.

—Las cosas han sucedido así y habrían ocurrido de forma muy parecida si a Federico lo hubiese acogido otra familia. No os sintáis culpables por eso, ni alberguéis duda alguna de haber procedido correctamente. De lo que sí sois responsables, cada uno en su medida, es de vuestra participación en esta locura de guerra. Pero ahora no quiero hablar de eso, ni quiero que penséis que me duele pagar ese dinero. Hay otras cosas más importantes que os voy a pedir, a exigir, mejor dicho.

—Papá, no hay garantías, ¿y si después de pagar ese dineral, no sirve para nada?

—Ya lo he pensado, y puede suceder, por eso no he pedido garantías de ningún tipo, no las pueden ofrecer, sólo pueden dar su palabra, que hasta ahora ha sido papel mojado, pero es lo único que tenemos, eso, o que os marchéis, igualmente sin garantías, dejando al descubierto al resto de la familia. Estamos en un callejón sin salida, por tanto, no le demos más vueltas y escuchad.

»Bajo ningún concepto quiero que habléis de García Lorca como poeta. Jamás presumiréis de haberlo tenido aquí, ni de conocerlo. No busquéis ni compréis sus libros, te lo digo sobre todo a ti, Luis. Si este régimen triunfa, Federico será su eterno enemigo, un poeta maldito, y vosotros con él. Estos tiranos nunca aceptarán sus errores, cuanto más injustos o tremendos sean, menos los admitirán.

—Pero papá, sus libros... es un poeta.

—Lo sé, no se trata de eso, Luis, ¿es que no lo comprendes? Aunque salgamos de ésta, siempre estaréis en el punto de mira, esperarán a que deis un solo paso en falso para apretar el gatillo. ¡No es un capricho, quiero que sea la última vez que se hable de Federico y de todo lo que ha sucedido! Y si alguno de vosotros se ve forzado o en la obligación de romper el silencio que exijo, lo hará desde la absoluta prudencia de proteger a la familia, incluidos los errores de Antonio, no quiero divisiones. ¡Quiero que me lo juréis!

—Está bien, papá.

—¡Está bien no es suficiente! Tenéis que comprender sin reservas que, según ellos, habéis protegido a un comunista y, por tanto, seréis sospechosos de traición durante muchos años. ¡No me conformo con un «está bien»! Es necesario que me lo juréis antes de subir a mi habitación.

Todos estamos destrozados por la tensión de los días precedentes y sabemos que nuestro padre, además de tener razón, no cejará en su empeño. De manera que accedemos a su petición, a jurar *El silencio de los Rosales*.

Aunque aliviados por la visita de Díaz Pla, nos sentimos humillados al ceder al chantaje impuesto. Nuestro padre, antes de retirarse, insiste en las precauciones que debemos tomar en adelante: procurar cumplir con nuestros compromisos adquiridos, ir de dos en dos, volver a casa temprano y el resto de recomendaciones que nos viene haciendo desde días atrás. Lejos parecen quedar los días del inicio de la guerra, que poco a poco apagan la vida de seres queridos, como poco a poco convierten esta casa en una oscura nube de recuerdos dejando atrás las alegres veladas en el patio. Los rincones guardan celosamente en tinieblas las despreocupadas risas, como ciegamente se calla para siempre la voz de niño en el último cumpleaños de la infancia.

Antes de subir a mi habitación paso a coger un librillo de papel de fumar, que quizá por ser librillos, siempre los hay por la biblioteca. El primero que encuentro está sobre unos poemas de Luis, escritos probablemente en la última semana casi de encierro para él, mientras trataba de evitar exponerse a perder la vida; los cojo para leerlos tranquilamente en la cama, fumando el cigarrillo de costumbre antes de dormir. Con las primeras caladas que me llegan a la boca, esas que suben con sabor a papel, el ruido de un automóvil me impide comenzar la lectura. Está parado en la esquina de las Tablas con el motor encendido. Por su situación y por la hora, me parece estar en la misma noche que llegó Luis de Madrid, la del 11 al 12 del pasado julio. El rumrum del motor sube por la calle como el aullido de un lejano sueño perdido en el tiempo.

Pero no estoy soñando, ni tampoco en aquella distante noche, cuando temía que los ocupantes de aquel automóvil pudieran detener a alguno de mis hermanos. Los que hoy acechan en ese auto son otros, es otro su pensamiento político, pero mi temor, como entonces, es el mismo. Los que aguardan lo hacen callados, sin cuchicheos, como se espera a la presa para no delatarse. Quebrado por el sonido mecánico que gruñe desde la esquina, el silencio viene mudo desde el horizonte. Esta noche, sin embargo, no observo, vigilo sin titubeos desde el balcón, dispuesto a enfrentarme a cualquier movimiento que pueda venir del fondo de la calle.

274

El cigarrillo se ha apagado, y al coger los mixtos de la mesita de noche para encenderlo, compruebo que en el cajón sigue la pistola que, desde que Federico fue detenido, Pepe se empeñó en que, al menos, la tuviera guardada. La cambio de sitio, dejándola a mano, bajo la almohada, y vuelvo a salir al balcón encendiendo el pitillo. Todo sigue igual, como si el tiempo estuviera detenido fuera de la habitación. La sombra del automóvil sigue ahí, estática, recordándome con su rugido que permanece viva. ¡Maldita sea! ¿A quién vigilan esta vez? El pensamiento me consume por momentos, imaginando que vienen a por alguno de nosotros. Preocupado, decido avisar a Pepe y a Luis, y en ese momento, uf, la calle relampaguea por los faros recién encendidos, y el automóvil se aleja calle de las Tablas abajo, devolviendo la anterior penumbra. Un olor a tabaco rubio me llega desde el balcón contiguo, miro a la izquierda y veo el humo, la pizca de brasa roja en la punta del pitillo y la mano de Pepe que sacude la ceniza al retirarse.

Sobre la cama, una vez aliviada la tensión, leo los poemas de Luis, deteniéndome en uno que me sobrecoge especialmente. Lo ha titulado «Autobiografía», me duele imaginar que lo haya escrito como epílogo de su obra pensando, tal vez, que era el último que escribía, y lo releo despacio, con dolor:

> Como el náufrago metódico que contase las olas que
>   le bastan para morir;
> y las contase, y las volviese a contar, para evitar errores, hasta la última,
>   hasta aquella que tiene la estatura de un niño y le cubre la frente,
> así he vivido yo con una vaga prudencia de caballo de
>   cartón en el baño,
> sabiendo que jamás me he equivocado en nada,
> sino en las cosas que yo más quería (22).

(22) «Autobiografía» en *Rimas. Obras completas* de Luis Rosales. Editorial Trota.

Me paro un momento a pensar en el significado del poema, que sin duda recoge las experiencias recién vividas. Entretanto, el pensamiento, libre como tantas veces, me traslada con la memoria a lo que Nestares nos contó sobre Federico, el lunes 17 por la tarde, cuando Luis y yo fuimos a llevarle la declaración exculpatoria que hicimos en el despacho de Díaz Pla.

Nos contó que en la madrugada del 16 al 17, es decir, aproximadamente ocho horas después de que Ruiz Alonso se llevó a Federico de casa, llegó a Víznar un piquete de la Guardia de Asalto al mando de Rafael Martínez Fajardo. Nestares dormía. Antes de seguir para La Colonia, Martínez Fajardo lo despertó y le dijo: «Traemos orden directa del comandante Valdés para fusilar a cuatro.» «Sin leerla —contaba Nestares—, rompí la orden como gesto de desacuerdo por los fusilamientos que me vienen imponiendo desde Granada todas las noches. Ni siquiera vi los nombres, ya había roto otras antes, pero anoche con más ganas la hice añicos, para eso era la última vez que estaba a cargo de la guarnición de Víznar. Cabreado, llamé a Martínez Bueso para que los guiara y presenciara la ejecución. Esta mañana, como sabéis, me han relevado, dicen ellos, pero me han quitado de en medio por los enfrentamientos que he tenido con Valdés, bueno, y por todo esto. Yo no soy un asesino, Luis, y estoy con vosotros, de manera que haré lo que pueda en tu defensa, aunque en la situación en la que estoy tampoco puedo gritar mucho.»

También nos contó Nestares que, antes de volver a entrar en el palacio de Cuzco, pudo ver a Federico García Lorca. «Yo diría que le dieron fuerte, ya sabéis lo que quiero decir», sentado en la parte trasera del Buick color cereza que utiliza la escuadra negra del Panaerillo. Iba cabizbajo, con la mirada perdida en el suelo del vehículo, sentado entre los del panadero, y le pareció ver entre ellos a Trescastro. Serían las dos de la madrugada. Sólo ocho horas habían pasado desde que se lo llevaron de esta casa y sólo un rato hacía que nos habíamos enfrentado a Valdés, reclamándole la libertad del poeta.

Martínez Bueso y un soldado, siguiendo las instrucciones de Nestares, subieron al pescante del Buick para conducirlos a La Colonia, donde los condenados pasan las últimas horas. Detrás los seguía una camioneta con los otros tres detenidos y el resto del piquete. Pocas horas después, aún de noche y sin luna, cuando los ruiseñores dormidos callan su canto, sin confesión ni amparo, fueron sacados de la casona que antaño albergaba juegos y risas de niños.

Federico iba con dos toreros y un maestro. Los cuatro, con escolta de verdugos. Pasado el puentecillo, antes de llegar a Fuente Grande, junto al pozo del campo de instrucción, se detuvieron y, a empujones, sacaron a los condenados. Bajo la luz de los faros, los fusiles se alzaron y dos balas asesinas lo apuntaron. Al sonar las detonaciones, de trapo parecían las piernas de Federico que, por las rodillas, se doblaron ante la fiel centinela que se llevó su último aliento, la muerte.

Hoy, a punto de terminar este libro, el número 1 de la calle Angulo se ha convertido en un hotel. No he podido resistir la tentación de entrar a la casa que ha sido testigo de las páginas escritas. Me conmuevo al pisar el patio andaluz, que guarda con celo su estremecedora historia. La pequeña fuente situada en el centro, de la que bebo, me recibe con el canto del agua, y las columnas me llaman a tocarlas, las acaricio pidiéndoles que me reconozcan, que me hablen, pero todo ha cambiado después de tantos años. Una decoración funcional de hostelería preside la casa. Casi nada coincide con los recuerdos de mi infancia, de los domingos casi perdidos en la memoria, que de la mano de mi padre visitábamos a tía Luisa, a la que llamábamos la vieja para distinguirla de una hermana de mi madre del mismo nombre. Las escaleras me llaman al primer piso y, mientras subo, los caprichos de la evocación me hacen creer que asciendo por las del palacio del Conde Duque, por las que llevan a los archivos de la hemeroteca municipal de Madrid. Aquel día era una fría tarde de enero del año 2000, iba acompañado por mi amigo el pintor Luis Torroba, con la intención de registrar las entrañas de lo publicado por *El Defensor de Granada* durante el año 36, buscar datos, artículos que me pudieran ser útiles para la investigación sobre lo contado en esta narración. El momento decisivo llegó cuando el bedel puso ante nosotros siete enormes carpetas amarradas por cintas rojas, cuyos nudos, el paso del tiempo y el polvo habían apretado más que las manos que las ataron; cada una contenía un mes. Tuvimos que recurrir a las uñas y a cierta habilidad para no romper las descoloridas y ajadas cintas, que por su aspecto hacía mucho tiempo que nadie las desataba. Yo veía en los ojos de Luis, como él en los míos, una ansiedad casi infantil por llegar a su interior, a nuestra cita con el pasado omitido de Granada. Visto desde la izquierda. Julio, nos habían advertido que no estaba completo, sólo llegaba hasta el día 19, el 20, como ya sabemos, los rebeldes cerraron el diario y detuvieron a su director, siendo fusilado pocos días después. Nos conmovió profundamente el último gran titular de su primera página, decía: «CIUDADANOS: ¡VIVA LA REPÚBLICA!», y a continuación resaltaba la confianza en el gobierno para restablecer el orden. La emoción se nos acumulaba en el cuerpo por tener en las manos aquellos periódicos que guardan bajo el polvo y la sombra fragmentos de la historia de nuestra ciudad. Inmersos en las amarillentas noticias, íbamos tomando notas sin conciencia de horarios hasta quedarnos solos en la sala, nuestras mesas eran las únicas que se mantenían encendidas cuando de nuevo llegó el bedel, entrañable por cierto, y muy educadamente nos dijo: «Tenía que haber cerrado hace media hora, pero como les he visto tan enfrascados no he querido interrumpirles, si son tan amables vuelvan mañana, no los guardaré y dejaré las señales que han puesto, así no perderán el tiempo.»

Al subir el último peldaño, tengo casi enfrente la habitación de mi padre y entro; a pesar de no guardar rastro de su presencia, me emociona profundamente. Salgo al balcón, mucho más fiel a sus antiguos moradores, a fumar un cigarrillo como él hacía.

278

Apoyado sobre la baranda de hierro, de cara a la estancia que recorro con la vista, busco algún náufrago olvido. Me viene a la memoria el día que, sentados en el Café Comercial de Madrid, le pregunté a tío Luis:

—Dicen que si Federico se hubiera escondido en casa de Falla, no habría corrido tanto peligro y que posiblemente hubiera salvado la vida, ¿tú que opinas?

—Eso, además de una majadería, es querer jugar a las adivinanzas. Las últimas veces que fueron a la Huerta de San Vicente ya habían sentenciado a Federico y lo habrían detenido en casa de don Manuel de Falla, o de cualquier otro, con mayor facilidad que en la nuestra. Cuando aquella máquina de represión se ponía en marcha, no había quien la parara —decía—. Los asesinos de García Lorca hubieran presionado igual a Conchita aunque Federico se hubiera escondido en el mismísimo palacio arzobispal. Y no estoy jugando a las adivinanzas, el que vivió aquellos días lo sabe muy bien. Hemos permanecido callados porque la derecha siempre nos acusó de haber protegido a Federico, y la izquierda (hoy hay quien lo sigue haciendo), de lo contrario, de no haberlo salvado. Es mejor dejar hacer al tiempo y seguir callados.

—¿Quién crees que inició la persecución de Federico?

—Pudo haberla iniciado cualquiera. Federico estaba en el ojo del huracán, eso que dicen ahora de su actitud apolítica es completamente falso, ya te lo he contado. Creo que fue Horacio Roldán el que lo inició todo, era vecino y amigo del capitán Fernández, y Valdés tenía a Fernández entre la camarilla del Gobierno Civil. Otra cosa es quién formuló la denuncia; sin duda fue Ruiz Alonso, estoy convencido de ello después de tantos años, así como de que Valdés se ocultaba detrás de él para no enfrentarse con nosotros, sobre todo con tu tío Pepe y sus seguidores. Al canalla de Ruiz Alonso le vino muy bien para desprestigiar a toda la Falange, y a nosotros en particular, que Federico estuviera en nuestra casa. Tu abuelo tenía razón al pedirnos que guardáramos silencio.

El vaivén del tiempo mezcla los recuerdos de tío Luis en mi mente, y otros llenos de preguntas que me hacen pensar, con la calle Angulo bajo los pies, que tras este pueblo alienado emerge el déspota entre la clase social dominante. La droga colectiva de la televisión, por donde nos inyectan sin escrúpulos el veneno de la incultura pagado con nuestros propios impuestos. Todo es demasiado complejo: la preocupación moral por la clonación, sin que la sociedad advierta en la televisión y en las religiones, premeditadamente conducidas para la creación del mequetrefe enjundioso, las más sofisticadas máquinas de clonación humana. Me asquea la falsa evolución occidental de la opulencia que somete al mundo a su férrea disciplina. Me preocupa la sociedad que se mira en espejos de cristal roto por la avenida del siglo XXI hacia la falacia globalizada y los adormecidos analfabetos verticales, bajo la dictadura de los mediocres de memoria hechizada, que construyen un planeta inhabitable para el fatuo esclavo moderno. Es la consecuencia del olvido de nuestra historia reciente, y considero, cerrando el balcón y estas páginas, que la única razón que podría justificar la amnesia de la contienda civil española y la dictadura, actualmente silenciadas desde la Transición, especialmente por la derecha, tal como leía hace poco en un artículo de Vicenç Navarro, hubiera sido la igualdad de responsabilidades de los dos bandos en conflicto. Sin embargo, la realidad histórica no deja lugar a dudas. Conviene recordar que la represión llevada a cabo durante la posguerra en España, con el visto bueno de la Iglesia, fue la más brutal y sangrienta de la Europa occidental del siglo XX, superior incluso a la implantada por el nazismo y el fascismo después de la segunda guerra mundial. La dictadura franquista, año tras año (casi cuarenta), calculó fría y decididamente la persecución de los vencidos. No olvidemos que éstos lucharon por la reposición de la democracia, que se saldó con miles de encarcelamientos y asesinatos políticos. Por consiguiente, aprobar el olvido es caer en el oscuro abismo donde el pensamiento no se ejercita y, por tanto, servir a intereses políticos y económicos determinados.

De nuevo en la habitación, cojo las llaves recordándome que estoy en un hotel y hago un último intento buscando vestigios que puedan llevarme lejos, muy lejos, al 27 de agosto de 1936, último día de esta historia. Reparo en la posición de la cama, es la misma que utilizaba mi padre cuando era su dormitorio, y lo imagino sentado en ella, con la almohada doblada tras la espalda, apoyado sobre el gran cabezal de madera, fumando el último pitillo. Ha vuelto a guardar el arma en la mesita de noche, y los poemas de Luis que acaba de leer descansan sobre las sábanas. En su pensamiento de veintiún años rebulle la inquietud de saber si la monstruosa multa que ha de pagar su padre los salvará del acoso al que están sometidos y, lo más temido en su ansiedad, si el dinero librará de la muerte a dos hermanos a los que se siente especialmente unido. Una vez más, el insomnio llena de imágenes su mente y se acerca con la imaginación a Elena, a sus dulces besos que quitan amargura al dolor producido por la guerra. Pero el pensamiento, como sabemos, es caprichosamente fugaz. Sin poder evitarlo, le viene a la memoria la noche que mataron a Federico, y se pregunta, consternado, sobre la cama: «Luna de sombra negra que por el monte hueles a metal quemado. Dime, ¿cuántos muertos contaste la madrugada que sus labios callaron? ¡Dime, luna!, ¿cuántos muertos contarás mañana?»

Índice

Luis en Granada   7

Covadonga   29

La caída   51

El Albayzín   73

Federico y otros en casa   89

Primeros días   129

Visita inesperada   175

Se llevan a Federico   199

El Gobierno Civil   221

Traicionados   241

Última huella de Federico   253

Este libro se imprimió en
A&M Gràfic, S. L.
Santa Perpètua de Mogoda
(Barcelona)